전면개정판 제36회 공인중개사 시험대비

박문각 공인중개사

이해가 쉬운
핵심용어집

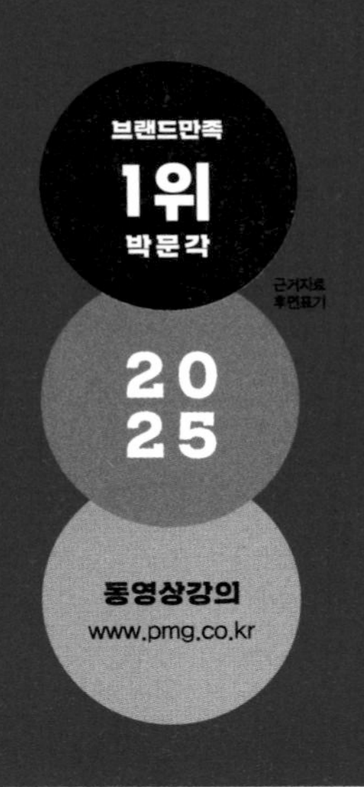

박문각 부동산교육연구소 편

합격까지 박문각
합격 노하우가 다르다!

CONTENTS

이 책의 차례

INDEX 찾아보기

ㅈ

ㅊ

ㅎ

기타

부동산학개론

부동산학개론

가격 (價格)	가격은 상품의 교환가치, 즉 시장성에 따라 인정되는 객관적인 화폐로 표시된 단위를 말하며 특정부동산에 대한 교환의 대가로서 시장에서 매수인과 매도인 간에 실제로 지불되는 금액이다. 가격 = 평균수입 = 한계수입 = 한계비용
가격변동 (價格變動)	부동산의 가격수준의 변동정도를 말한다. 즉, 비교 방식에 의하여 대상부동산의 가격을 평가하는 경우에 거래사례의 거래시점과 대상부동산의 가격시점의 시간적인 차이로 가격수준의 변동이 생긴다. 이때 가격시점의 지수를 거래시점의 지수로 나눈 것을 가격변동률이라고 한다. 일반적으로 도매물가지수나 지가변동률을 사용하고 있다. $\text{가격변동률} = \frac{\text{대상의 가격시점의 지수}}{\text{사례의 거래시점의 지수}}$
가격수준조정저당 (價格水準調整抵當, PLAM ; Price-Level Adjusted Mortgage)	이자율을 변화시켜 인플레위험에 대처하는 것이 아니며, 예상된 인플레율에 따라 저당가격수준, 즉 저당잔금액을 정기적으로 조정하여 대처한다.
가격의 이중성	재화의 가격이 수요 · 공급의 상호관계와 수요 · 공급의 변화에 영향을 주기도 하고, 받기도 하는 현상을 말한다.
가능조소득 (可能粗所得, PGI ; Potential Gross Income)	영업수지 계산과정의 첫 번째 단계로 투자부동산에서 얻을 수 있는 최대한의 임대료 수입을 뜻한다. 이는 임대단위수에 임대료를 곱하여 구할 수 있다. 가능조소득 = 임대단위수 × 임대료

가로조건
(街路條件)

시가지에서 도로의 폭·계통·포장 여부·경사·경관 등의 도로조건을 말한다. 즉, 부동산의 이용가치는 부동산이 접하는 가로의 성격과 양부에 따라 영향을 받게 되는데, 이러한 조건을 가로조건이라고 한다.

가변이자율저당
(可變利子率抵當, VRM ; Variable Rate Mortgage)

가변이자율저당(VRM)은 대출시점의 금리가 만기까지 적용되지 않고 대출기간 중에 변동되는 저당대출을 말한다.

가수요
(假需要)

재화의 품귀현상 또는 미래 가격상승이 예상되는 경우에 가격상승을 가져올 것이라 예측하고, 당장 실제 수요가 없는데도 실물선호가 급격히 증가하는 현상이다.

가처분소득
(可處分所得)

개인소득은 임금, 개인업주소득, 부동산임대소득, 이전소득(이자, 배당, 연금) 등 모든 소득의 합계를 말한다. 이 중 개인소득세나 공과(조세 이외의 금전부담)를 공제한 나머지를 가처분소득이라 한다.

가치
(價値)

가치는 장래 기대되는 편익의 현재가치이다(I. Fisher). 이러한 가치는 용도 및 목적에 따라 여러 가지가 형성될 수가 있는데, 이를 가치의 다원적 개념이라 한다.

가격과 가치

가격(price)	**가치**(value)
특정부동산에 대한 교환의 대가로 시장에서 매도자와 매수자 간에 지불된 실거래액 • 대상부동산에 대한 과거의 값 ⇨ 중개사가 전문가 • 시장수급작용으로 거래당사자 사이에 제안된 값 • 주어진 시점에서 대상부동산에 대한 가격은 하나	장래 기대되는 편익을 현재가치로 환원한 값 • 대상부동산에 대한 현재의 값 ⇨ 평가사가 전문가 • 가격 ± 오차 • 가치는 무수히 많다. ⇨ 가치의 다원적 개념

가치형성요인
(價値形成要因)
☑ 제31회

대상물건의 경제적 가치에 영향을 미치는 일반요인, 지역요인 및 개별요인 등을 가치형성요인이라고 한다(「감정평가에 관한 규칙」 제2조 제4호).

감가상각
(減價償却)
☑ 제26회

토지를 제외한 건물·비품 등의 고정자산은 시간의 경과와 사용의 정도에 따라 그 가치가 점차 감소해 가는데, 이 가치감소를 반영하는 회계상 절차로서 감가상각의 본질은 자산원가를 내용연수 동안 배분하는 과정을 의미한다.

감가상각비
(減價償却費)

감가상각의 절차에 의하여 계상되는 비용을 말하며, 감가상각비를 구하는 방법에는 정액법·정률법·상환기금법 등이 있다.

감가수정
(減價修正)
☑ 제28회, 제32회, 제33회

부동산감정평가에 있어서 대상물건에 대한 재조달원가를 감액하여야 할 요인이 있는 경우에 물리적 감가, 기능적 감가 또는 경제적 감가 등을 고려하여 그에 해당하는 금액을 재조달원가에서 공제하여 기준시점에 있어서의 대상물건의 가액을 적정화하는 작업을 말한다. 감가수정방법에는 경제적 내용연수를 기준으로 하는 방법(정액법·정률법·상환기금법)과 관찰감가법, 분해법 등이 있다. 회계학상 감가상각과 유사하지만 그 목적·방법·감가요인에서 차이가 있다.

감가상각과 감가수정의 차이

구 분	감가상각	감가수정
목 적	비용배분, 자본의 유지·회수, 정확한 원가계산, 진실한 재정상태 파악	가격시점에서의 시산가격의 적정화 (경제적 가치 산정)
방 법	• 취득원가(장부가격)를 기초로 함. • 법정 내용연수(물리적 내용연수)를 기초로 하되, 경과연수 중점	• 재조달원가를 기초로 함. • 경제적 내용연수를 기초로 하되, 장래 보존연수 중점
특 징	• 관찰감가법이 인정되지 않음. • 토지감가 불인정 • 물리적·기능적 감가요인만 취급	• 관찰감가법이 인정 • 토지감가 인정 • 현존물건만을 대상으로 함. • 물리적·기능적·경제적 감가요인 모두 취급

감정평가
(鑑定評價)
☑ 제26회, 제28회, 제33회

감정평가 및 감정평가사에 관한 법률에 따르면 감정평가란 토지 등의 경제적 가치를 판정하여 그 결과를 가액으로 표시하는 것을 말한다(제2조 제2호). 여기서 '토지 등'이란 토지 및 그 정착물, 동산, 그 밖에 대통령령으로 정하는 재산과 이들에 관한 소유권 외의 권리를 말한다(제2조 제1호).

감채기금
(減債基金)

경제주체가 부채를 점차로 상환하거나 줄이기 위하여 특정한 기금회계를 설정하고 매년 일정금액을 적립하는 기금을 말한다.

감채기금계수
(減債基金係數, SFF)
☑ 제26회

일정 누적액을 기간 말에 만들기 위해 매 기간마다 적립해야 할 액수를 구하는 계수를 말하며, 상환기금계수라고도 한다. 매 기간 말에 일정 누적액이 달성된다는 측면에서 감채기금계수는 미래가치에 해당한다.

매 기간 불입액 = 연금의 미래가치 × 감채기금계수(r%, n년)

강성 효율적 시장
(强性 效率的 市場, Strong Efficient Market)
☑ 제27회, 제29회, 제32회

공표된 것이거나 공표되지 않은 것이거나 어떤 정보도 이미 시장가치에 반영되어 있는 시장을 말한다. 따라서 강성 효율적 시장에서는 모든 정보가 시장가치에 반영되어 있으므로 누군가 어떠한 정보를 이용한다고 하더라도 초과이윤을 획득할 수 없다. 이는 진정한 의미에서의 효율적 시장이라 할 수 있으며, 완전경쟁시장에 가장 부합되는 시장이다. 완전경쟁시장에서의 정보는 완전하며, 모든 정보는 공개되어 있고, 정보비용은 없다고 가정하고 있기 때문에 어느 누구도 정상이윤 외에 초과이윤을 획득할 수 없는 것이다.

개량재개발
(改良再開發)
= 도시재개발

수복재개발의 일종으로서 기존 도시환경의 시설기준 및 구조 등이 현재의 수준에 크게 미달되는 경우에 기존시설의 확장, 개선 또는 새로운 시설을 보강하여 기존 물리환경의 질적 수준을 높여 도시기능을 제고시키는 방법이다.

개발권
(開發權)

지역지구별로 허용한 건물의 용적률보다 건물의 실제 용적률이 낮을 경우 잔여용적률에 대하여 개발할 수 있는 권리를 말한다.

개발권이전제도
(開發權移轉制度)
= **개발권양도제**
(TDR ; Transfer of Development Right)
☑ 제32회

개발행위가 제한되고 규제되는 보전지역의 토지소유자들에게 개발제한으로 발생하는 손실을 보전해주기 위하여 개발지역으로 지정된 다른 지역의 토지를 개발할 수 있는 개발권이라는 권리를 부여하는 제도를 말한다. 개발권이전제도는 토지이용계획의 규제가 전제되는 정책이다.

:: 참고 | 개발권양도제도(TDR ; Transfer of Development Right)

1. 토지이용규제가 극심한 지역에 활용
2. 소유권으로부터 개발권을 분리하여 독립된 객체로 인정
3. 공적 자금의 투입이 아니라 시장기구를 통하여 보상하는 제도
4. 사적 공중권의 활용방안

개발손실
(開發損失)

개발이익에 대립되는 개념으로서, 개발을 수행함에 있어서 그 개발로 인한 재산상의 손실을 말한다. 이론적으로는 개발이익과 개발손실이 상계되도록 토지정책을 수행하는 것이 바람직하다.

개발이익
(開發利益)

개발사업의 시행 또는 토지이용계획의 변경이나 기타 사회적·경제적 요인에 의하여 정상지가 상승분을 초과하여 개발사업을 시행하는 자나 토지의 소유자에게 귀속하는 토지가액의 증가분을 말한다.

개발이익환수제도
(開發利益還收制度)

국가·지방자치단체 또는 정부투자기관의 개발사업이나 정비사업 등에 의하여 토지소유자가 정당한 노력 없이 지가상승으로 인하여 현저한 이익을 얻은 경우(개발이익, 불로소득)에 토지소유자에게 그 이익(개발이익, 불로소득)을 환수하는 제도를 말한다. 현행 조세 중 이 제도로서의 성질을 갖는 것으로는 재산세·도시계획세·간주취득세 및 양도소득세가 있으며, 비조세적인 것으로는 개발부담금제·감보율·공공용지부담·수익자부담금제·공시지가제·국공유토지임대제·공여개발제 등이 있다.

개별공시지가 (個別公示地價)

☑ 제26회, 제29회~제31회

국토교통부장관이 매년 공시하는 표준지공시지가를 기준으로 관할 시장·군수·구청장이 조사하여 산정한 개별토지의 단위면적(m^2)당 가격을 의미한다. 개별공시지가는 양도소득세 및 증여세, 상속세 등의 국세와 재산세, 취득세 등의 지방세를 산정하는 기초자료로 활용된다.

표준지공시지가와 개별공시지가

구 분	표준지공시지가	개별공시지가
주 체	국토교통부장관	시·군·구청장
공 시	매년 2월 말 (공시가격기준일은 1월 1일)	매년 5월 31일까지
평가 방식	• 거래사례비교법(원칙) • 수익환원법, 원가법	토지가격비준표(比準表) 적용 (표준지가격으로부터 추정)
효 력	• 토지거래의 지표 • 개별토지가의 산정기준 • 토지시장의 지가정보제공 • 보상금 산정	• 국세 및 지방세의 기준 • 각종 부담금의 부과 • 국·공유재산 사용료, 대부료 산정을 위한 토지가격

개별분석 (改別分析)

☑ 제27회, 제30회, 제32회, 제34회

개별분석은 대상부동산의 개별적 요인을 분석하여 대상부동산의 가격을 판정하는 작업이다.

지역분석과 개별분석

구 분	지역분석	개별분석
분석 순서	선행분석	후행분석
분석 내용	가격형성의 지역요인을 분석	가격형성의 개별적 요인을 분석
분석 범위	대상지역(대상지역에 대한 전체적·광역적·거시적 분석)	대상부동산(대상부동산에 대한 부분적·국지적·구체적·미시적 분석)
분석 방법	전반적 분석	개별적 분석
분석 기준	표준적 이용	최유효이용
가격 관련	가격수준	가격
가격 원칙	적합의 원칙	균형의 원칙

개별성
(個別性)
☑ 제26회, 제28회, 제31회, 제32회

부동산의 특성 중 자연적 특성의 하나로서, 토지는 지리적 위치의 고정성으로 인하여 물리적으로 동일한 토지·건물은 하나도 없다는 특성이다. 즉, 지표상에 존재하는 토지는 위치·지형·지세 등이 동일한 것이 없고 그 개성도 달라 대체할 수 없다는 뜻이다.

개별평가
(個別評價)

감정평가 의뢰를 받은 대상부동산을 감정평가할 때, 그 대상부동산의 구성부분에 대하여 개별적으로 평가하는 것을 말한다.

갱지
(更地)

건축물을 건축하도록 용도가 정해져 있는 지역(주거지역·상업지역 등)에서 건축물 등의 지상정착물이 없고, 토지이용에 대한 공법상의 제약은 받으나 당해 토지의 사용·수익을 제약하는 사권이 부착되어 있지 아니한 완전소유권의 토지를 말한다.

거래사례
(去來事例)

부동산가격의 평가방법 중 비교방식의 경우에는 거래된 사례를 수집하여 그 사례와 비교하여 가격을 평가하는데, 이때 부동산시장에서 실제로 발생한 부동산의 매매·교환 등의 사례를 말한다. 거래사례는 거래가격은 물론 대상부동산의 등급이나 수량, 거래시기 및 지급방법 등 거래에 관련되는 모든 사항을 포함하고 있다.

거래사례비교법
(去來事例比較法)
☑ 제26회, 제28회, 제29회, 제31회, 제33회, 제35회

부동산감정평가에 있어서 대상물건과 가치형성요인이 같거나 비슷한 물건의 거래사례와 비교하여 대상물건의 현황에 맞게 사정보정(事情補正), 시점수정, 가치형성요인 비교 등의 과정을 거쳐 대상물건의 가액을 산정하는 감정평가방법을 말한다(「감정평가에 관한 규칙」 제2조 제7호). 이 방법에 의하여 산정된 시산가격을 유추가격 또는 비준가격이라고 한다.

거미집이론

☑ 제27회, 제31회, 제32회, 제34회

미국의 주기적인 돼지와 옥수수의 가격파동분석에서 유래되었다. 수요량은 가격에 대하여 즉각적으로 반응하나 공급량은 생산기간이 필요하기 때문에 시차를 두고 반응한다는 시장균형에 대한 동적 이론으로서, 에치켈(M. J. Eziekel)에 의하여 분석이 이루어졌다. 부동산시장은 주기적으로 초과수요와 초과공급을 반복하며 가격폭등과 폭락을 반복하는 과정을 통하여 시장균형에 도달한다는 이론이다.

참고 | 거미집모형의 유형

① 수렴형: 시간이 경과하면서 새로운 균형으로 접근하는 경우이다. 공급곡선의 기울기의 절댓값이 수요곡선의 기울기의 절댓값보다 큰 경우에 나타난다.

- | 수요곡선의 기울기 | < | 공급곡선의 기울기 |
- 수요의 가격탄력성 > 공급의 가격탄력성

② 발산형: 시간이 경과하면서 새로운 균형에서 점점 멀어지는 경우이다. 공급곡선의 기울기의 절댓값이 수요곡선의 기울기의 절댓값보다 작은 경우에 나타난다.

- | 수요곡선의 기울기 | > | 공급곡선의 기울기 |
- 수요의 가격탄력성 < 공급의 가격탄력성

③ 순환형: 시간이 경과하면서 새로운 균형점에 접근하지도, 멀어지지도 않는 경우이다. 수요곡선과 공급곡선의 기울기의 절댓값이 같은 경우에 나타난다.

- | 수요곡선의 기울기 | = | 공급곡선의 기울기 |
- 수요의 가격탄력성 = 공급의 가격탄력성

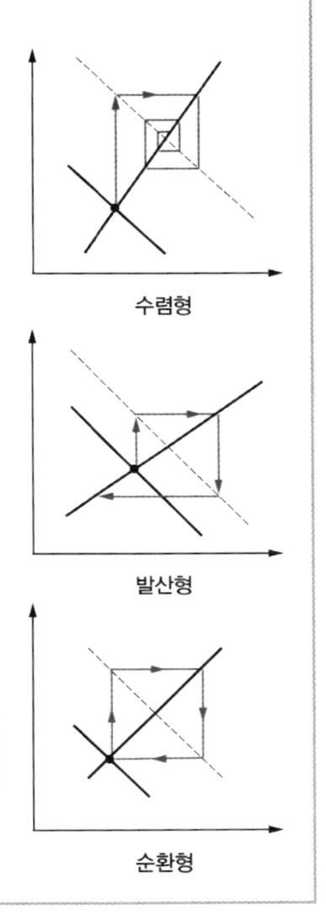

건물의 내용연수 (建物의 耐用年數)

☑ 제26회

건물이 신축된 후 수명이 다하기까지, 즉 건물의 유용성의 지속연수를 말한다. 보통 건물수명을 말한다. 내용연수에는 물리적 내용연수, 기능적 내용연수, 경제적 내용연수 및 법적 내용연수가 있다.

건물의 수명성 (建物의 壽命性) = 건물의 생애주기

☑ 제26회

건물이 신축되어 그의 내용연수가 전부 만료되어 철거되기까지 일정한 법칙적인 현상을 일으키는데, 이러한 현상을 거치면서 건물의 수명이 다하는 기간을 말한다. 건물의 생애주기는 '전(前) 개발단계 ⇨ 신축단계 ⇨ 안정단계 ⇨ 노후단계 ⇨ 완전폐물단계'로 구분된다.

건부지
(建附地)

건물이나 구축물 등의 용도에 제공되고 있는 부지로서 지상물에 의하여 사용·수익이 제한된 토지를 말한다.

① 건부감가(建附減價): 어느 부지에 건물이 있고 그 부지의 사용을 현재보다 나은 방법으로 이용하려 할 경우, 부지에 건물 등이 존재하기 때문에 나타나는 부지에 대한 제약분(制約分)을 부지가격에서 감액하는 것을 말한다. 일반적으로 건물면적에 비해서 부지면적이 크면 클수록 부지에 대한 제약은 적고, 지상건물이 견고할수록 크다.

② 건부증가(建附增價): 토지상에 건물 등이 있음으로 인하여 부지의 유용성이 증가되는 경우를 말한다. 예를 들어, 개발제한구역 내의 건부지의 경우에는 건부지가 나지보다 가격이 높다.

경과연수
(經過年數)

실제로 경과한 연수를 말하며, 실제 경과연수를 알 수 없거나 적용함이 불합리할 때는 성능·상태·사용정도 등을 참작하여 경과연수를 조정할 수 있다.

경기변동
(= 경기순환)

☑ 제26회, 제29회, 제31회, 제33회

경기순환이라고도 하며 국민소득수준, 고용 등과 이에 따르는 경제활동의 상승과 하강의 주기적 반복현상을 말한다.

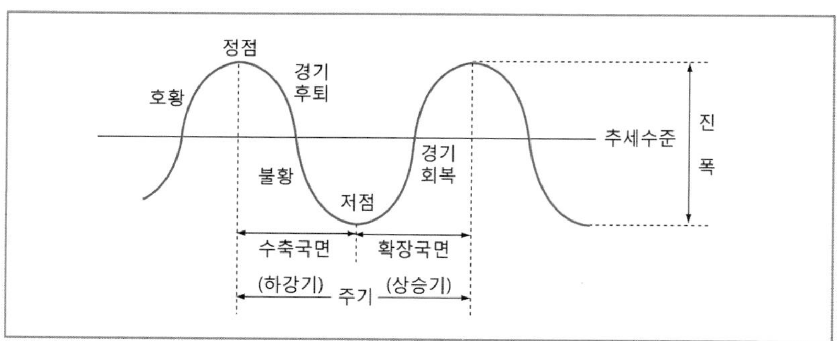

참고 | 부동산 경기변동의 특징

1. 부동산경기는 일반적으로 일반경기에 비해 주기는 길고 진폭은 크다.
2. 부동산경기는 지역적·부문별·개별적·국지적으로 나타나서 전국적·광역적으로 확대된다.
3. 경기순환의 국면이 불분명·불명확·불규칙·뚜렷하지 않고 일정하지 않다.
4. 부동산경기의 회복은 서서히 진행되고, 후퇴는 빠르게 진행된다.
5. 부동산경기는 타성기간이 장기이다. 이 때문에 부동산경기는 일반경기에 민감하게 작용하지 못한다.

경쟁의 원칙
(競爭의 原則)

부동산가격의 원칙 중의 하나로서, 초과이윤은 경쟁을 야기시키고 경쟁은 초과이윤을 감소 또는 소멸시킨다는 원칙이다. 부동산의 자연적 특성에 의하여 지리적 위치는 고정되어 있고, 부증성에 의해 물리적 절대량이 증가하지 않으므로 공급자의 경쟁보다는 수요자의 경쟁이 강하게 나타난다.

경제성의 원칙
(經濟性의 原則)

부동산활동에서 경제적 이익과 합리성을 추구하여야 한다는 것이다. 경제적 합리성(경제적 효율성)이란 최소의 비용을 최대의 효과(수익)를 올리려는 것을 말하며, 이 원칙은 부동산활동 전반에 걸친 합리적 선택의 원칙이라고 볼 수 있다.

경제적 관리
(經濟的 管理)

부동산을 활용하여 발생하는 총수익에서 제 비용을 뺀 순수익이 합리적으로 도출되고 있는가의 여부를 위해 관리하는 것을 말한다.

경제적 내용연수
(經濟的 耐用年數)
☑ 제26회, 제33회

인근지역의 퇴화, 인근 환경과의 부적합, 부근의 다른 건물에 비교시장성 감퇴 등에 의해 경제적 수명이 다하기까지의 연수를 말한다.

계속임료
(繼續賃料)

계속 중인 임대차계약에 수반되어 현행임료를 개정하는 때 구하는 임료를 말한다. 부동산의 임대차를 계속하기 위하여 특정의 당사자 사이에 성립될 것으로 기대되는 적정한 임료로서 특정임료이다. 계속임료의 평가방법으로는 차액배분법, 이율법, 슬라이드법, 임대사례비교법 등이 있다.

고립국
(孤立國)
☑ 제30회

튀넨이 농업입지론을 설명하기 위해 1825년에 지은 저서이다. 고립국은 중심지로부터 거리에 따라 동심원 모양으로 '자유식 ⇨ 임업 ⇨ 윤재식 ⇨ 곡초식 ⇨ 삼포식 ⇨ 목축'의 순서로 형성된다고 보았다.

고정금리저당
(固定金利抵當, FRM ; Fixed-Rate Mortgage)
☑ 제35회

고정이자율저당, 고정금리대출이라고도 하며, 저당기간 동안 고정된 금리(이자율)가 적용되는 상품을 말한다. 고정이자율저당의 유형으로는 원금균등상환, 원리금균등상환, 점증(체증식)상환이 있다.

고정비용
(固定費用)

매출액과는 상관없이 고정적으로 지출해야 하는 비용을 말한다.

고정자산
(固定資産)

기업이 스스로 장기에 걸쳐서 반복 사용하는 것을 목적으로 하여 소유하고 재무상태표에서 기산하여 1년 이내에 유동화하지 않는 자산을 말하며, 단기간 내에 현금화하는 유동자산과 대립되는 개념이다. 고정자산에는 유형고정자산과 무형고정자산이 있다.

① 유형고정자산: 구체적인 형태를 가진 자산으로, 토지 · 가옥 · 기계 · 선박 · 차량운반구 · 건설 중인 자산 · 비품 등이 있다.
② 무형고정자산: 구체적인 형태를 가지고 있지 않은 자산으로, 영업권 · 공업소유권(특허권 · 실용신안권 · 상표권 · 의장권) · 저작권 · 광업권 · 어업권 · 차지권(지상권 포함) 등이 있다.

공가율
(空家率)

공가란 아무도 살지 않는 1호의 가옥을 말하며, 공가율이란 전주민 호수에 대한 공가수의 비율을 말한다.

$$공가율 = \frac{빈집의\ 수}{총주택의\ 수} \times 100$$

공간균배의 원리
(空間均配의 原理)

경쟁관계에 있는 점포 사이에 공간을 서로 균배한다는 원리로서, 상업지에서 시장이 좁고 수요의 탄력성이 적으면 중앙에 집심입지현상이 나타나고, 시장이 넓고 수요의 탄력성이 크면 분산입지현상이 나타난다. 이에 따른 점포유형에는 집재성, 집심성, 산재성, 국부적 집중성 점포가 있다.

참고 | 공간균배원리에 따른 점포의 분류

점포유형	의 의	예
집심성 점포	배후지의 중심지에 입지	도매점, 백화점, 귀금속점, 미술품점, 대형서점, 영화관 등
집재성 점포	동일 업종의 점포가 한 곳에 입지	금융기관, 관공서, 서점, 기계점, 가구점, 전기부품점 등
산재성 점포	동일 업종의 점포가 분산 입지	잡화점, 주방용품점, 이발소, 목욕탕, 세탁소, 일용품점 등
국부적 집중성 점포	동일 업종 점포끼리 국부적 중심지에 입지	농기구점, 석재점, 어구점, 비료상, 농약점, 씨앗취급점 등

공공재
(公共財, public goods)
☑ 제28회, 제30회

국가, 지방자치단체 등 공공기관에서 공급하는 재화나 서비스로 국방, 법률, 치안, 산림 등이 대표적인 공공재에 해당한다. 공공재는 시장경제원리가 적용되지 않고, 소비에 있어서 비경합성과 비배제성의 특성을 가지고 있다. 특히 비배제성으로 인해 개개인이 대가를 지불하지 않고도 공공재의 혜택을 누릴 수 있으므로 무임승차(free-rider)의 문제가 발생하게 된다.

공공주택정책
(公共住宅政策)
☑ 제31회, 제33회~제35회

임대주택정책의 하나로서, 정부가 시장임대료보다 저렴한 가격으로 임대주택을 제공하는 정책을 말한다.

「공공주택 특별법 시행령」 제2조 【공공임대주택】

1. 영구임대주택: 국가나 지방자치단체의 재정을 지원받아 최저소득 계층의 주거안정을 위하여 50년 이상 또는 영구적인 임대를 목적으로 공급하는 공공임대주택
2. 국민임대주택: 국가나 지방자치단체의 재정이나 「주택도시기금법」에 따른 주택도시기금(이하 "주택도시기금"이라 한다)의 자금을 지원받아 저소득 서민의 주거안정을 위하여 30년 이상 장기간 임대를 목적으로 공급하는 공공임대주택
3. 행복주택: 국가나 지방자치단체의 재정이나 주택도시기금의 자금을 지원받아 대학생, 사회초년생, 신혼부부 등 젊은 층의 주거안정을 목적으로 공급하는 공공임대주택

3의2. 통합공공임대주택: 국가나 지방자치단체의 재정이나 주택도시기금의 자금을 지원받아 최저소득 계층, 저소득 서민, 젊은 층 및 장애인·국가유공자 등 사회 취약계층 등의 주거안정을 목적으로 공급하는 공공임대주택

4. 장기전세주택: 국가나 지방자치단체의 재정이나 주택도시기금의 자금을 지원받아 전세계약의 방식으로 공급하는 공공임대주택
5. 분양전환공공임대주택: 일정 기간 임대 후 분양전환할 목적으로 공급하는 공공임대주택
6. 기존주택등매입임대주택: 국가나 지방자치단체의 재정이나 주택도시기금의 자금을 지원받아 제37조 제1항 각 호의 어느 하나에 해당하는 주택 또는 건축물(이하 "기존주택등"이라 한다)을 매입하여 「국민기초생활 보장법」에 따른 수급자 등 저소득층과 청년 및 신혼부부 등에게 공급하는 공공임대주택
7. 기존주택전세임대주택: 국가나 지방자치단체의 재정이나 주택도시기금의 자금을 지원받아 기존주택을 임차하여 「국민기초생활 보장법」에 따른 수급자 등 저소득층과 청년 및 신혼부부 등에게 전대(轉貸)하는 공공임대주택

공급곡선
(供給曲線)
☑ 제26회, 제27회, 제31회

공급함수나 공급의 법칙이 특정의 재화나 용역에 대하여 현실적으로 나타나고 있는 현상을 그래프에 나타낸 것을 말하며, 공급곡선이 수직선이면 완전비탄력적, 수평선이면 완전탄력적이라 한다.

공급의 가격탄력성
(供給의 價格彈力性)
☑ 제27회, 제29회, 제30회, 제32회~제34회

가격의 변화율에 대한 공급량의 변화율의 정도를 말한다. 공급의 탄력성이 1보다 크면 탄력적, 1보다 작으면 비탄력적이고, 1이면 단위탄력적이라 한다.

$$\text{공급의 가격탄력성(Es)} = \frac{\text{공급량의 변화율(\%)}}{\text{가격의 변화율(\%)}}$$

공급의 변화
(供給의 變化)
☑ 제27회, 제28회, 제35회

가격 이외의 다른 요인의 변화로 공급곡선 자체의 이동이 발생하는 것을 '공급의 변화'라 하고, 해당 재화의 가격변화로 인한 공급곡선상의 변화를 '공급량의 변화'라고 한다.

참고 | 공급의 변화와 공급량의 변화

공급의 변화(供給의 變化)	공급량의 변화(供給量의 變化)
• 원인: 가격 이외의 다른 결정요인(기술수준, 생산요소의 가격, 다른 재화의 가격, 경기전망 등)의 변화 • 공급곡선 자체의 이동이 발생 • 좌측(좌상향)이동 ⇨ 공급감소 우측(우하향)이동 ⇨ 공급증가	• 원인: 해당 재화의 가격변화로 그 재화의 공급량이 변화하는 것을 말한다. • 공급곡선상에서의 이동이 발생 • 가격상승 ⇨ 공급량 증가 가격하락 ⇨ 공급량 감소
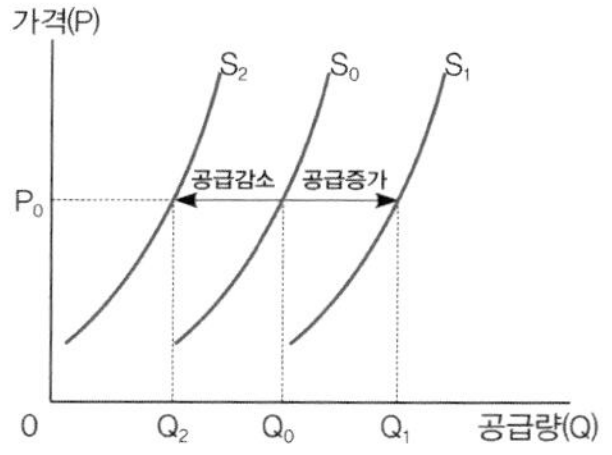 가격(P), S_2, S_0, S_1, P_0, 공급감소, 공급증가, 0, Q_2, Q_0, Q_1, 공급량(Q)	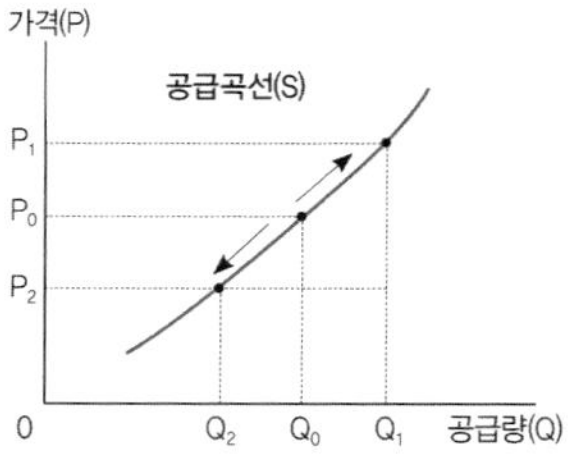 가격(P), 공급곡선(S), P_1, P_0, P_2, 0, Q_2, Q_0, Q_1, 공급량(Q)

공시지가기준법
(公示地價基準法)
☑ 제31회~제34회

「감정평가 및 감정평가사에 관한 법률」 제3조 제1항 본문에 따라 감정평가의 대상이 된 토지(이하 "대상토지"라 한다)와 가치형성요인이 같거나 비슷하여 유사한 이용가치를 지닌다고 인정되는 표준지(이하 "비교표준지"라 한다)의 공시지가를 기준으로 대상토지의 현황에 맞게 시점수정, 지역요인 및 개별요인 비교, 그 밖의 요인의 보정(補正)을 거쳐 대상토지의 가액을 산정하는 감정평가방법을 말한다(「감정평가에 관한 규칙」 제2조 제9호).

공실률
(空室率)

아파트나 임대빌딩에서 그 건물 전체의 실(室) 수에 대한 공실(빈방)의 비율을 말한다. 임대빌딩의 경우에는 공실률이 높으면 빌딩 채산상 지장을 초래하게 되며, 정산임대료 및 수익임대료를 구하는 경우 필요제경비 등으로 고려하여야 할 사항이다.

공업의 집적인자 (工業의 集積因子)

공업이 일정한 지역에 집중하는 현상을 집적이라 하며, 생산과 그로부터의 이익이 어느 장소에 있어 어느 특정의 집단과 통합하여 이루는 데 발생하는 또는 판매의 저렴화를 집적인자라 한다.

공장재단 (工場財團)

공장에 속하는 토지, 공작물, 지상권, 전세권, 공업소유권 등의 기업용 재산을 하나의 집합물로 보아 공장저당법에 의해 보존등기를 하게 되면 한 개의 부동산으로 취급되는 부동산을 말한다.

공중공간 (空中空間)

부동산을 3차원 공간으로 볼 때의 공간에는 수평공간, 공중공간, 지중공간의 세 가지가 있다.

수평공간	지표와 연결되어 생각되는 토지·주택·농경지·평야·계곡·수면 등의 공간
공중공간	주택·빌딩 기타 지하나 공중을 향하여 연장되는 공간
지중공간	지표에서 지중을 향하는 공간

공중권 (空中權)

소유권자의 토지구역상 공중공간을 일정한 높이까지 타인에게 방해받지 않고 포괄적으로 이용하고 관리할 수 있는 권리를 말한다. 공중에서의 건축, 기존 건축물의 일조권 확보 등이 그 목적이다.

공한지 (空閑地)

도시 내의 택지 중에서 지가상승만을 기대한 토지투기를 위하여 장기간 방치되고 있는 택지를 말한다.

과밀도시 (過密都市)

인구나 산업이 집중되어 도시시설 간에 불균형이 발생함으로써 공해가 발생하고 교통이나 생활환경 등이 저해된 도시를 말한다.

관계 마케팅 전략 (關係 marketing 戰略)

☑ 제26회

공급자와 소비자의 상호작용을 중요시하는 전략으로 장기적·지속적인 관계유지를 주축으로 하는 전략이다. 공급자와 수요자의 1회성이 아닌 장기적 관계는 부동산의 브랜드와 관계가 깊다.

관리신탁
(管理信託)
☑ 제30회

신탁재산으로 인수한 부동산을 보존 또는 개량하고 임대 등의 부동산사업을 시행하여 그 수익을 수익자에게 교부하는 방식을 말한다.

① 甲종 관리신탁: 부동산소유자가 맡긴 부동산을 총체적으로 관리·운영하여 그 수익을 부동산소유자 또는 부동산소유자가 지정한 사람에게 배당하는 것을 말한다.

② 乙종 관리신탁: 일명 명의신탁이라고도 하며, 관리의 일부만을 수행하는 것을 말한다.

관찰감가법
(觀察減價法)
☑ 제33회

부동산 감정평가활동에서 감가수정을 하는 방법의 하나로서, 대상부동산 전체 또는 구성분을 면밀히 관찰하여 물리적·기능적·경제적 감가요인과 감가액을 직접 관찰하여 조사함으로써 감가수정을 하는 방법이다. 대상부동산의 개별상대가 세밀하게 관찰되어 감가수정에 반영된다는 장점은 있으나, 평가주체의 개별적 능력이나 주관에 좌우되기 쉽다는 단점이 있다.

광업재단
(鑛業財團)

광업권에 속하는 광물을 채굴·취득하기 위한 여러 설비와 이에 부속되는 사업의 설비로 구성되는 일단의 기업재산에 대하여 보존등기를 하게 되면 한 개의 부동산으로 취급되는데, 이를 광업재단이라 한다.

광천지
(鑛泉地)

지하에서 온수, 약수, 석유류 등이 용출되는 용출구 및 그 유지를 위한 부지를 말한다.

교환가치
(交換價値)

부동산이 시장에서 매매되었을 때 형성될 수 있는 가치를 의미한다.

구거
(溝渠)
☑ 제33회

구거란 「공간정보의 구축 및 관리 등에 관한 법률」의 지목 중 하나로, 용수(用水) 또는 배수(排水)를 위하여 일정한 형태를 갖춘 인공적인 수로·둑 및 그 부속시설물의 부지와 자연의 유수(流水)가 있거나 있을 것으로 예상되는 소규모 수로부지를 말한다.

구분감정평가
(區分鑑定評價)
☑ 제27회

부동산감정평가에서 평가대상물건에 따른 평가분류방법으로서, 1개의 물건이라도 가치를 달리하는 부분은 이를 구분하여 감정평가하는 것을 말한다. 이 경우 감정평가서에 그 내용을 기재하여야 한다.

구분지상권
(區分地上權)

건물 기타 공작물을 소유하기 위하여 지하 또는 지상의 공간에 상하의 범위를 정하여 설정된 지상권을 말한다. 다만 수목의 소유를 위한 구분지상권의 설정은 인정되지 않는다.

> **「민법」 제289조의2 【구분지상권】** ① 지하 또는 지상의 공간은 상하의 범위를 정하여 건물 기타 공작물을 소유하기 위한 지상권의 목적으로 할 수 있다. 이 경우 설정행위로써 지상권의 행사를 위하여 토지의 사용을 제한할 수 있다.
> ② 제1항의 규정에 의한 구분지상권은 제3자가 토지를 사용 · 수익할 권리를 가진 때에도 그 권리자 및 그 권리를 목적으로 하는 권리를 가진 자 전원의 승낙이 있으면 이를 설정할 수 있다. 이 경우 토지를 사용 · 수익할 권리를 가진 제3자는 그 지상권의 행사를 방해하여서는 아니 된다.

국민주택
(國民住宅)

주택도시기금의 자금을 지원받아 건설되거나 개량되는 주택을 말한다.

> **「주택법」 제2조 【정 의】** 이 법에서 사용하는 용어의 뜻은 다음과 같다.
> 5. "국민주택"이란 다음 각 목의 어느 하나에 해당하는 주택으로서 국민주택규모 이하인 주택을 말한다.
> 가. 국가 · 지방자치단체, 「한국토지주택공사법」에 따른 한국토지주택공사(이하 "한국토지주택공사"라 한다) 또는 「지방공기업법」 제49조에 따라 주택사업을 목적으로 설립된 지방공사(이하 "지방공사"라 한다)가 건설하는 주택
> 나. 국가 · 지방자치단체의 재정 또는 「주택도시기금법」에 따른 주택도시기금(이하 "주택도시기금"이라 한다)으로부터 자금을 지원받아 건설되거나 개량되는 주택

국부적 집중성 점포
(局部的 集中性 店鋪)

동업종의 점포끼리 국부적 중심지에 입지하여야 하는 점포를 말하며, 농기구점, 비료상점, 석재점, 철공소, 종묘점, 어구점, 기계기구점 등이 이에 속한다.

국지성
(局地性)

부동산은 지리적 위치의 고정성으로 인하여 공간적인 적용범위가 일정지역에 한정되는 경향을 보이는데 이를 국지성이라 한다. 또한 같은 지역이라 할지라도 부동산의 위치, 규모, 용도 등에 따라 다시 여러 개의 부분시장으로 세분되며, 유사부동산에 대해 다른 가격이 형성되기도 한다.

규모의 경제
(規模의 經濟)

투입된 모든 생산요소의 총량(규모)의 확대로 생기는 생산비상의 절약 내지 수익상의 이익을 가리키며, 규모에 대한 수익이라고도 한다. 규모의 경제가 존재하면 장기적으로 기업 간의 경쟁에서 규모의 경제에 먼저 도달한 대기업이 유리하게 되어 독점시장이 형성되므로 시장실패가 초래된다.

규모의 불경제
(規模의 不經濟)

생산단위를 추가로 투입할 때 효용보다는 비효용이 더 큰 경우를 말한다. 따라서 추가된 비용으로 비효용이 나타난다면, 토지이용을 집약화하지 않을 것이다.

균등상환저당
(均等償還抵當, LPM ; level payment mortgage)

전체 대출기간 동안에 원리금의 상환액이 일정한 저당대출을 말한다.

균형가격
(均衡價格)
☑ 제26회, 제28회, 제29회, 제31회~제35회

상품의 수요와 공급이 균형을 이룰 때 성립하는 가격으로서, 경제학자 마샬은 시간의 장단에 따라 일시균형, 단기균형, 장기균형으로 구분하였다. 토지와 건물 공급은 비탄력적이어서 시장에 균형이 이루어지기 어렵다. 이는 감정평가가 필요한 이유가 된다.

균형거래량
(均衡去來量)
☑ 제28회~제30회, 제32회~제35회

수요량과 공급량이 균등해지는 지점에서 결정되는 거래량을 균형거래량이라 한다. 즉, 수요곡선과 공급곡선이 교차하는 점에서의 거래량을 의미한다.

균형의 원칙
(均衡의 原則)
☑ 제26회

부동산가격의 원칙 중 하나로서, 부동산의 유용성(수익성 또는 쾌적성)이 최고도로 발휘되기 위해서는 그 내부구성요소의 조합이 균형을 이루어야 한다는 원칙을 말한다. 여기에서 내부구성요소란 생산요소의 결합비율, 토지이용상태, 건물내적 조화와 균형 등을 말한다.

① 토지의 경우: 접면너비 · 획지의 깊이 · 고저 등의 관계
② 건물의 경우: 건축면적 · 높이 · 복도 · 계단과 엘리베이터 배치 등의 관계
③ 복합부동산의 경우: 개개의 부동산에 대한 구성요소 외에 건물과 부지의 배치 · 크기 등의 관계

균형임대료
(均衡賃貸料)

초과수요, 초과공급이 없어 매수인은 매도자가 팔려고 하는 양만을 사게 되고 매도자는 매수자가 살려는 양만을 팔게 될 때의 임대료 수준을 의미한다.

- 임대료가 균형임대료보다 높을 경우: 초과공급 ⇨ 임대료 하락
- 임대료가 균형임대료보다 낮을 경우: 초과수요 ⇨ 임대료 상승

기능적 내용연수
(機能的 耐用年數)

기능적으로 유효한 기간, 건물과 부지의 부적응, 설계불량, 형의 구식화 등이 기능적 내용연수와 관계된다.

기대수익률
(期待收益率)
☑ 제26회, 제27회, 제32회, 제33회

투자로부터 기대되는 예상수입과 예상지출을 토대로 계산되는 수익률이다. 내부수익률이라고도 한다.

기대이율
(期待利率)
☑ 제27회

임대차 등에 제공되는 부동산을 재조달하는 데 투입된 자본에 대하여 임대차 기간 동안 계약내용에 따른 사용수익에 따라 기대되는 수익의 비율을 말한다.

$$\text{기대이율} = \frac{\text{임대수익}}{\text{투입자본}} = \frac{\text{임대차료} - \text{필요제경비}}{\text{기초가격}}$$

기술적 분석
(技術的 分析)

과거의 추세적 자료를 토대로 시장가치의 변동을 분석·예측하는 것을 말한다. 만약 시장이 약성 효율적 시장이라고 한다면, 기술적 분석에 의해 밝혀진 기술적 지표로는 결코 초과이윤을 획득할 수 없다.

기여의 원칙
(寄與의 原則)

부동산가격의 원칙 중 하나로서, 부동산가격은 부동산 각 구성요소의 가격에 대한 공헌도에 따라 영향을 받는다는 원칙을 말한다. 부동산의 어느 부분이 전체 수익에 어느 정도 공헌하는가에 대한 부분과 전체의 관계에 관한 원칙이다.

기준시점
(基準時點)
☑ 제28회, 제30회

대상물건의 감정평가액을 결정하는 기준이 되는 날짜를 말한다. 다만, 기준시점을 미리 정하였을 때에는 그 날짜에 가격조사가 가능한 경우만 기준시점으로 할 수 있다(감정평가에 관한 규칙 제2조 제2호).

기회비용의 원칙
(機會費用의 原則)

어떤 투자대상의 가치평가를 그 투자대상의 기회비용에 의하여 평가한다는 원칙을 말한다. 기회비용이란 여러 가지 선택가능한 활용대안들 중에서 어느 한 가지 대안을 선택함으로써 포기된 것의 최대의 화폐가치를 말한다. 따라서 기회비용은 선택의 기준이 되며 가장 합리적인 대안은 기회비용이 최소가 될 때의 선택이다.

나지
(裸地)
☑ 제32회, 제35회

나지라 함은 토지에 건물 기타 정착물이 없고 지상권 등 토지에 사용·수익을 제한하는 사법상의 권리가 설정되어 있지 않은 토지를 말한다. 또한 건축물이 없고 지목이 대인 토지를 나대지라 하며, 일본에서는 나지를 다시 갱지와 저지로 구분하고 있다.

내부수익률
(內部收益率, IRR)
☑ 제30회, 제32회~제35회

현금유입의 현가와 현금유출의 현가를 동일하게 하는 할인율을 말한다. 즉, 순현가가 0이 되게 하는 할인율을 말한다. 내부수익률법이란 내부수익률이 요구수익률보다 높을 경우 투자안을 채택하고 낮을 경우 기각하는 투자의사결정방법을 말한다.

내용연수
(耐用年數)
☑ 제26회, 제33회

건축 등의 고정자산을 경제적으로 사용할 수 있는 연한, 즉 감가상각자산의 수명을 말한다. 내용연수에는 물리적·경제적 내용연수가 있으며, 부동산활동에서는 물리적 내용연수보다 경제적 내용연수가 더 중요하다.

구분	내용
물리적 내용연수	부동산을 정상적으로 관리했을 경우에 물리적으로 존속 가능한 기간으로 순수한 기술적 개념이다.
경제적 내용연수	부동산의 유용성이 지속될 것으로 예측되는 사용가능한 기간, 즉 임대수익을 얻을 수 있는 기간으로 물리적 내용연수보다 그 기간이 짧다.

노벨티광고
(Novelty廣告)

개인 또는 가정에서 이용되는 실용적이고 장식적인 조그만 물건을 광고매체로 사용하는 방법을 말한다. 볼펜이나 재떨이 등에 상호·전화번호 등을 표시하는 방법이다.

농업입지론
(農業立地論)

튀넨(J. V. Thünen)이 주장한 산업입지론 중 하나로서, 그 내용은 다음과 같다.

1. 수송비의 절약이 지대이다.
2. 작물·경제활동에 따라 한계지대곡선이 달라진다.
3. 중심지에 가까운 곳은 집약적 토지이용현상이 나타난다.
4. 가장 많은 지대를 지불하는 입지주체가 중심지와 가장 가깝게 입지한다.
5. 농산물 가격·생산비·수송비·인간의 행태변화는 지대를 변화시킨다.

뉴타운
(New Town)

대도시의 폐단극복을 위해 계획인구에 상한선을 두고, 대도시에서 경제적으로 독립하고, 주거·상업·공업 등 다양한 토지이용에 따라 자족성을 유지하며 평면확산을 방지하여 장기간 단계적으로 개발하는 도시를 말한다.

능률성의 원칙 (能率性의 原則)

부동산활동에서 가장 중요한 원칙으로서, 주어진 목표달성을 위한 과정・방법・수단의 과학화, 기술화, 합리화 및 근대화를 의미한다. 부동산소유활동에서는 최유효이용의 원칙을, 부동산거래활동에서는 유통성 내지 거래질서의 확립을 지도원리로 삼고 있으므로 사회성 및 공공성과 밀접한 관계를 가지고 있다.

다세대주택 (多世帶住宅)

☑ 제35회

주택으로 쓰는 1개 동의 바닥면적 합계가 660제곱미터 이하이고, 층수가 4개 층 이하인 주택(2개 이상의 동을 지하주차장으로 연결하는 경우에는 각각의 동으로 본다)

다중주택 (多衆住宅)

☑ 제28회, 제32회

학생 또는 직장인 등 여러 사람이 장기간 거주할 수 있는 구조로 된 주택으로서 독립된 주거의 형태를 갖추지 아니하고 1개 동의 주택으로 쓰이는 바닥면적(부설 주차장 면적은 제외한다. 이하 같다)의 합계가 660m² 이하이고 주택으로 쓰는 층수(지하층은 제외한다)가 3개 층 이하인 건축법상 단독주택을 말한다.

> **참고 | 단독주택과 공동주택**
> ① 단독주택 : 단독주택, 다중주택, 다가구주택, 공관
> ② 공동주택 : 아파트, 연립주택, 다세대주택, 기숙사

다핵심이론 (多核心理論)

☑ 제28회, 제29회, 제33회

해리스(Harris)와 울만(Ullman)이 주장한 이론으로, 동심원설과 선형이론을 결합하여 발전시켰다. 도시토지이용의 패턴은 동심원설이나 선형이론과 같이 단일핵심 주위에 형성되는 것이 아니라 몇 개의 핵심과 그 주위에 형성된다고 주장하였다.

단순회귀분석 (單純回歸分析)

부동산가격에 영향을 미치는 가장 중요한 특성이라 고려되는 하나의 독립변수를 사용하여 대상부동산의 가치를 추계하는 것을 말한다.

단핵도시 (單核都市)

도시의 중추적 기능을 하나의 중심부에 집중시키고 있는 가장 전통적인 도시를 말하며, 핵심도시라고도 한다. 버제스(E. W. Burgess)의 동심원이론과 호이트(H. Hoyt)의 선형이론 등은 단핵도시적 도시구조에 속한다.

담보신탁
(擔保信託)
☑ 제30회

부동산담보금융의 한 방법으로 신탁회사에게 담보신탁을 의뢰하면 신탁회사는 부동산감정평가액의 범위 내에서 수익증권을 발행하고 부동산소유자는 수익증권을 근거로 금융기관에서 대출을 받는 방식을 말한다.

대부비율
(貸付比率, Loan To Value : LTV)
☑ 제31회

부동산 가치에 대한 융자액의 비율을 대부비율이라 하며, 저당비율(Mortgage Ratio)이라고도 한다. 대부비율이 높을수록 채무불이행시 원금 회수가 어렵기 때문에, 높은 대부비율은 대출자의 입장에서 큰 위험이 된다.

대지
(袋地)

어떤 택지가 다른 택지에 둘러싸여 좁은 통로에 의해서 도로에 접하는 자루형의 모양을 띠게 되는 택지이다.

대체의 원칙
(代替의 原則)
☑ 제26회

부동산가격원칙의 하나로서, 부동산의 가격은 대체가 가능한 다른 부동산이나 재화의 가격 간의 상호 영향으로 형성된다는 원칙을 말한다. 이는 부동산의 가격결정과정에서 효용이 동일하다면 가격이 싼 것을, 가격이 동일하다면 효용이 큰 것을 선택하게 되는 과정 또는 법칙을 말한다.

대체재
(代替財)
☑ 제26회, 제27회, 제32회

재화 중 동일한 효용을 얻을 수 있는 재화로, 한 재화의 가격 변동(상승 또는 하락)에 따라 다른 한 재화의 수요가 변동(증가 또는 감소)하는 경우를 말한다. 그 예로 버터와 마가린 또는 쌀과 보리쌀과 같이 대체관계가 있는 재화를 말한다.

대체충당금
(代替充當金)

이미 지출된 영업경비 중 세금공제가 되지 않은 것을 말한다.

대치원가
(代置原價, 대체원가)

복성식 평가법의 재조달원가의 한 종류로서, 가격시점 현재 대상부동산과 자재・공법 등이 유사하여 기능면에서 동일성을 갖고 동일한 효용을 갖는 부동산을 신규로 대치하는 데 소요되는 효용면의 원가를 말한다.

도시개발사업
(都市開發事業)

대지로서의 효용증진과 공공시설의 정비를 위하여 도시개발법에 의해 토지의 교환, 분합, 구획변경, 지목 또는 형질의 변경이나 공공시설의 설치・변경에 관하여 하는 사업을 말한다.

도시스프롤현상 (urban sprawl, 도시확산현상)	도시의 성장·개발이 무질서하고 불규칙하게 평면적으로 확산되는 것을 말한다. 도시계획이 불충분하고 토지이용계획이 확립되지 않은 경제적 후진국에서 일어나며, 토지의 최유효이용에서 괴리됨으로써 일어나는 현상이다. 스프롤현상에는 고밀도 연쇄개발현상과 저밀도 연쇄개발현상이 있다. ① 고밀도 연쇄개발현상: 합리적 밀도수준 이상의 수준을 유지하면서 인접지를 잠식해 가는 현상을 말한다. 일반적으로 우리나라는 이 유형에 속한다. ② 저밀도 연쇄개발현상: 합리적 밀도수준 이하의 수준을 유지하면서 인접지를 잠식해가는 현상을 말한다.
도시회춘화현상 (都市回春化現像)	도심의 오래된 건물이 재건축됨에 따라 도심에 거주하는 소득계층이 저소득층에서 중·고소득층으로 유입·대체하는 현상을 말한다.
도심공동화현상 (都心共同化現像, 도넛현상)	직주분리의 결과로 도시의 주간인구와 야간인구가 현격한 차이를 나타내는 것을 말한다. 인구의 도심 밖 이주로 도심지의 상주인구가 감소하면서 상업업무지구화되는 현상이다.
도심재개발사업 (都心再開發事業)	도심지 또는 부도심지와 간선도로변의 기능이 쇠퇴해진 시가지를 대상으로 그 기능을 회복 또는 전환하기 위하여 시행하는 재개발사업이다.
독립평가 (獨立評價)	부동산이 토지 및 건물 등의 결합으로 구성되어 있는 경우에 그 구성부분인 토지만을 독립된 부동산(갱지)으로 규정하여 평가하는 것을 말한다.
독점경쟁시장 (獨占競爭市場)	상품의 개별성이나 상품정보의 불완전성에 의해, 매도자가 시장에 내어놓는 상품의 양을 변화시킴으로써 시장가격에 영향을 미칠 수 있는 시장이다.
독점지대 (獨占地帶)	토지의 공공독점에 기인하여 발생하는 지대를 말한다. 토지의 수요는 무한한 데 비해 공급이 독점되어 있는 경우, 토지생산물의 초과이윤은 지대로 전환된다. 즉, 다른 토지에서는 생산될 수 없는 최상품의 농산물은 생산비에 관계없이 그 농산물의 수요에 따라 가격이 결정된다. 이 독점적 초과이윤이 바로 지대가 된다.

동결효과
(凍結效果)
☑ 제28회

부동산의 양도소득에 대해서 과세를 하게 되면 납세에 대한 저항으로 부동산을 매도하지 않고 그에 따라 부동산 거래가 동결되는 효과를 낳게 되는데 이를 동결효과라 한다.

동심원이론
(同心圓理論)
☑ 제30회, 제34회

도시공간구조이론의 하나로 버제스에 의해 행해졌다. 접근성과 지가는 도심으로부터 모든 방향으로 규칙적으로 감소된다고 가정하고 도시가 성장함에 따라 도시구조는 외연적으로 확대되어 5개의 지대로 구성된다고 주장한 이론이다.

1. 중심업무지구(CBD)
2. 점이지대
3. 저소득층 주거지대
4. 중산층지대
5. 통근자지대

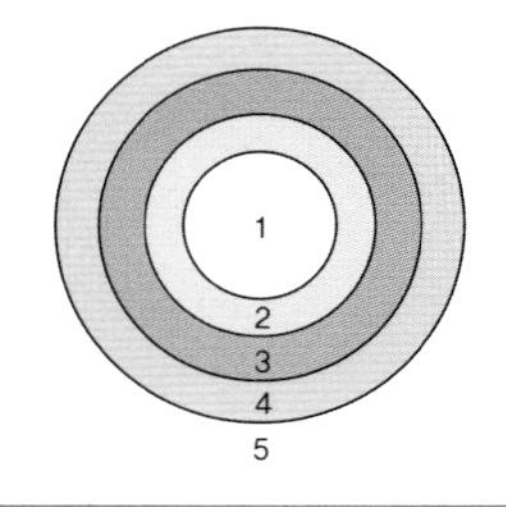

동일수급권
(同一需給圈)
☑ 제28회

대상부동산과 대체・경쟁 관계가 성립하고 가치형성에 서로 영향을 미치는 관계에 있는 다른 부동산이 존재하는 권역(圈域)을 말하며, 인근지역과 유사지역을 포함한다(「감정평가에 관한 규칙」 제2조 제15호).

:: 참고 | 동일수급권의 종류

1. 주거지의 동일수급권
2. 상업지의 동일수급권
3. 공업지의 동일수급권
4. 이행지의 동일수급권
5. 농지・임지의 동일수급권
6. 후보지의 동일수급권

등가교환
(等價交換)
☑ 제26회

토지소유자가 소유한 토지 위에 개발업자가 건축자금을 부담하여 건물을 건축, 완성된 건물의 건축면적을 토지소유자와 개발업자가 토지가격과 건축자금의 비율에 기초하여 등가로 교환하는 공동사업이다.

디플레이션
(Deflation)

인플레이션의 진행을 방지하여 통화팽창・물가등귀를 가져오지 않도록 균형재정금융긴축의 정책이 취해지는 경우에 물가수준의 지속적인 하락・극심한 경기침체 등의 현상이 나타나는 것을 말한다.

레버리지 효과
(Leverage Effect ; 지렛대효과)
☑ 제27회

지렛대 효과라고도 하며, 이는 비교적 저렴한 비용의 부채를 이용함으로써 투자자의 이익을 증대시키는 것을 가리킨다.

- 정(+)의 지렛대효과 : 총자본수익률 < 자기자본수익률
- 부(−)의 지렛대효과 : 총자본수익률 > 자기자본수익률

리노베이션
(Renovation)

기존 건축물을 헐지 않고 개·보수해서 사용하는 것으로 리모델링이라고도 하며, 「건축법」상 증축·개축·재축·이전·대수선·용도변경 등을 포함하는 개념이다.

마케팅 믹스
(Marketing mix)
☑ 제28회, 제31회

마케팅의 목적을 효과적으로 달성하기 위하여 마케팅활동에 관련된 여러 수단이나 마케팅 요소 및 제도를 더욱 효과적인 형태로 조정 및 구성하는 일을 말한다. 그 구성요소는 제품, 유통경로, 가격, 판매촉진 등의 4P로 이를 합리적으로 활용하는 것을 말한다.

만기상환저당
(滿期償還抵當)

원금은 만기에 상환하고 대출기간 중에는 이자만 지불하는 저당대출을 말한다. 이 방식을 인터리스트 온리 모기지(interest only mortgage)라고도 한다.

맹지
(盲地)
☑ 제28회

주위가 모두 타인의 토지에 둘러싸여 도로에 어떤 접속면도 가지지 못하는 토지를 말하며, 「건축법」상 건축허가의 대상이 되지 아니한다.

메자닌 금융
(Mezzanine Financing)
☑ 제32회

메자닌은 건물 1층과 2층 사이의 중간층을 뜻하는 이탈리아어로, 금융에서는 채권과 주식의 성격을 모두 지닌 신주인수권부사채, 전환사채 등을 말한다. 메자닌 금융은 주식을 통한 자금조달이 어렵거나 담보나 신용이 없어 대출 받기 힘든 경우 주식연계 채권 등을 발행하여 자금을 조달하는 것을 말한다.

명의신탁
(名義信託)

신탁자가 소유권을 보유하여 이를 관리·수익하면서 공부상 소유명의는 수탁자로 해두는 것을 말한다.

> **:: 참고 | 명의신탁의 특징**
> 1. 명의신탁의 목적은 투기나 탈세 등에 있다.
> 2. 명의신탁의 법적 근거는 판례에 의해 인정된다.
> 3. 명의신탁에서 수탁자는 등기부상 명의대여자일 뿐 아무런 권한이 없다.
> 4. 명의신탁에서 이익의 귀속주체는 등기부상에 드러나지 않는다.
> 5. 명의신탁의 실제소유자는 등기부상에 드러나지 않는다.

모기지
(Mortgage)

채무변제를 위한 양도저당 또는 동산을 담보로 해서 필요한 자금을 융통하는 것을 말한다. 이때 차입자를 피저당권자 또는 저당권설정자(Mortgager)라고 하고, 대출자를 저당권자(Mortgagee)라 한다.

무위험률
(無危險率,
risk free rate)
☑ 제26회, 제29회

정부가 보증하는 국채의 실질이자율과 같이 장래 기대되는 수익이 확실할 경우의 수익률로서, 순수한 시간가치에 대한 대가가 된다.

물가지수
(物價指數,
price index)

물가는 모든 재화나 용역의 가격변동을 종합하여 가중 평균한 것을 의미하고 물가의 변화를 측정하기 위해 작성되는 지수를 물가지수라고 한다. 물가지수는 일정시점의 연평균 물가를 100으로 하고 그 이후의 물가변동을 퍼센트(%)로 표시한 지표이며, 종류로는 소비자물가지수, 생산자물가지수 등이 있다.

소비자물가지수(CPI)	생산자물가지수(PPI)
소비자물가지수는 전국 도시의 일반 소비자가구에서 소비 목적을 위해 구입한 각종 상품과 서비스에 대해 그 전반적인 물자수준동향을 측정하는 것이다. 이를 통해 일반소비자가구의 소비생활에서 필요한 비용이 물가변동에 의해 어떻게 영향 받는가를 수치로 나타내게 된다.	생산자물가지수는 국내시장의 제1차 거래단계에서 기업 상호간에 거래가 이루어지는 국내에서 생산된 모든 재화 및 일부 서비스의 가격수준 변동을 측정하는 통계이다.

물리적 내용연수
(物理的 耐用年數)
☑ 제33회

건물의 사용으로 생기는 마멸 및 파손, 시간의 경과 또는 재해 등의 자연현상으로 발생하는 노후화 등의 우발적 사건으로 생기는 손상 때문에 사용이 불가능하게 될 때까지의 버팀연수를 말한다.

물적 동일성
(物的 同一性)

부동산감정평가의 거래사례 선택기준의 하나로 부동산의 개별적 요인의 비교가 가능한 것을 말하다. 즉, 대상부동산과의 사이에 상호대체・경쟁관계가 성립하여야 하고 그 가격은 상호관련・유지되어야 한다.

물적 유사성
(物的 類似性)

개별요인의 비교가 가능한 것을 말한다. 따라서 거래사례와 대상물건과의 사이에 상호 대체・경쟁 관계가 성립되고 그 가격은 상호관련이 유지되어야 한다.

미래가치
(未來價値)
☑ 제26회

현재의 일정금액을 미래의 일정시점에서 계산한 가치로서, 미래가치를 구하는 것을 복리계산이라고 한다.

민감도 분석
(敏感度 分析, 감응도 분석)
☑ 제26회, 제31회, 제32회, 제34회

위험의 내용이 산출결과에 따라 어떠한 영향을 미치는가를 파악하는 방법으로서 투자효과를 분석하는 모형의 투입요소에 따라 그 산출결과가 어떠한 영향을 받는가를 분석하는 기법이다. 이는 임대료, 영업비, 공실률, 감가상각방법, 보유기간, 가치상승 등의 투자수익에 영향을 줄 수 있는 구성요소들이 변화함에 따라 투자에 대한 순현가나 내부수익률이 어떻게 변화하는가를 분석하는 것이다.

배분법
(配分法)

부동산감정평가에 있어서 대지와 건물로 된 복합부동산의 거래사례를 거래사례비교법의 사례자료로 하는 방법으로서, 대상물건과 같은 유형의 부분을 포함하는 복합부동산의 거래사례를 선택하고 대상물건과 다른 유형부분의 가격을 공제하여 같은 유형에 귀속되는 부분의 가격만을 추출해 내는 방법을 말한다. 이에는 공제방식과 비율방식의 두 가지가 있다.

배후지
(背後地)

상업지역에서는 상업경영에서 얻을 수 있는 수익은 고객의 질과 양에 따라 결정된다. 상업지역이 흡인할 수 있는 고객이 존재하는 지역적 범위를 배후지라 한다. 배후지의 인구를 어떻게 흡인하느냐는 문제는 교통기관과도 관계가 깊고 고도상업지는 광역적 배후지의 인구를 흡인하여 형성된다.

법률적 관리
(法律的 管理)

부동산의 유용성을 보호하고자 법률상 절차와 처리로서 법적인 보장을 최대한 확보하려는 관리행위를 말한다.

법정평가
(法定評價)

평가의 목적이 일반적인 거래활동과 다른 경우를 비롯하여 평가결과로서의 가격수준이 시장가격과 괴리될 개연성을 내포하는 등의 경우에 있어서 법령의 규정에 의한 평가라 할 수 있다.

법지
(法地)
☑ 제34회

법으로만 소유할 뿐 활용실익이 거의 없는 토지로서 측량면적에는 포함되나 실제 사용할 수 없는 면적을 말한다.

예 도로나 택지의 붕괴를 막기 위하여 경사를 이루어 놓은 토지부분

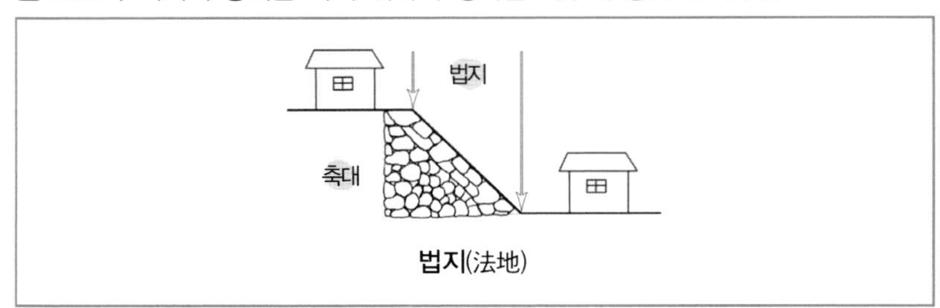

법지(法地)

베드 타운
(Bed town)

거대도시나 대도시의 중심업무지구와 떨어진 근로자들의 주택군을 형성하는 구역 또는 대도시 주변의 주거도시로서 건설된 소도시를 말한다. 이때의 중심업무 지구는 상업 · 금융 · 관공서 · 전문직업 · 위락 및 서비스 활동들이 집중되어 있는 도시의 핵심지역을 말한다.

변동금리저당
(變動金利抵當, ARM ; Adjustable-Rate Mortgage)

변동이자율저당이라고도 하며, 저당기간 동안 대출에 대한 이자율이 변동하는 상품을 말한다. 인플레이션 발생 시 이자율 변동 위험을 대출자(은행)로부터 차입자(고객)에게 전가시켜 대출자를 인플레이션 위험으로부터 보호하기 위해 고안된 제도이다.

변동률적용법
(變動率適用法)

대상부동산에 대하여 실제의 건설비가 판명되어 있는 경우에는 이들의 명세를 분석하여 중용적인 적정액으로 보정한 건설비에 건설시점 이후 가격시점까지의 변동률을 곱하여 재조달원가를 구하는 방법이다.

변동의 원칙
(變動의 原則)
☑ 제26회

부동산의 가격은 부동산가격 형성요인의 상호 인과관계적 결합과 그것의 변동과정에서 형성 · 변화된다는 원칙이다. 이는 부동산의 개별적 요인의 변화 · 지역요인의 변화와 함께 부동산가격도 변동한다는 것이다. 따라서 부동산가격 형성의 분석, 지역요인의 분석, 개별적 요인의 분석이 동태적으로 이루어져야 한다는 것을 강조하고 있다.

병합 · 분할평가
(倂合 · 分割評價)

토지의 병합 · 분할을 전제조건으로 하여 병합 · 분할 후에 단독의 것으로 평가하는 것이다.

① 토지의 병합: 공법상의 규제를 전제로 여러 필지의 토지를 합하여 하나의 지번으로 되게 하는 것을 말한다.
② 토지의 분할: 1필의 필지를 여러 필지로 나누어 각각의 지번을 부여하는 것을 말한다.

보완재
(補完財)
☑ 제26회, 제27회

두 재화를 동시에 소비할 때 효용이 증가하는 재화를 말한다. 즉, 두 재화 중 한 재화의 수요가 증가하면 다른 재화의 수요도 증가하고, 한 재화의 가격이 상승하면 두 재화의 수요 모두 감소하는 관계의 재화를 말한다. 그 예로 실과 바늘 또는 자동차와 가솔린, 안경테와 안경알 등이 있다.

복성식 평가법
(復成式 平價法)

부동산감정평가를 하는 원가방식의 한 방법으로, 가격시점에서 감정평가 대상물건을 재생산 또는 재취득하는 데 소요되는 재조달원가에 감가수정을 하여 감정평가 대상물건이 가지는 현재의 가격을 산정하는 방법을 말한다. 복성식 평가법에 의해 구해진 가격을 적산가격, 복성가격(현가)이라고 한다.

복합부동산
(複合不動産)
☑ 제27회

법률상 별개이지만 거래활동 · 이용활동 · 평가활동시에는 함께 취급되는 부동산을 말한다. 이에는 토지와 건물, 산림, 과수원, 공장 등이 있다.

부담률
(負擔率)

환지방식의 도시개발에 있어 사업시행의 대가로 토지소유자가 부담하여야 할 토지의 비율을 말한다.

부동산
(不動産)
☑ 제27회

동산과 대립되는 개념으로 토지 및 그 정착물, 준부동산(광의의 부동산)을 말한다. 토지는 일정한 범위의 지표에 정당한 이익이 있는 범위 내에서의 상하, 즉 공중과 지하를 포함하는 것이다. 입목도 독립한 부동산으로 보고, 건물은 토지와 별개의 부동산으로 본다.

부동산가격
(不動産價格)

부동산을 소유함으로써 발생되는 장래 이익에 대한 현재 가치이다. 부동산가격은 장래의 이익을 현재가치로 전환하여야 하며, 부동산의 가격과 소유권은 불가분의 관계에 있으므로 소유권의 가격이라고 할 수 있다.

부동산가격공시제도
(不動産價格公示制度)
☑ 제26회~제28회, 제32회, 제35회

부동산가격공시제도는 공시지가제도와 주택가격공시제도를 말하며, 이는 부동산가격공시에 관한 법률에 규정되어 있다.

부동산가격의 원칙
(不動産價格의 原則)
☑ 제26회, 제28회

부동산가격이 어떻게 형성·유지되는가에 대한 원칙으로 부동산감정평가활동의 지침으로 삼는 것이다. 부동산가격은 그 자연적·인문적 특성을 기초로 하여 부동산의 효용·상대적 희소성·유효수요 등 세 가지의 가격발생요인의 상호관계에 의하여 발생되지만, 이들 요인들이 가격에 영향을 주는 데는 몇 가지의 원칙이 있다. 이들 원칙은 주로 일반경제법칙에 기초를 둔 것 외에 자연법칙적인 것, 사회·경제법칙적인 것을 비롯하여 감정평가 고유의 것 등이 복합적으로 적용된다.

자연법칙적인 것	변동의 원칙, 수익체증·체감의 법칙, 기여의 원칙
사회·경제법칙적인 것	수요·공급의 원칙, 대체의 원칙, 균형의 원칙, 수익배분의 원칙, 경쟁의 원칙, 예측의 원칙
감정평가 고유의 것	최유효이용의 원칙, 적합의 원칙

부동산가격의 이중성
(不動産價格의 二重性)

부동산의 가격은 그 부동산의 효용성, 상대적 희소성, 유효수요의 상호 결합에 의해 결정되고 일단 부동산가격이 결정되면 그 가격이 반대로 효용성, 상대적 희소성, 유효수요에 영향을 미쳐서 다시 부동산에 대한 수요·공급에 영향을 미친다. 이를 부동산가격의 이중성이라 하는데, 여기에는 피드백(feedback)원리가 작용한다.

부동산 감정평가방식
(不動産 鑑定評價方式)
☑ 제27회, 제29회

부동산 감정평가방식에는 3가지 방식이 있다. 즉, 대상부동산에 투입된 원가에 착안한 원가방식, 대상부동산과 비슷한 다른 부동산이 시장에서 거래된 사례에 착안한 비교방식, 대상부동산이 장래에 발생시킬 수익에 착안한 수익방식이 있다.

원가방식	원가법(복성식 평가법)과 적산법
비교방식	거래사례비교법(매매사례비교법)과 임대사례비교법
수익방식	수익환원법과 수익분석법

부동산 감정평가보고서
(不動産 鑑定評價報告書)

경제적 측면의 거래사고를 미연에 방지하기 위하여 감정평가전문가에게 의뢰하여 감정평가 대상부동산의 가격을 평가하여 수수료나 계약에 의해 부동산의 저당・매매・경매는 물론, 공시・보상・과세 등을 위한 평가업무의 결과를 문서로 작성한 것을 말한다.

부동산감정평가의 절차
(不動産鑑定評價의 節次)
☑ 제27회

부동산감정평가의 업무를 보다 합리적이고 능률적으로 수행하기 위해 설정한 일련의 단계적 절차를 말한다. 다만, 합리적이고 능률적인 감정평가를 위하여 필요할 때에는 순서를 조정할 수 있다.
절차의 내용은 ① 기본적 사항의 확정, ② 처리계획 수립, ③ 대상물건 확인, ④ 자료수집 및 정리, ⑤ 자료검토 및 가치형성요인의 분석, ⑥ 감정평가방법의 선정 및 적용, ⑦ 감정평가액의 결정 및 표시의 순으로 한다.

부동산개발
(不動産開發)
☑ 제26회~제28회

인간에게 생활, 작업 및 쇼핑・레저 등의 공간을 제공하기 위하여 토지를 개량하는 활동으로서, 건축에 의한 개량과 조성에 의한 개량의 두 가지가 있다. 부동산개발의 과정은 아이디어(구상단계) ⇨ 예비적 타당성 분석(전 실행가능성 분석단계) ⇨ 부지의 모색과 확보(부지구입단계) ⇨ 타당성 분석(실행가능성 분석단계) ⇨ 금융단계 ⇨ 건설단계 ⇨ 마케팅단계 순이다.

부동산개발업
(不動産開發業)
☑ 제27회, 제30회, 제31회, 제35회

지역주민들이나 지방자치단체, 민간기업 등에 의하여 주택단지를 조성하거나 재개발하여 분양하거나 개발택지에 주택・사무실・상점 등 여러 가지 건물을 세워 토지를 최유효의 이용상태로 만들어 유용성을 높이는 부동산업으로서, 이는 도시재개발사업과 신도시개발업으로 나누어진다.

부동산거래업
(不動産去來業)
☑ 제28회, 제31회

흔히 부동산업이라고도 하며, 한국표준산업분류에 따라 부동산업은 부동산 임대 및 공급업, 부동산관련 서비스업으로 나뉜다.

부동산 임대 및 공급업	부동산 임대업	주거용, 비주거용, 기타
	부동산 개발 및 공급업	주거용, 비주거용, 기타
부동산관련 서비스업	부동산 관리업	주거용, 비주거용
	부동산 중개, 자문 및 감정평가업	중개 및 대리업, 투자 자문업, 감정평가업, 분양대행업

부동산관리
(不動産管理)

☑ 제26회, 제27회, 제30회, 제33회

부동산을 그 목적에 맞게 최유효한 이용을 할 수 있도록 부동산의 취득・유지・보존・개량과 그 운용에 관한 일체의 행위를 말하며, 개인 소유의 소규모 부동산으로부터 국가의 토지자원에 이르기까지 광범위하게 활용되지만 주로 도시의 각종 개발에 관한 관리활동을 능률화하는 원리와 그 응용기술을 개척하는 연구분야이다. 부동산관리에는 시설관리, 자산관리, 기업관리의 세 가지가 있다.

참고 | 부동산 관리의 세 가지 영역

시설관리(유지관리)	건물 및 임대차관리(재산관리)	자산관리(투자관리)
• 시설을 운영・유지 • 소극적 관리	• 재산관리(부동산관리) • 임대 및 수지관리	• 부동산가치 증가 • 적극적 관리
• 설비의 운전・보수 • 에너지관리 • 청소관리 • 방범・방재	• 수입목표수립 • 임대차 유치 및 유지 • 지출계획수립 • 비용통제	• 부동산의 매입과 매각 • 포트폴리오 관리 • 투자 리스크 관리 • 재투자・재개발 결정 • 프로젝트 파이낸싱

부동산광고
(不動産廣告)

광고주의 의도에 따라 대중이 행동하도록 부동산의 의사결정을 도와주는 유료활동이며 비개인적 설득 및 정보전달・판매촉진을 꾀하는 활동을 말한다.

부동산광고의 기본원칙은 ① 주의를 집중시킬 것, ② 흥미를 끌게 할 것, ③ 욕망을 자극시킬 것, ④ 행동에 옮기도록 할 것 등 4가지이다.

부동산금융
(不動産金融)

☑ 제26회~제28회

일정한 자금을 확보하여 그것을 무주택서민과 주택건설업자에게 장기저리로 대출해줌으로써 주택의 공급을 확대하는 한편 주택구입을 용이하도록 하는 특수금융을 말한다. 이에는 주택개발금융(건축대부)과 주택소비금융(저당대부)이 있다.

부동산마케팅
(不動産Marketing, real estate marketing)

☑ 제26회, 제28회, 제32회~제34회

부동산과 부동산업에 대한 태도나 행동을 형성・유지・변경하기 위하여 수행하는 활동을 말한다. 즉, 부동산에 대한 필요를 만족시켜 주기 위해 지향된 인간활동을 말한다. 물적 부동산, 부동산서비스, 부동산증권의 세 가지 유형의 부동산제품을 사고팔고 임대차하는 것을 말한다.

부동산문제
(不動産問題)

부동산과 인간의 관계악화의 제 문제를 말한다. 즉, 토지의 부증성으로 인한 지가상승, 부동산투기, 국토이용의 문란, 환경의 파괴, 주택공급의 문제, 부동산 거래질서의 문제 등을 말한다. 부동산문제는 대상별로 토지문제, 주택문제, 국토이용의 비효율 문제, 거래질서의 문란문제로 부각된다. 부동산문제의 특징은 악화성향, 비가역성, 지속성, 해결수단의 다양성, 복합성 등이다.

부동산수요
(不動産需要)

☑ 제26회

수요란 일정기간 동안에 소비자가 재화와 서비스를 구매하고자 하는 욕구를 말하며, 부동산수요란 일정기간 동안에 이용자가 부동산인 토지나 건물 등을 임차하거나 매입하고자 하는 욕구를 말한다.

부동산시장
(不動産市場)

☑ 제26회~제28회, 제31회, 제33회

매수자와 매도인에 의해 부동산의 교환이 자발적으로 이루어지는 곳으로 부동산권리의 교환, 상호 유리한 가액으로 가액결정, 공간균배, 수요와 공급의 조절을 돕기 위해 의도된 상업활동을 하는 곳을 말한다.

:: 참고 | 부동산시장의 특성

1. 시장의 국지성(지역성)
2. 거래의 비공개성(은밀성)
3. 부동산상품의 개별성(비표준화성)
4. 시장의 비조직성
5. 수급조절의 곤란성
6. 매매기간의 장기성
7. 법적 제한 과다 등

부동산신탁
(不動産信託)

☑ 제30회

부동산소유자(위탁자)가 신탁회사(수탁자)에게 부동산을 위탁하면 부동산의 소유권을 신탁회사 앞으로 이전하고, 효율적으로 신탁부동산을 관리・처분하거나 최유효이용을 도모할 수 있도록 개발하여 그 성과를 토지소유자 또는 위탁자가 지정한 사람이나 단체(수익자)에게 되돌려 주는 제도를 말한다.

부동산실명제
(不動産實名制)

☑ 제33회

부동산거래시에 다른 사람의 이름을 빌려 쓰는 것을 금지시키는 것으로 주택이나 토지 등을 실제 소유자 이름으로만 등기를 하게 하는 제도이다. 즉, 부동산실명제는 기존의 명의신탁제도를 악용하여 이루어졌던 투기・탈세・탈법행위 등 반사회적 행위를 방지하고 부동산거래를 정상화시키며 부동산가격의 안정 및 국민경제의 건전한 발전을 도모하기 위한 것으로 1995년 부동산 실권리자 명의등기에 관한 법률이 제정되었다.

부동산의 유용성
(不動産의 有用性)

부동산을 사용·수익함으로써 얻게 되는 만족도를 말한다. 부동산활동에 있어서 수익성 부동산의 수익성, 주거용 부동산의 쾌적성, 공업용 부동산의 생산성을 합친 개념이다. 수익성 부동산에서는 산출이 많을수록 수익성이 높고 좋은 부동산활동의 대상이 되며, 주거용 부동산은 비수익성 부동산으로 분류되기 때문에 삶의 질을 위한 쾌적성이 좋을수록 유용성은 높은 것이 된다.

부동산정책
(不動産政策)
☑ 제26회~제28회, 제30회, 제33회~제35회

국민 전체의 공통된 생활기반인 부동산을 둘러싼 제반문제를 해결 내지는 개선함으로써 부동산과 인간의 관계를 보다 합리적인 것으로 하려는 공적인 노력을 말한다. 부동산활동 중 공적 부동산활동을 가리키는 말이며, 토지의 이용증대와 지가보상의 합리화, 지가형성의 합리화, 주택문제의 개선, 주택 수요의 원활화 등을 달성하기 위한 시책을 세우는 것을 말한다.

부동산조세
(不動産組稅)
☑ 제28회, 제29회, 제31회~제35회

부동산을 과세대상으로 하여 부여하는 조세로서, 토지와 건물 등의 부동산을 취득·소유하는 경우, 이용(임대)하는 경우, 처분(양도)하는 경우 등에 부과되는 조세를 말한다. 부동산조세는 부동산자원배분과 소득재분배, 지가안정, 주택문제 해결의 기능이 있다.

부동산투자
(不動産投資)
☑ 제26회~제28회, 제33회

장래 불확실한 수익을 위하여 현재의 확실한 소비를 희생하는 경우로서 정당한 기대이익을 목적으로 필요량의 부동산을 취득하는 것을 말하며, 아파트나 점포 등 항구적 용도의 자산을 대상으로 한다.

부동산투자분석
(不動産投資分析)
☑ 제26회~제29회

투자자가 특정부동산에 관한 과거의 자료 및 기타 시장자료의 분석을 바탕으로, 투자로부터 기대되는 수입과 지출에 대한 추계를 하는 것을 말한다.

부동산투자신탁
(不動産投資信託, REITs ; Real Estate Investment Trusts)

일반 소액투자자로부터 자금을 모아 부동산에 투자한 뒤 '개발이익'을 투자자에게 돌려주는 제도로서 미국, 일본 등 선진국에선 일반화되어 있다. 의무적으로 부동산에 투자하여 운용해야 하는 경우를 말한다.

부동산투자회사
(不動産投資會社)

☑ 제26회, 제27회, 제29회, 제30회, 제33회~제35회

소액투자자들에게 지분권을 판매하여 수집한 자금을 부동산에 투자하고, 발생한 수익을 투자자에게 돌려주는 회사 또는 조합을 말한다. 우리나라는 신탁이나 조합형태의 부동산투자회사는 불가능하고 회사형태로만 부동산투자회사를 설립할 수 있다. 「부동산투자회사법」 제2조에 따르면 현재 부동산투자회사는 자기관리 부동산투자회사, 위탁관리 부동산투자회사, 기업구조조정 부동산투자회사의 3가지 형태로 되어 있다.

부동산학
(不動産學)

☑ 제26회

부동산활동의 능률화 원리 및 그 응용기술을 개척하는 종합응용과학이다. 다시 말해, 부동산학이란 부동산을 대상으로 하는 인간의 활동을 연구하며, 그 부동산활동이 바람직하게 전개되어 부동산과 인간과의 관계를 개선하고자 하는 이상을 추구하고자 하는 학문이다.

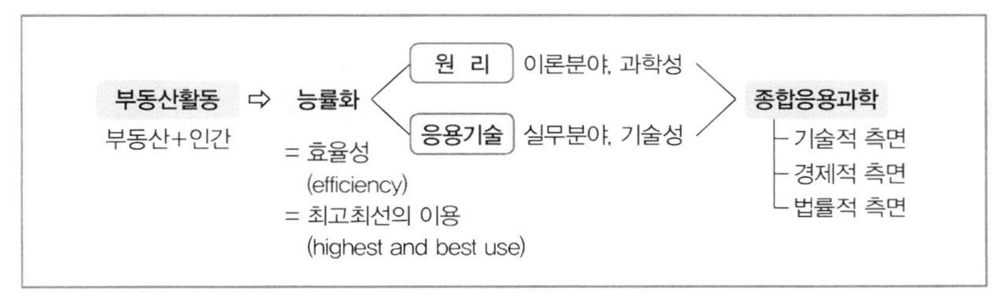

부동산환경
(不動産環境)

☑ 제28회

부동산을 둘러싸고 직・간접으로 영향을 주는 자연적・물리적・경제적 조건 또는 상황을 말한다.

① 자연적 조건: 자연적 환경을 형성하는 조건
② 사회적 조건: 환경을 구성하는 주민 및 생활분위기가 사회적으로 어떤 계층에 속하는가, 지역의 구성 및 성쇠는 어떠한가, 공공시설 등의 상태는 양호한가 등의 조건
③ 물리적 조건: 건축양식・건물상태・기타 환경에 속하는 기술적 측면의 조건
④ 경제적 조건: 주민 및 지역의 경제적 상태를 의미하는 것으로, 주민의 소득수준・생활수준・부동산의 가격수준・기타 빈부의 상태 등의 조건

부동산활동
(不動産活動)

☑ 제26회, 제28회

인간이 부동산을 대상으로 전개하는 관리적 측면에서의 여러 가지 행위를 말하며, 부동산학의 목적은 이 부동산활동을 능률화하는 데 있다. 부동산활동은 과학성・기술성・사회성・공공성 및 사익성・전문성・윤리성・정보성・대물 및 대인활동・임장활동・배려의 장기성・공간활동 등의 성격을 갖는다.

부동성
(不動性)
☑ 제26회, 제28회, 제31회, 제32회

부동산의 자연적 특성 중 하나로서, 토지의 위치는 인위적으로 이동하거나 지배하지 못한다는 특성을 말한다. 이는 토지의 가장 큰 특성이며, 모든 부동산활동은 부동성을 전제로 한다.

부분평가
(部分評價)

감정평가의 대상토지 위에 건물이 있는 경우, 그 상태를 주어진 것으로 하여 부동산의 구성부분, 건물 또는 건부지만을 감정평가대상으로 하는 것을 말한다. 즉, 복합부동산의 토지나 건물만을 현황대로 평가하는 것을 말한다.

부증성
(不增性)
☑ 제26회, 제28회, 제29회, 제31회

부동산의 자연적 특성 중 하나로서, 생산비나 노동을 투입하여 토지의 물리적 양을 임의로 증가시킬 수 없다는 특성을 말한다. 부증성은 부동산문제의 가장 근본적인 원인으로 토지이용의 사회성·공공성이 요청되고 토지공개념의 도입 및 확대가 요구되고 있다.

부채감당률
(負債勘當率)
☑ 제26회, 제28회, 제34회

순영업소득이 부채서비스액의 몇 배가 되는가를 나타내는 비율을 말한다. 이 비율이 클수록 원리금 상환능력이 크다.

$$\text{부채감당률} = \frac{\text{순영업소득}}{\text{부채서비스액}}$$

부채감당법
(負債勘當法)

자본환원율 결정방법 중의 하나로 1975년에 게텔(Gettel)이 부채감당률을 이용하는 방법을 개발하였다. 부채감당법은 대출자(저당투자자)의 입장에서 자본환원율을 계산하며, 환원이율 구성요소는 대출자의 대출시 적용하는 기준으로 구성된다.

$$\text{자본환원율} = \text{부채감당률} \times \text{대부비율} \times \text{저당상수}$$

분양가상한제
(分讓價上限制)
☑ 제27회, 제29회, 제30회, 제32회, 제33회

공공택지 내에 일반인에게 공급하는 공동주택의 가격을 국토교통부장관이 정하는 기준에 따라 산정되는 분양가격 이하로 공급하여야 하는 제도를 말한다(「주택법」 제57조).

비가역성
(非可逆性)

부동산문제의 특징 중 하나로서, 어떤 부동산문제가 한 번 악화되면 이를 완전한 옛 상태로 회복하기는 사회적 · 경제적 · 기술적으로 어렵다는 것이다.

비경합성
(非競合性)

한 사람의 공공재 이용이 다른 사람의 이용의 양을 제한하지 않는다는 것이다.

비교방식
(比較方式)
☑ 제27회, 제29회, 제33회

원가방식 · 수익방식과 함께 부동산감정평가방식 중의 하나로서, 시장성의 사고방식에 따라 그 부동산이 어느 정도의 가격으로 시장에서 거래되고 있는가 하는 부동산의 매매사례 또는 임대차 등의 사례에 착안하여 부동산의 가격 또는 임대료를 구하는 방법을 말한다.

비배제성
(非排除性)

공공재의 공급 이후, 그 공공재의 소비에서 배제할 수 없다는 것을 말한다. 즉, 대가를 지불하지 않고 누구나 공공재의 재화 및 서비스를 누릴 수 있는 것을 말한다.

비영속성
(非永續性)

건물의 특성으로서, 건물은 토지와는 달리 인위적인 축조물이기 때문에 재생산이 가능한 내구소비재이며, 내용연수를 가진 비영속적인 특성을 가지고 있다. 건물은 개수나 보수 등으로 어느 정도 그 수명을 연장할 수 있다.

비용접근법
(費用接近法)

비용접근법(원가방식)은 건물의 신축비용에서 감가상각액을 삭감하여 대상부동산의 가치를 추계하는 방법으로 신축건물이나 공공건물, 교회 등과 같은 특수목적의 부동산의 경우에 이용되는 평가방법이다.

비준가격
(比準價格)
☑ 제27회, 제31회, 제33회

대상부동산과 동일성 또는 유사성이 있는 다른 부동산의 거래사례와 비교하여 가격시점과 대상부동산의 현황에 맞게 시점수정 및 사정보정을 가하여 감정가격을 추정하여 산정된 가격으로서, 현실적이고 실증적이며 설득력이 있다.

> 비준가격 = 사례가격 × (지역요인비교치 × 개별요인비교치 × 사정보정치 × 시점수정치 × 면적)

비체계적 위험
(非體系的 危險)
☑ 제34회

개별적인 부동산의 특성으로부터 야기되는 위험으로서, 투자대상을 다양화하여 분산투자를 함으로써 피할 수 있는 위험을 말한다.

빈지
(濱地)
☑ 제28회, 제30회, 제33회, 제34회

법으로는 소유할 수는 없으나 활용실익이 있는 토지를 말하며, 일반적으로 바다와 육지 사이의 해변 토지를 말한다. 법지(法地)와 대립하는 개념이다.

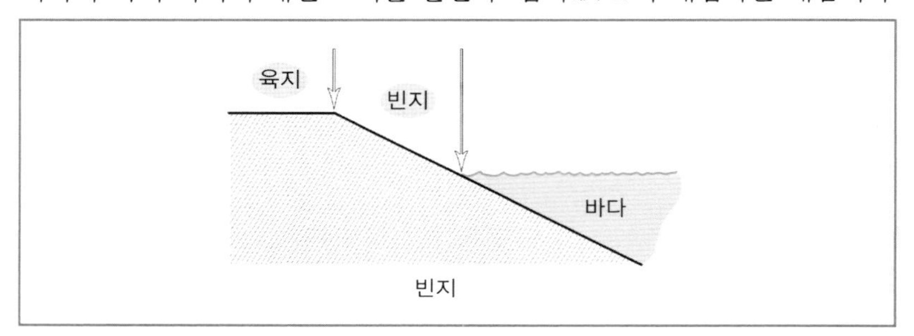

사용가치
(使用價値)

대상부동산이 특정한 용도로 사용되었을 때 가질 수 있는 가치를 지칭한 것이다. 즉, 부동산으로부터 얻은 효용의 가치는 사용가치이다. 사용가치는 시장정보에 의해서 결정되는 것은 아니므로 이를 주관적인 가치라고 한다.

사용가치(use value)	**교환가치**(exchange value)
인간의 욕구를 충족시켜 줄 수 있는 재화의 능력을 사용가치라 한다. 사용가치는 대상부동산이 특정한 용도로 사용될 때 가질 수 있는 제한적인 개념으로서 주관적 가치이다.	재화나 용역을 교환의 대상으로 지배하는 힘을 교환가치라 한다. 대상부동산이 시장에서 매도되었을 때 형성되는 시장가치이며, 시장의 총체적 현상을 반영하여 창출되는 객관적 가치이다.

사정보정
(事情補正)
☑ 제26회, 제33회

거래사례비교법에서 수집된 거래사례가 부동산거래 당사자의 특수한 사정이나 개별적 동기가 개입되어 있거나 부동산시장 사정에 정통하지 못하는 등의 요인으로 정상가격이 적정하지 못한 때에, 비정상적 요인이 제거된 정상적 가격수준으로 그 사정을 바로잡는 것을 말한다. 즉, 거래당사자 간의 지위가 불평등하거나 경매나 공매와 같이 거래가 강제되거나 부동산수급에 공적 통제가 가해진 경우, 거래조건이 특수한 경우에는 그 사례를 정상적인 사례로 보정할 수 있어야 한다.

4P MIX
☑ 제27회, 제31회, 제35회

제품(product), 가격(price), 유통경로(place), 홍보(판촉 : promotion)의 제 측면에 있어서 차별화를 도모하는 전략을 말하며 주로 상업용 부동산의 마케팅에서 사용되고 있다.

산재성 점포
(散在性 店鋪)

소매점포가 입지하는 상권의 크기가 한정되어 있기 때문에 점포가 분산하여 입지하여야 유리하며, 한 곳에 집재하면 불리한 유형의 점포를 말한다. 잡화점・어물점・과자점・제화점・주방용품점・이발소・대중목욕탕・세탁소・일용품점 같은 업종의 소매점포 등이 이에 속한다.

상권
(商圈)

점포와 고객을 흡인하는 지리적 영역으로 고객이 존재하는 지역을 말하며, 시장지역 또는 배후지라고도 한다. 상권은 상업지의 입지조건에서 매우 중요한 위치를 차지하는 요인이며, 고객의 사회적・경제적 수준이 높을수록 양호하다.

상향시장
(上向市場)

일반경기의 확장시장에 해당하는 국면으로서, 하향시장에 반대된다. 상향시장에서의 부동산가격은 상승일로에 있고 거래도 활발하다.

상환기금법
(償還基金法)

부동산감정평가의 원가방식에서 재조달원가로부터 내용연수에 따라 감가수정할 경우의 방법과 수익방식에서 가격을 구하는 방법의 2가지로 쓰인다. 전자는 발생하는 감가액이 물건의 전내용연수기간에 걸쳐 매년 일정액임을 전제로 하여 매년 일정액을 적립하고 이에 복리에 의한 이자가 붙은 것으로 계산한 원리금 합계액을 내용연수 만료시에 총감가액과 일치시키는 방법이고, 후자는 수익환원법에서 대상부동산이 토지와 건물 기타의 상각자산과 결합으로 구성된 경우 상각 전 순수익에 상각 후의 환원이율과 축적이율 및 잔존내용연수를 기초로 수익현가율을 곱하여 수익가격을 구하는 방법(호스콜드방식)이다.

정액법・정률법・상환기금법의 비교

구 분	정액법	정률법	상환기금법
정 의	대상부동산의 감가행태가 매년 일정액씩 감가된다는 가정하에 부동산의 감가총액을 단순한 경제적 내용연수로 평분하여 매년의 상각액으로 삼는 방법 ⇨ 직선법, 균등상각법	대상부동산의 감가행태가 매년 일정률로 감가된다는 가정하에 매년 말 가격에 일정한 상각률을 곱하여 매년의 상각액을 구하는 방법 ⇨ 잔고점감법, 체감상각법	대상부동산의 내용연수가 만료되는 때에 감가누계상당액과 그에 대한 복리계산의 이자상당액을 포함하여 당해 내용연수로 상환하는 방법 ⇨ 감채기금법, 기금적립법

특 징	감가누계액이 경과연수에 정비례	감가액이 첫해에 가장 많고, 가치가 체감하면 감가액도 체감	복리이율에 의한 축적이자 때문에 감가수정액은 정액법보다 적고, 복성가격은 정액법의 경우보다 많음.
장 점	계산이 간단하고 용이	• 능률이 높은 초기에 많이 감가 • 안전하게 자본회수 (원금회수가 빠름)	연간 감가액은 아주 적고, 평가액은 타 방법보다 아주 높음.

선매품점
(先買品店)

선매품이란 고객이 상품의 가격 · 스타일 · 품질 등을 여러 상점을 통해서 비교한 후 구매하는 것을 말하며, 선매품점이란 그러한 상품을 주로 판매하는 상점을 말한다.

선하지
(線下地)
☑ 제28회

토지 위에 고압선이 가설되어 있는 토지(고압선 아래의 토지)를 말하며, 보통은 선하지 감가(減價)를 행한다.

선형이론
(扇形理論)
☑ 제28회, 제30회~제32회

호이트(Hoyt)가 주장한 이론으로서, 도시의 지역구조를 원과 그 중심에서 방사되는 선형상에 따라서 지역구조를 파악하려는 이론이다. 즉, 중심업무지구를 중심으로 교통노선을 따라 개발축이 방사상으로 확대 · 형성된다는 이론이다.

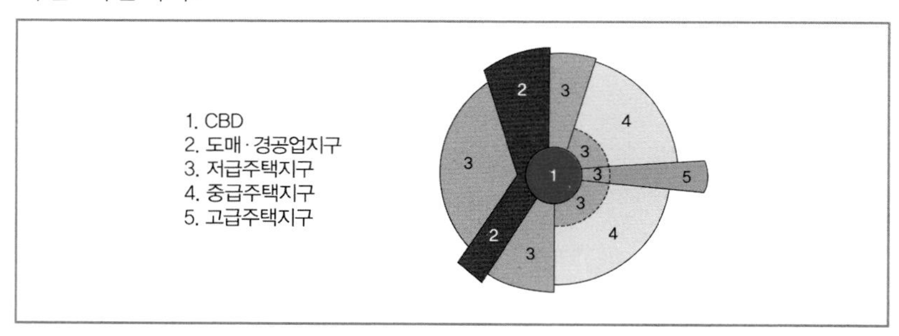

세전현금흐름
(歲前現金흐름)
= 세전현금수지
☑ 제26회, 제28회, 제30회

순영업소득에서 부채서비스액, 즉 저당대부에 대한 매년의 원금상환분과 이자지급분을 제한 것을 세전현금흐름이라고 한다.

세후현금흐름
(歲後現金흐름)
= 세후현금수지
☑ 제28회, 제33회

세전현금흐름에서 영업소득세를 제한 것을 말한다.

소매인력법칙
(小賣引力法則)
☑ 제26회, 제27회, 제29회

레일리(W. J. Reilly)의 소매인력법칙은 두 도시의 중심지 사이에 위치하는 소비자에 대하여 두 도시의 상권이 미치는 범위와 그 경계를 설명하기 위한 이론이다. 두 도시의 중간에 위치하는 지역에 대하여 두 도시의 상권이 미치는 범위는 두 도시의 인구에 비례하고, 두 도시로부터 거리의 제곱에 반비례한다는 이론이다.

소지
(素地)
☑ 제30회

원인이 되는 토지로서, 택지로서 개발하기 전의 자연상태 그대로의 토지를 일컫는다. 이를 원지(原地)라고도 한다.

쇠퇴기
(衰退期)

인근지역의 사이클 패턴의 하나로서, 시간이 흐름에 따라 지역의 건물 등이 점차 노후화하여 지역기능이 감소하는 단계로서, 경제적 내용연수가 다되어가는 시기를 말한다. 쇠퇴기에는 지가상승률이 저하되며, 성장기・성숙기에 들어온 사회적・경제적 수준이 높은 주민들이 다른 지역으로 이동하고, 수준이 낮은 주민들이 이주해 옴으로써 지역의 사회적・경제적 지위도 저하되기 시작한다. 또한 지역에 따라서는 재개발이 이루어지고 건물의 관리비와 유지비가 급격히 증가한다.

수복재개발
(收復再開發)

관리나 이용부실로 나타난 현재의 불량・노후상태를 본래의 기능을 회복하기 위하여 현재의 대부분 시설을 그대로 보존하면서 노후・불량화의 요인만을 제거하는 소극적 도시재개발의 대표적인 방법이다.

수요
(需要)

어떤 재화의 가격수준에 대응하여 구매하려는 재화의 수량을 말한다. 이는 단순한 구매욕구만을 의미하는 것이 아니라 구매력을 수반하는 유효수요여야 한다.

수요・공급의 원칙
(需要・供給의 原則)
☑ 제28회

부동산가격의 원칙의 하나로서, 부동산의 특성으로 인하여 제약을 받지만 부동산가격도 기본적으로 수요와 공급의 상호관계에 의하여 결정된다는 원칙을 말한다. 이는 부증성의 특성으로 인하여 부동산 공급의 양은 절대적으로 한정되어 있으나 일정한 지역에서의 택지의 조성・주택의 신축・용도의 다양성 등을 통하여 공급량의 증감이 가능하다는 논리에 근거한다.

수요의 가격탄력성 (需要의 價格彈力性)

☑ 제27회~제30회, 제32회~제35회

상품의 가격이 올라가면 상품에 대한 수요는 감소하고, 상품의 가격이 하락하면 상품에 대한 수요는 증가한다. 이처럼 상품의 가격에 대한 수요의 변화를 가격탄력성이라 한다. 즉, 가격이 1% 증가하였을 때 수요는 몇 % 증감하는가를 절대치로 나타낸 것을 말한다. 수요의 가격탄력성은 가격이 변화할 때 수요가 얼마나 변화하는가를 나타내는 정량적 지표이다.

$$\text{수요의 가격탄력성(Ed)} = \frac{\text{수요량의 변화율(\%)}}{\text{가격의 변화율(\%)}}$$

수요의 교차탄력성 (需要의 交叉彈力性)

☑ 제26회~제28회, 제30회, 제32회, 제33회, 제35회

한 재화의 가격이 변할 때 다른 재화의 수요량이 얼마나 변하는지를 나타내는 지표로서, 한 재화의 수요량의 변화율을 다른 재화의 가격변화율로 나눈 수치이다. 교차탄력성의 부호가 양수인지 음수인지에 따라 두 재화의 관계가 대체재인지 보완재인지가 판정된다. 즉, 교차탄력성이 (+)면 Y재는 X재의 대체재이고, (−)이면 보완재이다. 그리고 교차탄력성이 0이면 독립재이다.

$$\text{수요의 교차탄력성} = \frac{\text{Y재 수요량의 변화율}}{\text{X재의 가격변화율}}$$

수요의 변화 (需要의 變化)

☑ 제29회~제31회, 제32회, 제34회, 제35회

가격 이외의 다른 요인(소득, 세금, 인구, 이자율, 소비자의 기호, 대체재의 가격 등)들 중에서 하나 이상의 요인이 변하면 동일가격수준에서 그 상품의 수요량이 변화하는 것을 말한다. 이 경우에는 수요곡선 자체가 이동한다.

:: 참고 | 수요의 변화와 수요량의 변화

수요의 변화(需要의 變化)	수요량의 변화(需要量의 變化)
• 원인: 가격 이외의 다른 결정요인(소득수준, 인구수, 소비자의 선호, 다른 재화의 가격 등)의 변화 • 수요곡선 자체의 이동이 발생 • 좌측(좌하향)이동 ⇨ 수요감소 우측(우상향)이동 ⇨ 수요증가	• 원인: 해당 재화의 가격변화로 그 재화의 수요량이 변화하는 것을 말한다. • 수요곡선상에서의 점의 이동이 발생 • 가격상승 ⇨ 수요량 감소 가격하락 ⇨ 수요량 증가
가격(P), D_2, D_0, D_1, P_0, 수요감소, 수요증가, 0, Q_2, Q_0, Q_1, 수요량(Q)	가격(P), 수요곡선(D), P_2, P_0, P_1, 0, Q_2, Q_0, Q_1, 수요량(Q)

수요의 소득탄력성 (需要의 所得彈力性)
☑ 제30회, 제33회

소비자의 소득이 변할 때 어느 재화의 수요량이 얼마나 변하는지를 나타내는 지표로서, 수요량의 변화율을 소득의 변화율로 나눈 수치이다. 소득탄력성은 부호에 따라 정상재와 열등재로 구분하며, 정상재는 수요량과 소득이 같은 방향으로 움직이므로 소득탄력성이 (+)이고, 열등재는 수요량과 소득이 반대 방향으로 움직이므로 (−)이다.

$$\text{수요의 소득탄력성} = \frac{\text{수요량의 변화율}}{\text{소득의 변화율}}$$

수익가격 (收益價格)
☑ 제33회, 제35회

수익환원법으로 구한 시산가액을 말한다.

$$\text{수익가격} = \frac{\text{순수익}}{\text{환원이율}} = \frac{\text{총수익} - \text{총비용}}{\text{환원이율}}$$

수익률 (收益率)
☑ 제26회, 제27회, 제29회, 제33회

투하된 자본에 대한 산출의 비율로서 부동산투자에 대한 의사결정시 가장 중요한 변수 중 하나이다.

$$\text{수익률} = \frac{\text{순수익}}{\text{투하자본}}$$

수익률에는 기대수익률(내부수익률), 요구수익률, 실현수익률의 세 가지가 있다.

구분	내용
기대수익률 (내부수익률)	투자대상으로부터 투자로 인해 기대되는 예상수익률을 말한다.
요구수익률 (기회비용)	투자에 대한 위험이 주어졌을 때 투자가가 대상부동산에 자금을 투자하기 위해 충족되어야 할 최소한의 수익률을 말한다.
실현수익률	투자가 이루어지고 난 후에 현실적으로 달성된 수익률을 말한다.

수익방식 (收益方式)
☑ 제29회

부동산가격을 구하는 3방식 중의 하나로서, 수익성의 접근원리에 따라 그 부동산을 이용함으로써 어느 정도의 수익 또는 편익을 얻을 수 있는가 하는 데에 착안하여 부동산의 가격 또는 임대료를 구하는 방식이다. 이때 가격을 구하는 방법을 수익환원법, 임대료를 구하는 방법을 수익분석법이라고 한다.

수익배분의 원칙
(收益配分의 原則)

토지・자본・노동 및 경영 등의 각 요소의 복합적인 결합에 의하여 발생하는 총수익은 생산량의 공헌도에 따라 분배되는데, 노동・자본・경영에 분배되고 남은 잔여분은 토지에 귀속된다는 원칙이다. 수익배분의 원칙은 부동산에 귀속되는 순수익을 기초로 하는 가격 또는 임대료의 평가방법(수익환원법・수익분석법) 및 토지잔여법의 이론적 근거가 된다.

> **:: 참고 | 수익배분의 원칙**(收益配分의 原則)
> 1. 기대수익률 > 요구수익률 ⇨ 투자증가
> 2. 기대수익률 = 요구수익률 ⇨ 균형투자
> 3. 기대수익률 < 요구수익률 ⇨ 투자감소

수익분석법
(收益分析法)
☑ 제27회

수익방식 중 하나로서, 일반기업경영에 의하여 산출된 총수익을 분석하여 대상물건이 일정한 기간에 산출할 것으로 기대되는 순수익에 대상물건을 계속하여 임대하는 데에 필요한 경비를 더하여 대상물건의 임대료를 산정하는 감정평가방법을 말한다(「감정평가에 관한 규칙」 제2조 제11호). 이 방법에 의한 임대료를 수익임대료라 한다. 여기서 일정기간이란 임대기간이므로 1년 또는 1개월 단위로 쓰인다.

수익성지수
(收益性指數, PI)
☑ 제26회, 제31회

투자로부터 발생하는 현금유입의 현재가치를 현금 지출의 현재가치로 나눈 값을 의미한다. 수익성지수가 1보다 크면 현금유입의 현재가치가 현금 지출의 현재가치보다 크다는 것이기 때문에 투자안을 채택하게 된다. 여러 가지 투자 사업 중에서 한 가지를 선택해야 하는 경우라면 수익성지수가 1보다 큰 투자안 중 더 큰 사업을 채택한다.

수익체증・체감의 원칙
(收益遞增・遞減의 原則)

부동산의 단위투자액을 계속적으로 증가시키면 이에 따라 총수익은 증가하지만 증가되는 단위투자액에 대응하는 수익은 증가하다가 일정한 수준(한계수익점)을 넘으면 점차로 감소한다는 원칙을 말한다. 이는 수확체감의 법칙에 근거한다.

수익환원법
(收益還元法)
☑ 제26회, 제28회, 제31회, 제32회, 제34회, 제35회

수익방식 중 하나로서, 대상물건이 장래 산출할 것으로 기대되는 순수익이나 미래의 현금흐름을 환원하거나 할인하여 대상물건의 가액을 산정하는 감정평가방법을 말한다(「감정평가에 관한 규칙」 제2조 제10호). 이 방식으로 산정된 가격을 수익가격이라 한다. 수익환원법의 중요한 구성요소는 순수익, 환원이율, 수익환원방법 등으로 분류된다.

수직공간 (垂直空間)	지중공간, 수평공간 및 공중공간의 3차원 공간을 상하의 입체공간으로 표시한 것이다. 공간이용은 과거의 수평공간에서 현대의 수직공간이용으로 변화하고 있다.
수평공간 (水平空間)	지표와 연관된 토지, 택지, 농경지, 평야, 계곡, 수면 등을 말한다.
순소득승수 (純所得乘數) ☑ 제26회, 제33회, 제35회	순영업소득에 대한 총투자액의 배수를 말하며, 자본회수기간이라고도 한다.
순수익 (純收益)	경제주체가 대상물건을 통하여 획득할 총수익에서 그 수익을 발생시키는 데 소요될 비용을 공제한 금액을 말한다.
순임대료 (純賃貸料)	임대용 부동산을 1년간 운영한 총수익에서 해당 부동산의 임대차를 계속하는 데 필요로 하는 통상의 필요제경비 등을 공제한 임대료를 말한다. 순임대료 중에는 일시금 등의 운용익 및 상각액과 실질임대료의 일부를 구성하는 공익비 및 부가사용료의 실비초과분이 포함된다.
순현재가치 (純現在價值, NPV) ☑ 제26회~제28회, 제32회, 제33회	순현재가치는 줄여서 '순현가'라고도 하며 순현가법은 부동산투자분석기법에서 할인현금흐름분석법 중의 하나이다. 투자대상 부동산에 투입되는 비용과 산출되는 수익의 차액을 말한다. 순현가 = 현금유입의 현재가치 − 현금유출의 현재가치
슈바베법칙 (Schwabe法則)	슈바베(H. Schwabe)는 1868년 베를린시의 가계조사를 통해서 주민들의 가계소득이 증대할수록 가계의 소비지출 중 주거비에 대한 절대지출액은 증가하나, 상대적 지출액인 지출비율은 감소한다고 하였다.

슈바베지수
(Schwabe指數)

가구의 생계비 중에서 주거비가 차지하는 비율을 말한다. 저소득계층일수록 슈바베지수가 높고, 이 경우 주택부담은 크며 주택부담능력은 떨어진다.

$$\text{슈바베지수} = \frac{\text{주거비}}{\text{생계비}} \times 100$$

슬라이드법
(Slide法)

계속임대료를 구하는 방법(차액배분법 · 이율법 · 슬라이드법 · 임대사례비교법) 중 하나로서, 임대부동산의 필요제경비의 변동, 부동산가격의 변동 등이 유기적 실체를 이루어 변동한다고 보고 이들의 적정한 변동률, 즉 슬라이드지수를 파악하여 현행임대료에 곱하여 타당한 계속임대료를 산출하는 방법이다. 이때 계속임대료란 계속 중인 임대차계약에 수반되어 현행임대료를 개정하는 때 구하는 임대료를 말한다.

시산가액
(試算價額)
☑ 제27회, 제30회, 제34회, 제35회

감정평가법인등은 대상물건별로 정한 감정평가방법(주된 방법)을 적용하여 감정평가해야 한다. 다만, 주된 방법을 적용하는 것이 곤란하거나 부적절한 경우에는 다른 감정평가방법을 적용할 수 있다. 이때 감정평가방법을 적용하여 산정한 가액을 시산가액이라 한다(「감정평가에 관한 규칙」 제12조 제1항).

시산임대료
(試算賃貸料)

부동산감정평가에 있어서 감정평가 3방식으로 구해진 임대료를 말한다. 원가방식에 의하여 구해진 시산임대료를 적산임대료, 비교방식에 의하여 구해진 시산임대료를 비준임대료, 수익방식에 의하여 구해진 시산임대료를 수익임대료라고 한다.

시설관리
(施設管理)
☑ 제26회

각종 부동산시설을 운영하고 유지하는 것으로서 시설사용자나 기업의 여타 부문의 요구에 단순히 부응하는 소극적 관리를 말한다.

시장가치
(市場價値)
☑ 제27회, 제33회

감정평가의 대상이 되는 토지 등(이하 "대상물건"이라 한다)이 통상적인 시장에서 충분한 기간 동안 거래를 위하여 공개된 후 그 대상물건의 내용에 정통한 당사자 사이에 신중하고 자발적인 거래가 있을 경우 성립될 가능성이 가장 높다고 인정되는 대상물건의 가액(價額)을 말한다(「감정평가에 관한 규칙」 제2조 제1항). 따라서 투자자는 투자가치가 시장가치보다 작으면 투자를 하지 않을 것이고, 투자가치가 시장가치보다 크면 투자를 하려고 할 것이다.

시장성 분석 (市場性 分析) ☑ 제31회	구체적으로 시장성이 있는 부동산상품의 특성 확인, 경쟁임대료 및 분양가 확인, 시장에서 공급되어야 할 양, 시장흡수율, 분양에 영향을 미치는 비가격적 요인 및 금융조건의 확인, 목표구매자의 설정, 각 목표시장에 가장 효과적인 마케팅전략의 작성과정 등을 말한다.
시장세분화전략 (市場細分化戰略) ☑ 제28회, 제31회	STP 전략 중 하나로, 수요자 집단을 인구·경제학적 특성에 따라서 세분한 시장에 있어서 상품의 판매지향점을 분명히 하는 전략을 말한다.
시장의 실패 (市場의 失敗) ☑ 제27회	어떠한 요인에 의해 사적 시장의 메커니즘이 직원의 적정분배를 자율적으로 조정하지 못하는 것을 말한다.
시장점유 마케팅전략 (市場占有 Marketing 戰略) ☑ 제26회, 제33회	부동산 마케팅전략 중의 하나로 표적시장을 선점하거나 틈새시장을 점유하고자 하는 공급자 차원의 전략을 말한다. 세부적 전략으로는 STP 전략(시장세분화전략, 표적시장전략, 차별화전략)과 4P 믹스전략(제품, 가격, 유통경로, 판매촉진) 등이 있다.
시장지향형 입지 (市場指向型 立地)	공장부지와 관련하여 제품을 시장까지 수송하는 교통비가 차지하는 비중이 큰 기업이 선호하는 입지형태를 말한다.
시장추출법 (市場抽出法, 시장비교방식)	부동산시장에서 대상부동산과 유사성 있는 거래사례로부터 순수익을 구하여 사정보정, 시점수정 등을 거쳐 환원이율을 직접 추출하는 방법을 말한다.
시장침투율 (市場浸透率)	상가의 경우 신규 상가가 기존이 지역 상권에서 시장점유율을 얼마나 차지할 것인가, 혹은 지역독점 상권에서 어느 정도 범위의 소비자까지 당해 점포를 이용하게 될 것인가 하는 것을 나타내는 척도이다.
시장흡수율 (市場吸收率)	일정기간에 일정한 지역에서 새로운 부동산이 얼마나 팔렸는가(혹은 임대되었는가) 하는 것을 나타내는 척도이다.

시점수정
(時點修正)
☑ 제31회

매매사례자료의 부동산거래와 감정평가대상 부동산거래 간에 시간적 차이가 있을 때 매매사례가격을 가격시점으로 수정하여 주는 것을 뜻한다. 그리하여 시간적 동일성을 갖게 하여 사례자료를 규범화시키는 것으로 사정보정이 끝나고 하는 것이다.

실질이자율
(實質利子率)

실질이자율이란 오늘의 소비를 절제하여 미래에 충분한 구매력을 가지도록 보답을 하는 기본적 혹은 최소한의 요구이자율을 실질이자율이라 한다. 투자자는 인플레로 인한 장래의 구매력 손실이 보상되도록 명목이자율이 충분히 높기를 원한다. 따라서 실질이자율과 명목이자율의 관계는 인플레에 따라서 결정된다.

명목이자율 = 실질이자율 + 기대 인플레율

실질임대료
(實質賃貸料)

부동산의 임대차에서 임차인이 임대인에게 지불하는 실질적인 모든 경제적 대가로서 순임대료와 필요제경비로 구성된다. 따라서 실질임대료는 순임대료에 필요제경비를 합한 금액이다. 부동산감정평가에서는 실질임대료로 평가함을 원칙으로 한다.

실현수익률
(實現收益率)

투자가 이루어지고 난 후에 현실적으로 달성된 수익률로서 실제수익률 · 역사적 수익률이라고도 한다. 예를 들어 1천만원에 구입한 토지가 1년 후에 1천 2백만원에 팔렸다면, 이 투자의 실현수익률은 20%가 된다.

악화기
(惡化期)

인근지역의 사이클 패턴의 하나로서, 쇠퇴기와 천이기의 기간 중 재개발 등 아무런 개선의 노력이 없으면 지역은 악화기에 이르며 슬럼(Slum)기 직전의 단계를 말한다.

안정시장
(安定市場)
☑ 제26회

부동산시장의 고유한 국면으로 계속적으로 부동산가격이 안정되어 있거나 가벼운 상승을 동반하는 것을 말한다.

약성 효율적 시장
(弱性 效率的 市場, Weak Efficient Market)
☑ 제27회, 제32회

현재의 시장가치가 과거의 추세를 충분히 반영하고 있기 때문에 가치에 대한 과거의 역사적 자료를 분석한다고 하더라도 정상 이상의 수익(초과이윤)을 획득할 수 없는 시장을 말한다. 이처럼 약성 효율적 시장에서 과거의 자료를 토대로 시장가치의 변동을 분석하는 것을 기술적 분석(technical analysis)이라 하고, 기술적 분석에 의해 밝혀진 기술적 지표로 초과이윤을 획득할 수 없다는 것은 이미 시장참여자들이 기술적 분석을 하고, 그에 따라 합리적으로 행동하고 있다는 것을 전제로 하기 때문이다.

양도성예금증서
(讓渡性預金證書, CD ; Certificate of deposit)

양도성예금증서는 은행의 정기예금에 양도성을 부여한 무기명 증권으로, 은행이 발행하고 증권회사와 종합금융회사의 중개를 통해 금융시장에서 자유롭게 매매된다. 다만, 만기일 이전에 중도해지(중도환매)는 불가능하나 양도는 가능하므로 현금화가 용이한 유동성이 높은 상품이다.

STP 전략
(STP 戰略)
☑ 제26회, 제32회

시장점유 마케팅전략의 하나로 STP 전략은 전통적인 전략이다. 여러 가지 기준으로 수요자집단을 세분화(S)하고, 세분화된 시장 중에서 표적시장을 선정(T)하고, 표적시장에서 다른 경쟁자들과 자신의 제품을 차별화(P)하여 경쟁적 위치를 정하는 전략을 말한다.

AIDA원리
(AIDA原理)
☑ 제34회

AIDA원리는 주의(attention), 관심(interest), 욕망(desire), 행동(action)의 단계를 통해 공급자의 욕구를 파악하여 마케팅 효과를 극대화하는 고객점유마케팅 전략의 하나이다.

엘우드법
(Ellwood法, 저당지분방식)

부동산가치를 토지와 건물 등 물리적 부분으로 분류하지 않고 자기자본과 타인자본으로 구성되는 것으로 보고 이를 가중평균한 값을 말한다. 이는 수익성 부동산의 자본환원율은 대상부동산의 물리적 특성에 의해서가 아니라 금융적 특성에 의해 결정하여야 한다는 것이다.

여과작용
(濾過作用)
☑ 제30회, 제31회

주택이 소득의 계층에 따라 상하로 이동되는 현상을 말한다. 이는 상향여과와 하향여과로 나뉜다.

① 상향여과: 저소득계층이 사용하던 주택 등이 재개발 등으로 고소득층의 사용으로 전환되는 현상을 말한다.
② 하향여과: 고소득계층이 사용하던 주택이 저소득층의 사용으로 전환되는 현상을 말한다.

연금법
(Inwood法)

수익환원법의 하나로서, 대상부동산이 토지와 건물 기타 상각자산의 결합으로 구성되어 있을 경우 부동산의 임대 또는 일반기업경영에 의한 상각 전의 순수익에 상각 후의 종합환원이율과 잔존내용연수를 기초로 한 복리연금현가율을 곱하여 수익가격을 구하는 방법을 말한다.

연금법과 상환기금법의 비교

구 분	연금법(Inwood)	상환기금법(Hoskold)
유사점	• 상각자산을 포함하는 복합부동산의 평가에 적용 • 매년 회수되는 상각액이 다시 일정한 이율의 이자를 발생시킨다는 것을 전제로 하므로 원리적으로는 동일 • 적용되는 순수익은 상각 전 순수익, 환원이율은 상각 후 환원이율을 적용	
방법의 차이	대상물건이 토지와 건물 기타 상각자산으로 구성되어 있는 복합부동산인 경우, 상각 전 순수익에 상각 후 종합환원이율과 잔존내용연수를 기초로 한 복리연금현가율을 승하여 수익가격을 구하는 방법	대상물건이 토지와 건물 기타 상각자산과 결합되어 구성된 경우, 상각 전 순수익에 상각 후 종합환원이율과 축적이율 및 잔존내용연수를 기초로 한 수익현가율을 승하여 구하는 방법
이 율	투하자본회수분을 동종산업에 재투자함을 가정하여 축적이율이 환원이율과 동일하다고 보아 1종의 이자율을 사용	투하자본회수분을 본래의 투자사업에 재투자하지 않고 원금을 안전하게 회수할 수 있는 곳에 투자하는 것을 가정하고 있으므로 무위험이자율인 축적이율과 환원이율 2종의 이율을 사용
적용 대상	내용연수 만료시 재투자로 수익성을 연장시킬 수 있는 부동산, 즉 슈퍼마켓이나 어업권 등의 평가에 적용	수익성 또는 사업성이 제한되어 있어 재투자로 수익성을 연장할 수 없는 광산이나 광업권 등에 적용
수익 가격	수익가격이 Hoskold 방식에 의한 수익가격보다 크다.	수익가격이 Inwood 방식에 의한 수익가격보다 낮다.

연금의 내가계수
(年金의 來價係數)
☑ 제29회~제32회

매년 1원씩 받게 되는 연금을 이자율 r로 계속해서 적립했을 때, n년 후에 달성되는 금액을 말한다. 이를 연금의 미래가치계수라고도 한다.

$$\text{연금의 내가계수}(r\%,\ n\text{년}) = \frac{(1+r)^n - 1}{r}$$

연금의 현가계수
(年金의 現價係數)
☑ 제32회, 제33회

이자율이 r이고 기간이 n일 때, 매년 1원씩 n년 동안 받게 될 연금을 현재 일시불로 환원한 액수를 의미한다.

$$\text{연금의 현가계수}(r\%,\ n\text{년}) = \frac{1-(1+r)^{-n}}{r}$$

열등재
(劣等財)

소득이 증가함에 따라 그 수요가 감소하는 재화로, 하급재라고도 한다. 열등재는 소득이 증가(감소)하면 수요가 감소(증가)하여 수요곡선이 좌하향(우상향)으로 이동한다.

> **참고 | 기펜재**(Giffen's good)
> 일반재화는 가격이 하락하면 수요량이 증가하는데, 열등재 중에서 재화의 가격이 하락하면 오히려 그 재화의 수요가 감소하여 수요법칙의 예외인 재화를 기펜재(Giffen's goods)라 한다.

영속성
(永續性)
☑ 제26회~제28회, 제30회

부동산특성 중 자연적 특성의 하나로, 토지는 사용이나 시간의 흐름에 의해서 소모 또는 마멸되지 않는다는 특성이다. 유용성의 측면에서는 변화할 수 있으므로 양면성을 가지고 있다.

영업수지의 계산
(營業收支의 計算)
☑ 제27회, 제29회

부동산 투자로부터 발생하는 현금수입과 현금지출을 측정하는 것을 말한다.

단위당 예상임대료
× 임대단위 수

= 가능조소득
− 공실 및 불량부채
\+ 기타 소득

= 유효조소득
− 영업경비

= 순영업소득
− 부채서비스액

= 세전현금흐름
− 영업소득세

= 세후현금흐름

예측의 원칙
(豫測의 原則)
☑ 제26회

부동산가격이 당해 부동산의 장래의 수익성이나 쾌적성에 대한 예측의 영향을 받아서 결정된다는 법칙을 말한다. 지역분석에서 지역특성의 변화·추이, 비교방식에서 사례가격과 대상가격의 비교검토, 수익방식에서의 순수익, 환원이율의 결정 등과 밀접한 관련을 가진다.

완전경쟁시장
(完全競爭市場)
☑ 제26회

매도자와 매수자의 범위가 매우 넓고 많으며, 시장참여자의 상품의 품질은 동일하며, 정보는 완전하고, 누구든지 자유롭게 시장에 가입하거나 탈퇴할 수 있고, 시장참여자도 시장가격에 영향을 미칠 수 없는 시장이다.

외부성의 원칙
(外部性의 原則)

대상부동산의 가치가 외부적인 요인에 의해 영향을 받는다는 평가원리를 말한다. 외부적 요인이 대상부동산의 가치에 긍정적인 영향을 미칠 때에 이를 외부경제라 하고, 부정적인 영향을 미칠 때에 이를 외부불경제라 한다. 외부성의 원칙은 적합의 원칙과 밀접한 관련을 가지고 있다.

외부적 감가
(外部的 減價)

이는 환경적·경제적·입지적 감가라고도 불리는데, 예컨대 주변지역이 노후화되거나 혐오시설의 입지 혹은 주변도로의 교통혼잡 등으로 인해 발생하는 건물가치의 하락을 의미한다.

외부효과
(外部效果)
☑ 제26회, 제28회

시장기구 밖에서 나타나는 현상으로, 다른 경제주체에게 이익을 가져다주는 것을 외부경제라 하고, 반대로 손해를 끼치는 행위를 외부불경제라 한다.

요구수익률
(要求收益率)
☑ 제26회, 제27회, 제32회, 제33회

투자가 이루어지기 위해서 최소한 요구되는 수익률을 말하며, 투자에 대한 기회비용을 충당할 수 있을 만큼의 수익률이 된다. 요구수익률에는 시간에 대한 비용과 위험에 대한 비용이 들어 있다.

요구수익률 = 무위험률(기회비용) + 위험할증률 + 예상인플레이션

요소구성법
(要素構成法, 조성법)

구성요소를 직접 구하여 합계함으로써 환원이율을 구하는 방법이다. 이 방법에 의하면 환원이율은 순수이율에 대상물건의 위험률을 가산한 이율이다.

원가방식
(原價方式)
☑ 제27회, 제29회

부동산감정평가의 3가지 방식 중 하나로서, 비용성의 사고방식에 따라 대상부동산의 재조달원가에 주목하여 부동산의 가격이나 임대료를 구하는 방법으로 일종의 공급가격의 특성을 가지며, 비용접근법이라고도 한다.

원가법
(原價法)

☑ 제26회, 제28회, 제29회, 제31회, 제32회, 제34회, 제35회

대상물건의 재조달원가에 감가수정(減價修正)을 하여 대상물건의 가액을 산정하는 감정평가방법을 말한다(「감정평가에 관한 규칙」 제2조 제5호).

원금균등분할상환
(元金均等分割償還)

☑ 제26회, 제27회, 제29회, 제32회, 제33회, 제35회

대출원금을 융자기간으로 나눈 할부 상환금에 월별잔고에 대한 이자를 합산하여 납부하는 방식이다. 원금액은 동일하나 이자지불액은 원금을 갚아나가면서 조금씩 줄어듦에 따라 매 기간 적어지게 된다. 따라서 원금균등상환방식은 초기에는 월부금이 많이 지급되고 후기에는 점차 줄어들기 때문에 대출자 입장에서는 차입자에게 원금균등분할상환방식으로 대출해 주는 것이 원금회수 측면에서 보다 안전하다.

:: 참고 | 원금균등분할상환, 원리금균등분할상환, 점증상환의 비교

1. 원금균등(CAM): 원금불변, 이자감소, 원리금감소, 초기회수 빠름, 잔금↓
2. 원리금균등(CPM): 원금증가, 이자감소, 원리금불변, 기간 3분의 2, 원금 2분의 1 상환
3. 점식상환(GPM): 원리금증가, 인플레 고려, 미래·젊은·짧은 유리, 부의 상환(초기), 초기회수 느림, 잔금↑

원료지수
(原料指數)

베버가 산업입지의 요건을 설명하고자 도입한 개념이다. 베버는 원료를 보편원료와 국지원료로 구분하여 원료지수를 도출하였다. 보편원료는 어느 곳에서나 쉽게 구할 수 있어 운송비가 발생치 않는 원료를 말하고, 국지원료는 특정지역에만 존재하기 때문에 운송비가 발생하는 원료를 말한다.

원리금균등분할상환
(元利金均等分割償還)

☑ 제26회, 제27회, 제29회, 제31회~제33회, 제35회

일반적으로 사용되는 상환방식으로 매기간 원금과 이자의 합계가 균등한 저당이다. 초기에는 원리금 중 이자가 차지하는 부분이 많으나 후기에는 원금상환 비중이 커지며, 대출만기 일자에 대출원금은 완전히 상환된다.

위치의 가변성
(位置의 可變性)

특정한 부지의 토지 이용이 상대적 위치에 의하여 영향을 받는 것을 토지의 위치의 가변성이라고 한다. 이는 토지의 인문적 특성 중의 하나로 특정 토지에 대한 개인이나 집단의 상호 선택과 선호의 결과로 나타난다.

위치의 유사성
(位置의 類似性)

거래사례비교법은 대체의 원칙을 이론적 근거로 하고 있으므로 비교할 거래사례는 대상물건과 위치적으로 대체성이 있어야 한다.

위치지대설
(位置地代說)
☑ 제30회, 제33회, 제35회

튀넨(Thünen)이 주장한 이론으로, 지대의 결정은 토지의 비옥도만이 아니라 위치에 따라 달라진다는 위치지대의 개념을 통해 현대 입지이론의 기초를 제공하였다. 튀넨은 농업지역의 동심원적 지대가 형성되는 원리를 수송비(교통비, 단일수송체계)로 설명하였다.

위탁관리
(委託管理)
☑ 제26회, 제33회~제35회

부동산관리방식 중 하나로서, 부동산소유자가 직접 관리하지 않고 관리전문업자에게 위탁하여 부동산을 관리하는 방식이다. 공동주택이나 빌딩관리에 많이 이용하는 방식으로 관리방식 중 가장 진보된 관리방식이다. 이는 인구의 도시집중으로 인해 고층빌딩의 건축과 주택의 집합화·고층화에 따른 고도의 관리기술의 필요성 때문에 부동산관리의 전문화와 더불어 이 방식의 채용이 점차 증대하는 경향이 있다.

위험·수익의 상쇄관계
(危險·收益의 相殺關係)

위험수준이 높은 투자대상의 요구수익률은 위험수준이 낮은 투자대상의 요구수익률보다 높게 된다. 즉, 부담하는 위험이 크면 투자자의 요구수익률이 커지는데, 이와 같은 관계를 위험·수익의 상쇄관계라고 한다.

위험조절할인율
(危險調節割引率)
☑ 제28회

장래에 기대되는 소득을 현재가치로 환원할 경우 위험한 투자일수록 높은 할인율을 적용하는 것을 말하는데, 투자에 대한 요구수익률을 결정하는 경우 감수해야 할 위험의 정도에 따라 위험할증률을 더해가는 방법이다.

유량
(流量, flow)
☑ 제31회

일정기간에 걸쳐서 측정하는 변수

예 임대료수입, 신규주택공급량, 주택거래량, 부동산 회사의 당기순이익, 국민총생산

유사지역
(類似地域)

대상부동산이 속하지 아니하는 지역으로서 인근지역과 유사한 특성을 갖는 지역을 말한다(「감정평가에 관한 규칙」 제2조 제14호). 유사지역에 있는 부동산은 인근지역 내에 있는 부동산과 용도적·기능적인 면에서 동질적이므로 유사지역의 사례자료는 인근지역의 사례자료와 함께 감정평가에 활용한다.

유효조소득
(有效粗所得, 유효총소득)
☑ 제26회

가능조소득에서 공실 및 불량채무에 대한 충당금을 빼고 기타소득을 더한 것을 말한다.

유휴지
(遊休地)

토지소유자 등이 장기간 이용을 방치하거나 적극 사용치 않는 경우 시장, 군수가 토지이용심사위원 회의심의를 거쳐 유휴지라고 결정한 토지를 말한다.

의사소통전략
(意思疏通戰略)

부동산 마케팅에 있어서 커뮤니케이션전략으로 홍보, 광고, 판매촉진 등을 말한다.

이율법
(利率法)

계속임대료를 구하는 방법 중 하나로서, 투하된 투하자본 기초가격에 계속임대료이율을 곱하여 얻은 금액에 임대차를 계속하는 데 필요한 제경비를 합하여 산정한 금액으로 적정한 임대료를 산정하는 방법이다.

이행지
(移行地)
☑ 제27회, 제34회

임지지역, 택지지역, 농지지역 내에서 전환이 이루어지고 있는 토지를 말한다. 예컨대 택지지역이 재개발사업 등으로 인하여 공업지역이 주거지역으로 이행되거나 주거지역이 상업지역으로 이행되는 지역을 말하고, 그 지역 내의 토지를 이행지라 한다.

참고 | '후보지'나 '이행지'는 전환 중이거나 이행 중인 토지에 붙이는 용어이다. 전환이나 이행이 이루어지고 난 후에는 바뀐 후의 용도에 따라 부른다는 것에 유의해야 한다.

인근지역
(隣近地域)
☑ 제29회

감정평가의 대상이 된 부동산(이하 "대상부동산"이라 한다)이 속한 지역으로서 부동산의 이용이 동질적이고 가치형성요인 중 지역요인을 공유하는 지역을 말한다(「감정평가에 관한 규칙」 제2조 제13호).

참고 | 인근지역의 요건

1. 대상부동산이 속해 있는 지역의 일부분일 것
2. 도시·농촌과 같은 종합형태로서의 지역사회보다 작은 지역일 것
3. 인간생활과 관련하여 특정한 토지용도를 중심으로 집중된 용도적 지역일 것
4. 인근지역의 지역특성이 대상부동산의 가격형성에 직접 영향을 미칠 것

인근지역의 생애주기

인근지역의 성쇠현상을 생태학적 측면에서 파악하여 각 국면에서 나타나는 여러 가지 현상의 특징을 나타낸 것을 말한다. 인근지역의 생애주기의 전제조건은 지역이 하나의 개발계획에 의해 동시에 개발되어야 하고 동질성이 있어야 한다. 인근지역의 지역요인은 성장기 · 성숙기 · 쇠퇴기 · 천이기 · 악화기라는 인근지역의 생애주기를 가지면서 변화한다.

인플레이션 (Inflation)

☑ 제27회

주택수요와 주택공급 측면에 영향을 미침으로써 주택가격을 상승시키며, 화폐가치 하락에 따른 위험회피수단으로서 주택에 대한 수요를 자극함으로써 주택가격을 상승시키고, 주택생산비를 상승시킴으로써 주택가격을 상승시킨다. 이는 실질임금을 감소시켜 건설노임의 상승을 초래한다. 이처럼 물가의 상승 · 하락으로 인한 경기변동 등을 나타내는 용어로는 디플레이션, 스태그플레이션, 애그플레이션 등이 있다.

인플레이션 (inflation)	물가의 지속적 상승
디플레이션 (deflation)	물가수준의 지속적 하락 ⇨ 극심한 경기침체 등의 원인 인플레이션의 진행을 방지하여 통화팽창 · 물가등귀를 가져오지 않도록 균형재정금융긴축의 정책이 취해지는 경우에 물가저락 · 금융경색 등의 현상이 나타나는 것을 말한다. 즉, 물가수준이 지속적으로 하락하면서 극심한 경기침체 등의 원인이 된다.
스태그플레이션 (stagflation)	경기침체(stagnation) + 물가상승(inflation) 경제불황 속에서 물가상승이 발생하고 있는 상태를 나타내는 신조어로, 그 정도가 심한 것은 슬럼프플레이션(slump-flation)이라고 한다. 제2차 세계대전 전까지 불황기에는 물가가 하락하고 호황기에는 물가가 상승하는 것이 일반적이었으나 최근에는 호황기에는 물론 불황기에도 물가가 계속 상승하여 그 결과 불황과 인플레이션이 공존하는 사태가 현실적으로 나타나게 되었다.
애그플레이션 (agflation)	농업(agriculture) + 물가상승(inflation) 곡물가격이 상승하는 영향으로 일반물가가 동반 상승하는 현상을 말한다.

인플레이션 헷지 (Inflation hedge)

인플레이션이 일어나서 화폐가치가 하락하는 경우 방어수단으로서 부동산, 주식, 상품 등을 구입하는 것을 말한다. 인플레이션시에는 실물자산의 가격상승으로 화폐자산의 실질구매력이 하락하게 된다. 따라서 부동산에 대한 환물심리가 나타나 자산구성 중 부동산의 비중이 커진다.

일괄평가
(一括評價)
☑ 제27회

부동산감정평가에서 평가대상 물건에 따른 평가분류방법으로서, 2개 이상의 부동산이 있을 때 부동산마다 개별평가함이 원칙이나 2개 이상의 물건이 일체로 거래되거나 부동산 상호간에 용도상 불가분의 관계가 있을 경우에는 일괄하여 감정평가하는 것을 말한다. 즉, 동일한 단가를 적용할 수 있는 경우나 물건 상호간에 용도상 불가분의 관계가 있는 주물과 종물 또는 부합물에 대하여는 일괄하여 평가한다.

일물일가의 원칙
(一物一價의 原則)

시장을 통하여 한 종류의 재화는 오직 하나의 가격만이 성립한다는 원칙이다.

임대료규제정책
(賃貸料規制政策)
☑ 제26회, 제28회

임대료규제는 저소득층의 주택문제를 해결하기 위한 간접적인 시장개입정책을 말한다. 임대료규제란 균형가격보다 낮은 가격으로 최고가격을 설정하여 그 이하로 가격을 책정하도록 하는 가격통제정책을 말한다. 이때 임대료 상승을 균형가격 이하로 규제하면 단기적으로는 임대주택의 공급량이 변하지 않기 때문에 임대료 규제의 효과가 충분히 발휘되지만 장기적으로는 공급량이 변하기 때문에 여러 가지 부작용이 나타난다.

참고 | 임대료규제의 효과

1. 규제임대료 > 시장임대료: 아무런 변화가 발생하지 않는다.
2. 규제임대료 < 시장임대료: 임대료하락, 초과수요(수요증가, 공급감소)
   ① 임대주택에 대한 초과수요가 발생한다. ⇨ 공급 부족
   ② 임차인들이 임대주택 구하기가 어려워진다.
   ③ 임차인들의 주거이동이 저하된다. ⇨ 사회적 비용 증가
   ④ 임대주택 서비스의 질적 수준이 저하된다.
   ⑤ 임대주택에 대한 투자를 기피하는 현상이 발생한다.
   ⑥ 기존 임대주택이 다른 용도로 전환된다. ⇨ 공급감소
   ⑦ 암시장이 형성될 수 있다(이중가격, 새로운 임차인 불리).

임대료보조정책
(賃貸料補助政策)
☑ 제26회, 제28회, 제34회

임대료보조란 정부가 무상으로 임대료의 일부를 보조해 주는 정책으로서, 저소득층의 주택문제를 해결하기 위한 간접적인 시장개입정책이다.

임대사례비교법
(賃貸事例比較法)
☑ 제26회

비교방식에 의해 부동산의 임대료를 구하는 방법으로서, 대상물건과 가치형성요인이 같거나 비슷한 물건의 임대사례와 비교하여 대상물건의 현황에 맞게 사정보정, 시점수정, 가치형성요인 비교 등의 과정을 거쳐 대상물건의 임대료를 산정하는 감정평가방법을 말한다(감정평가에 관한 규칙 제2조 제8호). 이 방식에 의해 구해진 임대료를 비준임대료 또는 유추임대료라 한다.

임장활동
(臨場活動)

현장에 임한다는 의미로서 부동산활동을 효과적이고 정확하게 수행하기 위하여 부동산이 존재하는 현장에 대한 확인・분석・조사활동을 말한다.

입지경쟁
(立地競爭)
☑ 제33회

토지이용의 다양성으로 인하여 동일한 토지에 대한 유사한 업종의 입지주체 사이에서 보다 유리한 입장에서 토지를 이용・확보하려는 경쟁을 말한다. 입지경쟁에서 지불능력과 입지잉여가 가장 우수한 자가 입지주체가 된다.

입지계수
(立地係數)
☑ 제27회, 제30회, 제32회, 제34회

부동산수요의 원천은 지역의 인구와 산업활동이다. 특히, 일정한 지역이 어떠한 산업에 특화되었는가를 알아보는 것은 부동산시장분석의 첫 단계라고 하고 이를 손쉽게 판별할 수 있는 지표가 바로 입지계수이다.

$$\text{입지계수(LQ)} = \text{A지역} \times \text{산업 비율} / \text{국가 전체} \times \text{산업 비율}$$

$$= \frac{\text{A지역} \times \text{산업의 고용자 수} / \text{A지역 전산업의 고용자 수}}{\text{국가 전체} \times \text{산업의 고용자 수} / \text{국가 전체 전산업의 고용자 수}}$$

입지분석
(立地分析)

개발대상 부동산의 인문적・자연적・사회적・경제적 환경 및 제반 환경을 분석함으로써 개발여력을 극대화하기 위한 분석이다.

입지선정
(立地選定)

입지란 어떤 입지주체가 차지하고 있는 주택・공장・상점・학교・사무실 등이 자리 잡고 있는 자연 및 인문적 위치를 말한다. 입지선정이란 입지주체가 추구하는 입지조건을 갖춘 토지를 발견하는 것 또는 주어진 부동산에 관한 적정한 용도를 결정하는 역할을 말한다. 입지는 정적・공간적인 개념인 데 비해, 입지선정은 동적・공간적・시간적 개념이다.

입지잉여
(立地剩餘)

동일한 용도의 토지이용이라도 입지조건이 더 양호한 경우에 더 많은 이익을 얻을 수 있는데, 이를 입지잉여라고 한다. 어떤 위치의 가치가 한계입지 이상이고 또한 그 위치를 최유효이용할 수 있는 입지주체가 이용하는 경우라야 한다. 입지잉여가 높으면 지가가 높고 토지이용이 집약화되며, 입지잉여가 낮으면 지가가 낮고 토지이용이 조방화된다.

입지조건
(立地條件)

입지대상이 내포하고 있는 토지의 자연적 조건 및 인문적 조건을 말한다. 자연적 조건에는 지세・지질・지형・기후・경관 등이 있으며, 인문적 조건에는 사회적・경제적・행정적인 측면이 있다.

입찰지대곡선
(入札地代曲線)
☑ 제26회

최고의 지대를 지불하는 주체들로 연결된 곡선을 말하는 것으로 종축은 지대이고 횡축은 중심지로부터의 거리라 할 수 있다.

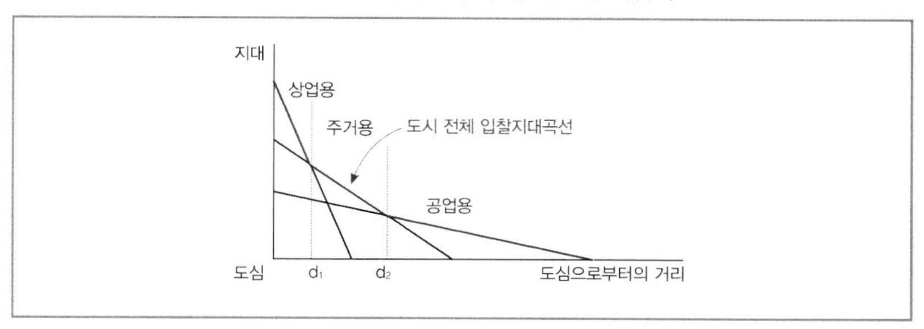

입찰지대이론
(入札地帶理論)

알론소(W. Alonso)의 입찰지대이론이란 당해 토지에 대해 최고 지불능력을 가진 사람이 토지를 차지하여 그에 따라 토지의 용도가 결정된다는 이론이다. 입찰지대란 단위 면적의 토지당 토지이용자가 지불하고자 하는 최대 금액으로 초과이윤이 0이 되는 수준의 지대를 의미한다.

입체공간
(立體空間)

공중공간과 지중공간을 합친 개념으로서, 입체공간의 소유 법률관계를 정한 것이 공중권과 지하권이다. 입체공간으로서의 부동산은 공간의 관점에서 보아도 복합개념에 해당하며 3차원의 공간이 된다.

자기자본수익률
(自己資本收益率)
☑ 제27회, 제33회

자기자본에 대한 당기순이익의 비율을 말한다. 즉, 자기자본의 효율성을 측정하는 데 이용되는 지표로 당기순이익을 자본총계로 나눈 뒤 100을 곱한 값이다.

자기자본수익률 = (전체수익 − 이자비용) / 지분투자액

자산관리
(AM ; Asset-Management)
☑ 제30회

소유주나 기업의 부를 극대화하기 위하여 부동산의 가치를 증진시킬 수 있는 다양한 방법을 모색하는 적극적인 관리를 말한다.

자산유동화
(資産流動化)
☑ 제30회, 제33회

금융기관 또는 일반기업이 유동성이 없는 자산을 증권화하여 매각하여 자금을 조달하는 금융기법을 말한다.

자산유동화증권
(ABS ; Asset Backed Securities)
☑ 제34회

자산유동화증권 또는 자산담보부증권은 금융기관 및 기업 등이 보유하고 있는 대출채권, 매출채권, 부동산저당채권 등 업무상 가지고 있는 보유자산 중 일부를 유동화자산으로 집합(Pooling)하여 이를 바탕으로 증권을 발행하고, 유동화자산으로부터 발생하는 현금흐름으로 발행증권의 원리금을 상환하는 증권을 말한다. 우리나라의 자산유동화증권제도는 「자산유동화에 관한 법률」에 의해 도입되었다.

잔가율
(殘價率)

건물 등 유형고정자산의 내용연수 만료시에 있어서 잔존가격과 재조달원가에 대한 비율을 말한다.

$$잔가율 = \frac{잔존가격}{재조달원가}$$

잔여법
(殘餘法)

순수익의 산정방법 중 하나로서, 토지 또는 건물에 귀속하는 순수익을 공제하여 필요한 부분의 순수익을 산정하는 방법을 말한다. 순수익이 복합부동산에 관계된 것일 경우에 잔여법으로 순수익을 구할 수 있다.

참고 | 잔여법의 종류

1. 토지잔여법: 복합부동산의 순수익에서 토지 이외의 부분에 귀속하는 순수익을 공제함으로써 토지에 귀속하는 순수익을 구하는 방법이다.
2. 건물잔여법: 복합부동산의 순수익에서 건물 이외의 부분에 귀속하는 순수익을 공제함으로써 건물에 귀속하는 순수익을 구하는 방법이다.
3. 부동산잔여법: 토지잔여법과 건물잔여법이 갖고 있는 결함을 시정할 수 있는 개량된 방법으로 부동산의 전체 순수익을 특정기간에 대한 환원이율로 수익환원하는 방법이다.

잔존가격
(殘存價格)

건물 등의 물리적 가치뿐만 아니라 본래의 용도에 따라 이용할 때의 경제가치까지 포함한 가격으로 잔재가격이라고도 한다.

잔존내용연수
(殘存內容年數)

자산의 전체 내용연수에서 경과연수를 차감하고 남은 기간을 잔존내용연수라고 한다. 즉, 건물 등 유형고정자산의 가격시점 이후에 그 건물 등의 효용이 남아 있는 전기간을 말한다. 잔존내용연수는 물리적 측면 또는 경제적 측면에서 파악할 수 있으나 부동산의 감정평가에 있어서는 경제적 잔존내용연수가 특히 중요시된다.

재조달원가
(再調達原價)
☑ 제33회, 제35회

현존하는 대상부동산을 가격시점에서 새로 건축 · 조성하는 등의 방법으로 원시적으로 재생산 또는 재취득하는 것을 상정하는 경우에 소요되는 적정원가의 총액을 말한다. 재조달원가의 종류는 복제원가와 대치원가가 있다. 재조달원가를 구하는 데 쓰이는 방법으로 직접법과 간접법이 있다.

직접법	대상부동산으로부터 직접 재조달원가를 구하는 방법이다. 즉, 대상부동산의 구성부분 또는 전체를 직접 조사하여 표준적인 건설비를 구하고 여기에 간접공사비 및 통상의 부대비용을 가산하는 방법을 말한다.
간접법	대상부동산과 유사한 부동산의 재조달원가를 산출하여 대상부동산의 재조달원가를 간접적으로 구하는 방법이다. 즉, 대상부동산과 경쟁관계에 있는 인근지역 또는 동일수급권 내 유사지역에 소재하는 유사부동산의 재조달원가를 분석하여 대상부동산의 재조달원가를 간접적으로 구하는 방법이다.

저당대출제도
(抵當貸出制度)

부동산을 담보로 제공하고 신용을 공여받는 금융의 한 형태이며, 저당권 자체를 하나의 상품으로 유통하게 되는 것을 저당권의 유동화라 한다. 이 같은 유동화 방법은 저당권 자체를 증권화하여 유통시키는 방법과 저당권부채권을 담보로 새로운 증권을 발행하여 유통시키는 방법이 있다.

저당상수
(抵當常數)
☑ 제26회, 제30회, 제32회

연금의 현재가치를 기준으로 매기당 수령액 또는 지불액을 결정하고자 할 경우에 사용되는 이율이다. 연금의 현가계수의 역수이다.

$$\text{연저당상수}(r\%,\ n\text{년}) = \frac{r}{1-(1+r)^{-n}}$$

저당유동화
(抵當流動化)

부동산저당 결과 발생한 저당담보채권을 증권화하여 이를 타인에게 양도할 수 있도록 하는 제도적 장치를 말한다. 저당담보채권을 증권화하여 유통시킴으로써 금융기관은 부동산금융의 재원 마련에 큰 활성화를 기대할 수 있다.

저량
(貯量, stock)
☑ 제35회

어떤 특정시점을 기준으로 파악된 경제조직 등에 존재하는 또는 경제주체가 소유하는 재화 전체의 양을 말한다.

예 주택재고량, 국부, 보유부동산의 시장가치, 인구, 재산총액, 외환보유액, 외채

적산법
(積算法)

☑ 제26회, 제28회, 제31회, 제34회

원가방식에 의하여 대상부동산의 임대료를 산정하는 방법으로서, 대상물건의 기초가액에 기대이율을 곱하여 산정된 기대수익에 대상물건을 계속하여 임대하는 데에 필요한 경비를 더하여 대상물건의 임대료(사용료를 포함한다.)를 산정하는 감정평가방법을 말한다. 적산법에 의해 실질임대료를 구하는 식은 다음과 같다.

적산임대료 = (기초가격 × 기대이율) + 필요제경비

전이현상
(轉移現象)

부동산현상이 지역 상호간에 옮겨가는 현상을 말한다. 전이성의 정도에 따라 전이활동이 활발한 경우, 전이활동이 없는 경우 등으로 나타나는데 이는 부동산의 규모, 종류, 지역의 특성 등 여러 요인 때문이다. 전이현상은 수축현상과 확대현상으로 구분된다.

① 수축현상: 부동산현상이 광역적으로 확대된 후에 그 지역적 규모가 점차 축소되는 현상
② 확대현상: 어떤 부동산현상이 발생한 지역에서 다른 지역을 향해서 확대되는 현상

절대지대
(絶對地代)

☑ 제28회, 제29회

지대는 토지소유자가 토지를 소유하고 있다는 독점적 지위 때문에 받는 수입이므로 차액지대가 생기지 않는 가장 열등한 농지라도 지대는 발생한다는 것이다. 즉, 경작이 가능한 열등지와 경작이 불가능한 최열등지를 누가 빌려서 경작하면 거기에도 지대가 생기게 된다. 이것을 절대지대라고 한다.

절대지대설
(絶對地代說)

☑ 제27회, 제28회

마르크스(K. Marx), 밀(J. S. Mill) 등에 의하여 주장된 지대이론으로서 토지소유자는 우등지는 물론 최열등지에 대해서도 지대를 요구하므로 토지를 소유함으로써 지대가 발생한다고 하는 이론이다.

:: 참고 | 절대지대설과 차액지대설 비교

구 분	절대지대설	차액지대설
발생원인	• 토지소유권 • 자본주의하에서의 토지사유화와 희소성의 법칙	• 토지의 비옥도 • 수확체감의 법칙 성립 • 지대는 지주의 불로소득
특 징	• 한계지에서도 지대존재 • 소유권만으로도 지대는 성립 • 지대가 곡물가격을 결정	• 한계지에서 지대는 zero • 곡물가격이 지대를 결정

점이지대
(漸移地帶)

이 지대는 중심업무지구를 둘러싸고 있는 불량한 주거지구로서 중심업무 지구에 입지하였던 업무시설이나 경공업이 주거지를 잠식하고 있어 거주 환경이 더욱 악화되고 있는 지대이다. 이 지대의 내측에는 경공업지구가 있고 외측에는 불량주거지대가 나타나고 있다.

접근성
(接近性)

어떤 목적물에 도달하는 데 시간적 · 경제적 · 거리적 부담이 적은 것을 말한다. 따라서 용도에 맞는 접근성이 좋을수록 부동산의 입지조건은 양호하고 그 가치는 크다. 다만, 어떤 대상물에 대한 접근성이 좋아도 그 대상물이 인간생활에 위험성을 주거나 혐오의 대상이라면 오히려 감가요인이 된다.

정률법
(定率法)
☑ 제32회, 제33회

재조달원가에서 감가수정하는 방법 중 하나로서, 대상부동산의 감가형태가 매년 일정률로 감가된다는 가정하에서 매년 말 가격에 일정한 상각률을 곱하여 매년의 상각액을 구하는 방법을 말한다. 즉, 매년 말의 상각잔고에 대하여 정률을 곱하여 상각액을 산출하는 것이므로 상각이 진행됨에 따라 잔고는 감소하고 상각률은 불변인데도 상각액은 점차 감소한다. 따라서 잔고점검법, 체감상각법이라고도 한다.

참고 | 산정방법

- 매년 감가액 = 전년 말 가격 × 정률(감가율)
- 매년 감가율 = $1\sqrt[n]{\text{잔존가격} \div \text{재조달원가}}$
- 감가누계액 = {재조달원가 × 1 − (1 − 감가율)^{m}}
- 복성가격 = 재조달원가 × (전년대비 잔가율)^{m}
  = 재조달원가 × (1 − 매년 감가율)^{m}

＊n : 내용연수, m : 경과연수

정상재
(政商財)
☑ 제33회

소득이 증가함에 따라 그 수요가 증가하는 재화로, 상급재 또는 우등재라고도 한다. 정상재는 소득이 증가(감소)하면 수요가 증가(감소)하여 수요곡선이 우상향(좌하향)으로 이동한다.

정액법
(定額法)

부동산의 감가수정방법 중 내용연수를 기준으로 하는 방법의 하나로서, 대상부동산의 감가형태가 매년 일정액씩 감가된다는 가정하에 부동산의 감가총액을 경제적 내용연수로 평균하여 매년의 상각액으로 삼는 방법을 말한다. 이는 감가누계액이 경과연수에 정비례하여 증가하므로 직선법 또는 균등상각법이라고도 한다.

:: 참고 | 산정방법

- 매년 감가액 $= \dfrac{\text{재조달원가} - \text{잔존가격}}{\text{경제적 내용연수}}$
- 감가누계액 = 매년 감가액 × 경과연수
- 복성가격 = 재조달원가 − 감가누계액

제1차 저당시장
(第1次 抵當市場)

저당대부를 원하는 수요자와 저당대부를 제공하는 금융기관으로 이루어진 시장을 말한다. 제1차 저당대출자는 저당을 자신들의 자산포트폴리오의 일부로 보유하기도 하고 자금의 여유가 없으면 제2차 저당시장에 팔기도 한다.

제2차 저당시장
(第2次 抵當市場)

저당대출기관과 다른 투자자들 사이에 저당을 사고파는 과정을 말한다. 제2차 저당시장에서는 제1차 대출기관들이 설정한 저당을 팔고 자금을 조달하며 원래의 저당차입자와는 직접적인 관계가 없다.

조건부평가
(條件附評價)

다소 불확실하지만 부동산가격에 영향을 줄 수 있는 새로운 상태의 발생을 상정하여 그 조건이 성취되는 경우를 전제로 부동산가격을 평가하는 것을 말한다.

조방농업
(粗放農業)

일정한 면적의 땅에 자본과 노력을 적게 들이고 자연력이나 자연물에 기대어 짓는 농업을 말한다.

조방적 토지이용
(粗放的 土地利用)

토지이용에 있어서 집약도가 낮게 토지를 이용하는 것을 말한다. 일반적으로 농촌토지는 도시토지에 비해 조방적으로 이용된다.

조방한계
(粗放限界)

최적의 조건하에서 겨우 생산비를 감당할 수 있는 수익밖에 얻을 수 없는 집약도이다.

조세공과 (租稅公課)

대상물건에 직접 부과하는 세금 및 공과금을 말하는 것으로, 대상부동산에 대한 재산세 · 도시계획세 · 고정자산세 · 수익자부담금 등이 있다. 그러나 임대인의 영업수익으로서 부과되는 법인세 · 소득세 · 양도소득세 등은 포함되지 않는다.

조정이자율저당 (調整利子率抵當)

가변이자율저당과 마찬가지로, 이자율이 지수에 따라 변화한다. 조정이자율저당은 이자율을 조정하기도 하지만, 지불액을 조정하기도 한다.

종합자본환원율 (綜合資本還元率)

☑ 제26회, 제31회, 제35회

부동산평가에서 흔히 쓰이며 총투자액에 대한 순영업소득의 비율이다. 자본환원율, 종합환원율이라고도 한다.

종합환원이율 (綜合還元利率)

토지나 건물 등의 복합부동산에 적용되는 환원이율로서, 토지와 건물의 환원이율을 토지가격과 건물가격의 구성비율에 따라 가중평균하여 구한다.

주거분리 (住居分離, Housing Segregation)

☑ 제27회, 제30회, 제31회

고소득층의 주거지역과 저소득층의 주거지역이 서로 분리되고 있는 현상을 말한다. 주거분리는 하향여과작용에 의한 주거분리와 상향여과작용에 의한 주거분리로 나뉜다.

주택금융 (住宅金融)

☑ 제33회

주택의 구입, 개 · 보수, 건설 등 주택관련 사업에 대한 자금대여와 관리 등을 포괄하는 특수 금융으로서 그 주요기능은 자금을 최대한 동원하고 이의 효율적 배분을 통하여 주택의 생산과 거래를 원활하게 함으로써 무주택 서민과 주택건설업자에게 장기저리로 대출해 줌으로써 주택의 공급을 확대하는 한편 주택구입을 용이하게 하는 제도라 할 수 있다.

주택담보노후연금 (住宅擔保老後年金, 주택연금, 역연금저당)

☑ 제28회, 제31회, 제33회, 제35회

만 55세 이상의 대한민국 국민이 자기소유 주택을 담보로 제공하고 매월 평생 또는 일정기간 동안 연금방식으로 노후 생활자금을 지급받는 국가 보증의 금융상품(역모기지론)을 말한다. 한국주택금융공사가 연금 가입자를 위해 은행에 보증서를 발급하고 은행은 공사의 보증서에 의해 가입자에게 주택연금을 지급하는 형식으로 이루어진다.

주택문제
(住宅問題)

토지의 부동성, 주택시장의 비유동성 등으로 인하여 주택사정이 악화되어 많은 사람에게 해결하기 어려운 과제가 되는 것을 말하며, 이러한 주택문제는 양적 주택문제와 질적 주택문제로 구별된다.

구분	내용
양적 주택문제	주택이 절대적으로 부족한 현상을 말하며, 가구 총수에 합리적인 공가율에 의한 필요공가수를 합친 필요한 주택수에 비해서 실제의 주택수가 미달하는 것을 말한다.
질적 주택문제	주택가격이나 주거비의 부담능력이 낮아서 주거수준이 낮은 데서 비롯되는 여러 가지 불만과 관련된 문제를 말한다. 이를 경제적 주택문제라고도 하는데 대표적 원인은 저소득수준이다.

주택자금공급시장
(住宅資金供給市場)
☑ 제27회

주택자금 공급기관(한국주택금융공사)이 투자자로부터 자금을 조달하여 주택자금 대출기관(은행, 보험회사 등 금융기관)에 공급해 주는 시장을 말하며, 2차 주택저당 대출시장이라고도 한다.

주택자금대출시장
(住宅資金貸出市場)

예금이나 보험을 취급하는 금융기관이 자금을 조달하여 주택자금 수요자에게 대출해주고, 그 대신에 주택저당채권을 획득하는 대출자와 차입자 간의 관계만으로 형성되어 미분화된 금융시장 구조를 말한다. 1차 주택저당 대출시장이라고도 한다.

주택저당증권
(MBS ; Mortgage Backed Securities)
☑ 제26회, 제27회, 제30회, 제34회, 제35회

금융기관 등이 주택자금을 대출하고 취득한 주택저당증권을 유동화전문회사 등에 양도하고 유동화전문회사 등이 이들 자산을 기초로 증권을 발행하여 투자자에게 매각함으로써 주택자금을 조성하는 제도이다. 주택저당증권은 발행형태에 따라 증권 또는 채권형태로 나뉘며, 그 종류로는 이체증권(MPTS), 저당채권(MBB), 원리금이체채권(MPTB), 다계층채권(CMO)이 있다.

주택저당채권
(住宅抵當債權)
☑ 제26회

당초 주택융자를 한 기관 외에 타 기관의 주택 대출채권에 투자케 하여 간접적으로 자금이 주택부문으로 흘러오게 하는 금융방법, 이러한 투자가 계속될 때 단기자금을 장기자금으로 대체하는 효과를 가져오며, 국민경제적으로 주택부문에 대하여 자금배분을 촉진케 한다.

주택저당채권유동화
(住宅抵當債權流動化)

금융기관이 주택저당채권을 직접 매각 또는 증권화하여 현금화하는 것을 말한다.

준강성 효율적 시장
(準强性 效率的 市場, Semi-strong Efficient Market)
☑ 제27회, 제28회, 제32회

어떤 새로운 정보가 공식적으로 공표되는 즉시 신속하고 정확하게 시장가치에 반영되는 시장을 말한다. 이처럼 공표된 사실을 토대로 시장가치의 변동을 분석하는 것을 기본적 분석(fundamental analysis)이라 하며, 준강성 효율적 시장에서는 기본적 분석을 하여 투자를 한다고 하더라도 정상 이상의 수익(초과이윤)을 획득할 수 없다. 왜냐하면 어떠한 사실(예 편의시설 건설예정으로 인한 주변의 지가상승 등)이 공표되는 즉시 시장가치에 반영되기 때문이다. 준강성 효율적 시장은 현재와 과거의 정보가 현재의 시장가치에 반영되는 시장으로 약성 효율적 시장의 성격도 지니고 있다.

준부동산
(準不動産)

특정의 부동산 또는 동산과 부동산의 집단(집합물), 즉 법제상의 개념을 말한다. 준부동산에는 공장재단, 광업재단, 선박, 입목, 자동차・항공기・중기, 어업권이 있다.

준지대
(準地代)
☑ 제26회, 제34회

인간이 만든 기계와 기타 자본설비에서 생기는 소득으로서, 자연의 선물인 토지에서 얻어지는 소득과 구별하기 위하여 마샬(A. Marshall)이 고안한 용어이다. 단기적으로 생산요소의 공급이 상대적으로 고정되어 있기 때문에 발생하는 지대이다.

- 준지대 = 총수입 − 총가변비용
- 경제지대 = 생산요소의 총수입 − 전용수입(기회비용) = 생산요소 공급자의 잉여

중력모형
(重力模型)
☑ 제30회, 제33회

만유인력의 법칙을 적용하여 대상점포의 가능매상고를 추계하는 방법을 말한다.

중심업무지구
(中心業務地區)

상업, 사회・시민생활 및 교통의 핵심지로 도시가 성장해나가는 데 초점이 되는 곳이다. 이 지구에는 백화점, 전문상가, 사무실, 금융가, 호텔 등의 각종 시설이 집중되어 있는 소매상가지구와 그 외곽에 도매업과 경공업 등이 혼합된 지구가 있다.

중심지이론
(中心地理論)
☑ 제29회, 제30회, 제33회~제35회

재화의 도달거리와 최소요구치의 관계를 설명한 이론으로서 크리스탈러(W. Christaller)가 주장하였다. 이는 도시의 기능이 주변지역에 상품과 서비스를 생산하여 제공하는 것이라고 본다.

지가구배현상
(地價句配現象, Topeka 현상)

도시의 지가형태는 도심에서 가장 높고 도심에서 멀어질수록 점점 낮아지는데, 이 지가가 도심에서 도로를 따라 외곽으로 나갈수록 점점 낮아지는 현상을 말한다. 지가구배현상은 미국의 노스교수(D. S. Knos)에 의해 토페카市의 지가조사를 통해 발견되었는데, 도시의 규모 등에 따른 차이가 있어서 일률적으로 말할 수는 없다.

지가배분율
(地價配分率)

토지공간의 입체적 이용을 전제하는 경우 토지에 계층적으로 배분되는 지가비율을 말한다. 이는 구분지상권의 설정 · 구분소유건물의 부지사용권 가격을 구할 때 또는 계약에 의하여 제한을 받는 토지의 기초가격을 구할 때 이용된다. 지가배분율은 건물을 제외한 토지만의 효용을 입체적으로 파악하여 상하 각각의 위치에 의해 배분되는 비율개념이다.

지가변동률
(地價變動率)

매년 1월 1일이 기준시점인 공시지가를 표준으로 하여 전국 268개 시 · 군 · 구를 대상으로 매 분기별로 지역별 · 용도지역별 지가총액을 기준으로 한 가중치를 구하여 지가지수를 산정한 후 전분기 · 전년 말의 지가지수와 당해 분기의 지가지수를 비교하여 작성된다. 이때 지가지수란 기준연도를 100으로 하여 매년 지가의 변동률을 나타낸 지수를 말한다.

지대
(地代)

지대는 일정기간 동안의 토지서비스의 가격으로 토지소유자의 소득으로 귀속하는 임대료를 말하며, 유량(流量)의 개념이다. 이에 반해 지가는 한 시점에서 자산으로서의 토지 자체의 매매가격으로 저량(貯量)의 개념이다.

지렛대효과
(Leverage effect)
☑ 제27회, 제31회

타인으로부터 빌린 차입금을 지렛대로 삼아 자기자본수익률을 높이는 효과를 말하는데, 이는 차입금이 지분수익을 어떻게 증가 또는 감소시키는가를 의미하는 것이다. 이는 수익금 지렛대효과와 수익률 지렛대효과로 나뉜다.

- 정(+)의 지렛대효과 : 총자본수익률 < 자기자본수익률
- 부(−)의 지렛대효과 : 총자본수익률 > 자기자본수익률

지분형 MBS
(持分型 MBS)

저당대출 집합에서 발생되는 현금흐름에 대한 지분과 저당대출의 소유권을 모두 투자자에게 매각하는 방식으로 발행되는 MBS(주택저당증권)이다.

지불임대료
(支拂賃貸料)

임대료의 한 종류로서, 임차인이 임대인에게 각 지급시기에 지불하는 임대료를 말한다. 이러한 지불임대료는 일시선불금의 운용익 및 그 상각액과 합하여 실질임대료를 구성한다. 일시선불금이 없을 때에는 지불임대료가 실질임대료가 된다.

지역분석
(地域分析)
☑ 제26회, 제27회, 제30회, 제32회, 제34회

지역분석은 어떤 부동산의 가격형성에 전반적인 영향을 미치는 지역요인을 분석하는 것으로 지역 내 토지의 표준적인 이용과 지가수준 및 그 변동추이를 판정하는 것을 말한다.

지표권
(地表權)

지표상의 토지를 배타적으로 이용할 수 있는 권리를 말한다.

지하권
(地下權)

소유권자의 토지구역의 지하공간으로부터 어떤 이익을 획득하거나 이를 사용할 수 있는 권리이다.

직선법
(直線法,
= 직선회수법, 직선환원법)

수익환원법에서 순수익의 환원방법 중의 하나로서, 대상물건의 순수익을 상각률을 가산한 환원이율로 수익환원하여 수익가격을 구하는 방법이다. 이 방법은 건물·구축물·공작물 등과 같이 내용연수가 유한하고 수익발생물건이 감가 또는 소멸되어 투하자본의 회수가 고려되어야 하는 경우에 적용된다. 직선회수법 또는 직선환원법이라고도 한다.

직접법
(直接法,
= 직접환원법)
☑ 제30회, 제32회, 제33회

수익환원법에서 순수익의 환원방법 중의 하나로서, 대상부동산의 순수익을 상각률을 고려치 않고 환원이율로 직접 수익환원하여 수익가격을 구하는 방법이다. 직접환원법 또는 영구환원법이라고도 한다.

$$\text{수익가격} = \frac{\text{순수익}}{\text{환원이율}}$$

직주근접
(職住近接)

직장과 주거지를 가급적 가까운 곳에 두려는 현상을 말하며, 직주분리의 현상의 가속화로 교외에서 중심부로의 출근이 어려워짐에 따라 교외에서 도시중심부로 출근하던 사람들이 다시 도심부로 이주하게 되는데, 이러한 현상을 직주근접 내지 리턴(Return)현상, 즉 회귀현상이라고 한다.

직주분리
(職住分離)

직장과 주거지가 다른 것을 말하는데, 주로 직장을 도심에 두고 근로자가 그 주거지를 도심을 벗어난 외곽에 두는 현상을 말한다. 이러한 현상은 도심의 환경악화 · 지가고 · 도심의 재개발 · 공적 규제 및 교통의 발달로 인하여 생기며, 직주분리의 결과 도심의 상주인구가 감소함으로써 공동화(도넛)현상이 나타난다.

집심성 점포
(集心性 店鋪)

점포소재에 따른 분류의 하나로서, 배후지(hinterland)의 중심부에 입지하는 유형을 말한다. 여기에 적합한 점포의 유형에는 도매점 · 백화점 · 고급 음식점 · 요리점 · 귀금속점 · 미술품점 · 영화관 · 극장 · 시계점 · 화장품점 · 약국 · 서점 등이 있다.

집약적 토지이용
(集約的 土地利用)

토지이용의 집약도가 높은 토지이용을 말한다. 집약도란 단위 면적당 투입되는 노동과 자본의 양(크기)을 말한다.

집약한계
(集約限界)

투입되는 한계비용이 한계수입과 일치되는 데까지 추가 투입되는 경우의 집약도이다.

집재성 점포
(集在性 店鋪)

점포소재에 따른 분류의 하나로서, 동일한 업종의 점포가 서로 한곳에 모여서 입지하여야 하는 유형을 말한다. 여기에 적합한 점포의 유형에는 금융기관을 비롯하여 보험회사 · 관공서 · 사무실 · 기계점 · 가구점 · 전기부품점 등이 해당한다.

차액배분법
(差額配分法)

부동산감정평가방법 중 계속임대료를 구하는 방법 중의 하나로서, 대상부동산의 원본가격에 적응하는 적정한 임대료, 즉 적정한 실질임대료와 실제 실질임대료의 차액에 대해 계약의 내용 · 계약체결 경위 등을 종합적으로 판단하여 차액 중 임대인에게 귀속할 부분을 적정하게 판정하고 이를 실제 실질임대료에 가감하여 계속임대료를 구하는 방법을 말한다.

차액지대설
(差額地代說)
☑ 제26회, 제31회

리카도(Ricardo)가 주장한 것으로서, 토지의 비옥도나 위치의 차에 의하여 생기는 지대를 말한다. 비옥도가 다른 동일면적의 두 토지에 동량의 자본과 노동을 투하했을 경우 발생한 차액은 초과이윤으로서 자본가에게 귀속되지 않고 지대로 전환되어 토지소유자의 수중에 들어간다는 것이다.

채권형 MBS
(債券型 MBS)

저당대출의 현금흐름과 소유권을 발행기관이 가지면서, 저당대출을 담보로 하여 자신의 부채로 발행되는 MBS를 말한다.

채무불이행률
(債務不履行率)

유효조소득이 영업비용과 부채서비스액을 감당할 수 있는 능력이 있는지의 여부를 측정하는 것이다.

처분신탁
(處分信託)

신탁재산으로 인수한 부동산을 처분하고 그 처분대금을 수익자에게 교부하는 신탁을 말한다.

① 甲종 처분신탁: 소유자가 맡긴 부동산에 대해 처분시까지 총체적인 관리 및 처분을 신탁회사가 행하며 처분대금은 부동산소유자 또는 수익자에게 교부하는 것을 말한다.
② 乙종 처분신탁: 처분시까지의 소유권 관리 및 단순한 처분행위만을 수행하며 처분대금은 부동산소유자 또는 수익자에게 교부하는 것을 말한다.

천이기
(遷移期)

인근지역의 사이클 패턴의 5개 국면 중 쇠퇴기 다음에 오는 단계로서, 고소득층의 전출과 저소득층의 전입이 이루어지는 과도기적 단계로 필터링 현상이 활발해지는 단계이다. 천이기에는 저소득층 주민의 활발한 전입으로 수요가 자극되어 가벼운 지가상승을 보인다.

천이지대
(遷移地帶)

도시의 중심업무지구를 둘러싼 지대로, 통상적으로 상업·경공업 등에 의하여 침범되고 있는 슬럼(Slum)지구를 말한다.

체계적 위험
(體系的 危險)
☑ 제26회, 제34회

포트폴리오를 구성한다고 하더라도 회피할 수 없는 위험을 말한다.

총위험 = 체계적 위험 + 비체계적 위험

체계적 위험	비체계적 위험
① 피할 수 없는 위험 ② 모든 부동산 ③ 위험과 수익의 상쇄 관계 ④ 경기변동, 인플레, 이자율 변화 등	① 피할 수 있는 위험 ② 개별 부동산 ③ 포트폴리오를 통해 제거하려는 위험 ④ 파업, 법적문제, 영업경비 변동

체증(점증)분할상환
☑ 제26회, 제27회, 제29회, 제35회

초기 상환불입액은 적으나 차입자의 소득이 시간을 두고 상승하면서 예정된 증가율에 의해 상환불입액은 점차 인상되는 상환방법으로, 사회초년생, 신혼부부 등 미래 소득의 증가율이 높은 차입자에게 유리하다. 다만, 초기에 상환불입액을 너무 할인하면 원금보다 부채잔금이 더 많은 부(−)의 상환이 발생하기도 한다.

총가격적산법
(總價格積算法)

재조달원가의 산정방법 중의 하나로서, 부동산감정평가 대상부동산의 전반에 대한 자재비 · 노무비 · 부대비용 등을 구하여 합계함으로써 재조달원가를 구하는 방법이다.

총부채상환비율
(總負債償還比率, DTI ; Debt to Income)

주택담보대출시 연간 상환해야 하는 금액의 연소득에 대한 비율을 말한다. 연간 상환해야 하는 금액은 연간 원리금상환액과 연간 이자상환액을 더한 금액이며 총부채상환비율은 급여소득자의 총급여소득을 고려하여 대출한도를 정하는 기능을 한다. 또한 주택담보대출시 대출자의 상환능력을 고려하는 제도적 역할을 한다.

$$\text{DTI} = \frac{\text{주택담보대출 원리금상환액} + \text{기타대출 이자상환액}}{\text{연소득}}$$

최대수요이론
(最大需要理論)
☑ 제30회, 제33회

뢰쉬의 최대수요이론은 공급측면의 생산비를 최소화함으로써 이윤을 극대화할 수 있다는 베버의 최소비용이론을 비판하는 과정에서 성립하였다. 이윤을 극대화하는 공장입지는 최대의 수요를 창출할 수 있는 곳이어야 한다는 것으로 수요측면에서 접근한 공장입지론이다.

최소비용이론
(最小費用理論)
☑ 제32회~제34회

공업입지론의 하나로서 베버가 주장한 이론으로서, 생산과 판매에 있어 최소운송비가 드는 지점에서 공업입지가 결정된다는 이론이다.

최유효이용의 원칙
(最有效利用의 原則)
☑ 제26회

부동산가격은 최유효이용을 전제로 파악되는 가격을 표준으로 형성된다는 원칙이다. 이는 부동산에만 적용되는 원칙으로서 가격 제 원칙 중 가장 중추적인 기능을 담당한다. 최유효이용이란 객관적으로 보아 양식과 통상의 이용능력을 가진 사람이 대상토지를 합법적이고 합리적이며 최고 · 최선의 방법으로 이용하는 것을 말한다(토지보상평가지침 제3조 제3호). 따라서 특정인에 의한 이용은 최유효이용의 개념에서 제외된다.

침입적 토지이용
(侵入的 土地利用)

일정지역에서 기존의 이용주체가 새로운 인자(因子)의 침입으로 인해 새로운 이용주체로 변화하는 것을 말하는데, 인간생태학이 개발한 침입과 계승의 논리를 응용하여 창조적 토지이용을 전개하려는 것이다.

> **참고 | 침입과 계승**
>
> 1. 침입: 어떤 인구집단 또는 토지이용의 형태에 새로운 이질적인 수준의 것이 개입되는 현상이다.
>   ① 확대적 침입: 집약적 이용이 조방적 이용을 침입하는 경우
>   ② 축소적 침입: 조방적 이용이 집약적 이용을 침입하는 경우
> 2. 계승: 침입의 결과 새로운 차원의 인구집단 또는 토지이용이 종래의 것을 대체하는 결과에서 비롯된다.

타당성 분석
(妥當性 分析)
☑ 제28회

주로 공법상 규제분석 등의 법적·물리적·경제적 타당성 등을 말한다. 가장 중요한 것은 경제적 타당성에 대한 분석이며 순현가법과 내부수익률법에 의하여 그 채산성을 판단하여야 한다.

타성기간
(惰性期間)

부동산경기의 운동이 일반경기의 진·퇴에 대해 뒤지는 시간차를 말한다. 이에는 단순한 시간차 이상의 뜻도 있다. 구체적인 것은 경우에 따라 다를 수밖에 없겠지만, 타성의 원인이 일반경기의 변동을 부동산경기가 민첩하게 뒤따르지 못하는 데서 생긴다.

택지
(宅地)
☑ 제29회

건축물을 건축할 수 있는 토지로서 주거용·상업용·공업용으로 이용 중이거나 이용가능한 토지이다. 부동산감정평가상 용어로서 건축용지만을 의미한다.

토지가격비준표
(土地價格比準表)
☑ 제26회

표준지를 1이라는 기준으로 놓았을 때 도로접면상태, 토지이용상태, 용도지역, 교통편의, 유해시설과의 거리 등 토지가격에 영향을 주는 22개 토지특성의 변화에 따른 지가수준 차이를 나타내는 배율표이다.

토지신탁
(土地信託)

신탁재산으로 토지 등을 수탁하고 수탁자는 신탁계약에 따라 토지 등에 유효한 시설을 조성한 다음, 처분·임대 등의 사업을 시행하고 그 성과를 수익자에게 교부해 주는 것을 말한다.

토지은행제도
(土地銀行制度, 토지비축제도)
☑ 제28회

공공이 장래에 필요한 토지를 미리 확보하여 보유하는 제도로 토지선매를 통해 장래에 필요한 공공시설용지를 적기에 저렴한 수준으로 공급할 수 있다. 개인 등에 의한 무질서하고 무계획적인 토지개발을 막을 수 있어서 효과적인 도시계획목표의 달성에 기여할 수 있다.

토지이용의 집약도
(土地利用의 集約度)

토지이용에 있어서 단위면적당 투입되는 노동과 자본의 크기를 말하며, 비율이 높은 것일수록 집약도가 높다.

토지이용전환
(土地利用轉換)

현재 어떤 용도로 이용되고 있는 토지가 다른 용도로 변화하고 있는 현상을 말한다. 토지이용의 전환은 최유효이용이 아닌 상태에서 최유효이용인 상태로의 전환이어야 한다.

토지이용활동
(土地利用活動)

토지를 현실적으로 주어진 조건하에 그 용도와 이용목적에 따라 합목적으로 이용하여 토지의 유용성을 추구하는 행위를 말한다.

토지잔여법
(土地殘餘法)

대상부동산의 순수익이 건물과 토지에서 비롯되는 경우, 건물과 토지에 귀속되는 순수익을 파악할 수 있을 때 당해 건물과 토지의 순수익에서 건물에 귀속되는 순수익을 공제함으로써 대상토지의 순수익을 구하는 방법이다. 수익 배분의 원칙은 토지잔여법의 이론적 근거가 되는 가격원칙이다.

투자결합법
(投資結合法)

대출자의 요구수익률과 지분투자자의 요구수익률을 결합시켜 자본환원이율을 결정한다.

튀넨의 입지권
(Thünen의 入地權)
☑ 제35회

19세기 독일 경제학자 튀넨의 저서 ≪고립국≫에서 주장한 농업입지론이다. 주요 내용은 다음과 같다.

1. 수송비의 절약이 지대이다.
2. 작물 · 경제활동에 따라 한계지대곡선이 달라진다.
3. 중심지에 가까운 곳은 집약적 토지이용현상이 나타난다.
4. 가장 많은 지대를 지불하는 입지주체가 중심지와 가장 가깝게 입지한다.
5. 농산물 가격 · 생산비 · 수송비 · 인간의 행태변화는 지대를 변화시킨다.

파인애플기법
(Pineapple技法)

부동산소유권으로부터 경제적 가치가 있는 권리를 새로 창출하여 분할하는 것을 말하며, 이는 하나의 소유권으로부터 여러 개의 권리가 분할되는 것이 마치 파인애플을 얇게 썰어서 여러 개의 조각으로 만드는 것과 같다고 해서 붙여진 이름이다. 이는 제켄도르프(Zeckendorf)라는 부동산개발업자가 처음으로 명명하였다.

페널티이론
(Penalty理論)

지대를 교통비와의 대체물로 보고 지대와 교통비의 합계는 보다 떨어진 주거지에 이르는 교통비와 같이 일정한 정수와 같다고 하는 이론이다.

평균-분산결정법
(平均-分散決定法, mean variance decision rule)

평균과 분산을 이용해 투자대안을 선택하는 방법을 말한다. 하지만 경우에 따라서는 평균-분산법으로 적절한 투자대안을 선택하기가 곤란할 수 있다(예 투자대안 A와 B가 있을 때 대안 B가 A보다 기대치도 크고 표준편차도 큰 경우). 이때 투자결정은 ① 투자자가 위험을 감수하려는 정도, ② 추가소득에 대한 추가위험의 정도를 비교하여 위험-수익의 상쇄관계에서 개별투자자가 이를 어떻게 판단하느냐에 달려있다.

평균수익률법
(平均收益率法, = 회계적 수익률법, 회계적 이익률법)

연평균 투자액 또는 총투자액에 대한 평균 순수익(평균 세후이익)의 비율을 구하여 투자안을 평가하는 방법이다. 회계수익률법, 회계적 이익률법이라고도 한다.

$$\text{회계적 이익률} = \frac{\text{평균 세후이익}}{\text{연평균 투자액}}$$

포락지
(浦落地)

☑ 제26회, 제30회, 제31회, 제33회

개인의 사유지로서 지반이 절토되어 전·답 등이 하천으로 변한 토지를 말한다.

포트폴리오이론
(Portpolio理論)

☑ 제30회, 제32회, 제33회, 제35회

투자가들이 투자자금을 여러 종류의 자산에 분산투자하게 될 때, 투자자가 소유하는 여러 종류의 자산의 집합을 포트폴리오라고 말한다. 포트폴리오이론이란 투자결정시 여러 개의 자산에 분산투자함으로써 하나에 집중되어 있을 때 발생할 수 있는 위험을 제거하여 분산된 자산으로부터 안정된 결합편익을 획득하도록 하는 자산관리의 방법이나 원리를 의미한다.

표준지
(標準地)
☑ 제27회, 제30회

일정한 지역마다 그 지역의 토지들을 대표할 수 있는 표준적 이용이나 규모가 되는 토지를 말하는 것으로서 지역분석을 통해 세분되어진 인근지역마다 이 지역을 대표하는 토지를 표준지로 한다.

표준지공시지가
(標準地公示地價)
☑ 제26회, 제27회, 제29회, 제30회, 제33회, 제34회

부동산 가격공시에 관한 법률의 규정에 의한 절차에 따라 국토교통부장권이 조사 · 평가하여 공시한 표준지의 단위면적당 적정가격을 말한다.

프로젝트 파이낸싱
(Project Financing)
☑ 제27회, 제29회, 제30회

프로젝트에 대한 다양한 금융조달방식을 말하며, 부동산 담보대출 대신 사업의 수익성을 담보로 회사채를 발행하여 자금조달을 하는 방법이고 자금을 대는 측과의 일종의 공동사업형태라고 할 수 있다. 따라서 프로젝트 파이낸싱은 사업성이 담보가 되며 개인적인 채무가 없는 비소구금융(非遡求金融)이다.

피셔효과
(Fisher效果)

시장에서 인플레가 예상된다면 투자자는 예상되는 인플레율만큼 더 높은 수익률을 요구할 것이다. 이처럼 요구수익률에 예상되는 인플레율이 반영된다는 것을 피셔효과라고 한다.

요구수익률 = 무위험률 + 위험할증률 + 예상된 인플레에 대한 할증률 · 피셔효과

필수적 평가
(必須的 評價)

부동산감정평가의 제도상 분류의 한 가지로서, 어떤 사유가 있으면 관계인은 의무적으로 일정한 감정평가기관의 평가를 받아야 하는 것을 말하는데, 우리나라의 보상평가가 대표적이다. 이에 반대되는 것이 임의적 감정평가이다.

필요공가율
(必要空家率)

주거공간인 주택의 원활한 유통을 위하여 필요한 합리적인 공가율로 주거의 이동 등을 감안한 실거주 이외에 필요로 하는 주택의 수가 가구총수에서 차지하는 비율을 말한다. 이를 적정공가율이라고도 한다.

필요제경비
(必要諸經費)

대상부동산을 계속 임대차하는 데 통상적으로 필요한 제 경비를 말한다. 감가상각비 · 유지관리비 · 조세공과(공조공과) · 손해보험료 · 결손준비금 · 공실 등에 의한 손실상당액 등이 있다.

필지
(筆地)

지적제도상 용어로서 토지소유자의 권리를 구분하기 위한 표시로서 하나의 지번이 붙는 토지의 등록단위를 말한다. 즉, 필지는 토지의 면적단위를 말하며 법률상 단위개념이다.

> **참고 | 필지와 획지의 관계**
> 1. 필지와 획지가 같은 경우 예 1필지가 1획지가 되는 경우
> 2. 하나의 필지가 여러 개의 획지가 되는 경우 예 필지가 크거나 획지가 작은 경우
> 3. 여러 개의 필지가 하나의 획지를 이루는 경우 예 획지가 큰 경우

한계비용곡선
(限界費用曲線)
☑ 제26회

각 생산량 수준에서 공급량을 한 단위 더 건설하는 데 드는 비용을 연결한 곡선이다. 개별기업의 한계비용곡선을 수평으로 전부 합한 것을 총합공급곡선 또는 그냥 공급곡선이라고 한다.

한계지
(限界地)

특정한 시점과 지점을 기준으로 한 택지이용의 최원방권상 토지를 말하며, 행정구역상 타 지역과 인접한 지역 내의 토지이다.

한계효용
(限界效用)

소비자가 재화 1단위를 더 소비함으로써 얻어지는 총효용의 증가분이다.

> **참고 | 한계효용의 법칙**
> 1. 한계효용균등의 법칙: 소비하는 재화의 한계효용과 가격비가 균등해질 경우 소비자의 전체 효용은 극대화된다. 즉, 각 상품의 1원어치의 한계효용이 균등하여 주어진 소득으로 한 상품을 덜 소비하고 다른 상품을 더 소비해도 총효용이 더 이상 증가되지 않을 때 소비자는 최대의 효용을 얻게 된다는 것을 말한다.
> 2. 한계효용체감의 법칙: 어떤 재화를 한 단위 더 소비함에 따라 그것의 한계효용이 점점 감소하는 현상을 말한다.

한정가격
(限定價格)

어떤 부동산과 취득하는 다른 부동산과의 병합 또는 부동산의 일부를 취득하는 경우에 분할로 인하여 부동산가격이 정상가격과 동떨어짐으로써 시장이 상대적으로 한정될 때 형성되는 가격을 말한다.

한정임대료
(限定賃貸料)

부동산의 임대차 등이 계속되는 경우 또는 부동산과 임대차 등을 하고 있는 다른 부동산과의 병합사용 기타 부동산의 일부에 대한 임대차 등을 하는 경우에 분할사용으로 인해 부동산의 가치가 시장가치에서 괴리됨으로써 시장이 상대적으로 한정되어 형성되는 임대료를 말한다.

할당 효율적 시장
(Allocationally Efficient Market)
☑ 제26회, 제29회

자원의 할당이 효율적으로 이루어지는 시장으로서 어느 누구도 기회비용보다 싼 값으로 정보를 획득할 수 없다. 따라서 독점시장의 경우에도 독점을 획득하기 위해 지불해야 하는 기회비용이 모든 투자자들에게 동일하다고 하면, 독점시장도 할당 효율적 시장이 될 수 있다.

할인현금흐름분석법
(割引現金흐름分析法)
☑ 제26회, 제28회, 제30회, 제32회

장래 예상되는 현금수입과 지출을 현재가치로 할인하고 이것을 서로 비교하여 투자판단을 하는 방법이다.

현재가치
(現在價値)
☑ 제26회, 제28회, 제30회, 제33회

미래에 발생할 일정금액을 현재의 시점에서 평가한 가치이다. 현재가치를 줄여서 '현가'라고도 한다.

현재가치율
(現在價値率)

미래의 금액을 현재의 가치로 환산하는 비율로서 할인율을 적용하여 계산한다.

현황평가
(現況評價)

부동산감정평가활동에 있어 감정평가 대상부동산의 설비・상태・구조・용도, 제한물권 등의 부착, 점유상태 등을 현황대로 유지할 것을 전제로 행하는 평가로서, 대상부동산이 있는 상태대로 가치를 평가하는 것을 말한다.

호스콜드방식
(Hoskold方式)

순수익환원방법 중 하나로서, 부동산이 토지・건물 기타 상각자산과 결합되어 구성된 경우에 상각 전 순수익에 상각 후의 환원이율, 축적이율 및 잔존내용연수를 기초로 수익현가율을 곱하여 수익가격을 구하는 방법을 말하며, 상환기금법이라고도 한다. 이 방법은 수익성 또는 사업성이 제한되어 있는 광산이나 광업권 등에 적용된다.

호프만방식
(Hoffman方式)

1866년 호프만 판사가 고안한 건물의 깊이가격체감의 산식으로, 100피트의 깊이를 갖는 획지를 기준으로 할 때 전면 부분의 50피트의 지가는 전체지가의 2/3에 해당한다는 것으로 표준획지보다 깊이가 얕을 때에만 쓸 수 있다.

혼합관리방식
(混合管理方式)
☑ 제26회

자가관리와 위탁관리를 혼합하여 관리하는 방식으로 부동산의 특성에 따라 일부는 소유자가 직접 관리하고 일부는 전문가에게 위탁하여 관리하는 방식이다.

환원이율
(還元利率)
☑ 제33회, 제35회

수익환원법의 환원이율이란 순수익을 자본환원하는 이율로서 원본가격에 대한 순수익의 비율을 말한다. 이것은 순수익을 자본화시키는 매개역할을 담당하고 그 내용은 자본수익률과 자본회수율을 합한 개념이다. 환원이율의 결정은 투자이율을 표준으로 하고, 당해 부동산의 개별성을 종합적으로 검토하여 결정한다. 환원이율에는 개별환원이율과 종합환원이율이 있다. 환원이율을 구하는 방법은 요소구성법, 투자결합법, 시장추출법, CAPM모형에 의한 방식 등이 있다.

개별환원이율	부지와 건물의 환원이율이 서로 다른 경우 각각의 환원이율
종합환원이율	2개 이상의 대상물건이 함께 작용하여 순수익이 산출된 경우에 각 부동산별 가격구성비율과 개별환원비율을 곱하여 계산한 가중산술평균치

회귀모형
(回歸模型)

매출액에 영향을 주는 여러 가지 변수들을 정해 놓고, 이 변수들로 대상점포의 예상매출액을 추산하는 방법이다. 이때 점포의 매출액은 종속변수가 되며, 매출액에 영향을 주는 다른 변수들은 독립변수가 된다. 독립변수로는 거래지역 내의 인구, 소득액, 지출가능액, 타 업체의 크기, 세입자 수준, 주차장, 도로접근성 등이 있다.

획지
(劃地)

인위적·자연적·행정적 조건에 의해 다른 토지와 구별되는 가격수준이 비슷한 일단의 토지이다. 행정적·법률적·인위적·자연적·물리적 기준에 따라 다른 토지와 구별되어 거래나 이용 등의 부동산활동 또는 부동산현상의 단위면적이 되는 일획의 토지이다.

효율적 시장
(效率的 市場, Efficient Market)
☑ 제27회, 제29회, 제32회

새로운 정보가 지체 없이 가치에 반영되는 시장을 말하며, 유형으로는 약성 효율적 시장, 준강성 효율적 시장, 강성 효율적 시장이 있다.

약성 · 준강성 · 강성 효율적 시장의 비교

효율적 시장	반영되는 정보	분석방법	정상이윤	초과이윤			정보 비용
				과거 정보	현재 정보	미래 정보	
약 성	과거 정보	기술적 분석	○	×	○	○	○
준강성	과거+현재	기본적 분석	○	×	×	○	○
강 성	과거+현재+미래	분석 불필요	○	×	×	×	×

후보지
(候補地)
☑ 제28회, 제34회

대상토지가 현재의 용도에서 어떤 지위나 이용도가 전환될 토지로서, 용도지역 중 택지지역·농지지역·임지지역·녹지지역 등의 상호간에 전환되고 있는 토지를 말하며 가망지 또는 예정지라고 한다. 토지의 유용성을 높이기 위해 전환되는 토지로 임지지역보다 농지지역으로, 농지지역보다 택지지역으로 이용하는 것이 토지의 유용성을 증대시킨다고 본다.

흡수율
(吸收率)

단위시간당 분양된 면적을 의미하며, 흡수시간은 건물 준공 후 전량이 분양되는 데 걸린 시간이다.

MEMO

민법·민사특별법

PART 02 민법 · 민사특별법

가등기
(假登記)

☑ 제26회~제30회, 제32회, 제35회

가등기란 본등기(종국등기)를 할 수 있을 만한 실체법 · 절차법적인 요건이 완비되지 못한 경우에도, 장래에 그 요건이 완비되면 행하여질 본등기를 위해 그 순위를 보전하여두는 효력을 가지게 하는 등기를 말한다. 이는 예고등기의 일종이며, 그 청구권이 시기부 또는 정지조건부인 때 또는 장래에 있어서 확정될 것인 때에도 가등기를 할 수 있다. 가등기가 행하여진 후에 본등기가 행하여지면 본등기의 순위는 가등기의 순위로 소급된다(순위보전의 효력). 그러나 물권변동의 시기가 가등기시까지 소급하는 것은 아니며, 언제까지나 본등기를 할 때 비로소 물권변동의 효력이 생기는 것이다.

가등기담보
(假登記擔保)

☑ 제26회~제30회, 제33회~제35회

가등기담보란, 소비대차에 기한 채권을 담보할 목적으로 채권자와 채무자 또는 제3자 소유의 부동산을 목적으로 하는 대물변제예약 또는 매매예약 등을 하고, 동시에 채무자의 채무불이행이 있는 경우에 채권자가 그의 예약완결권을 행사함으로써 발생하게 될 장래의 소유권이전청구권을 보전하기 위하여 가등기담보계약에 따른 가등기를 하는 담보형식이다.

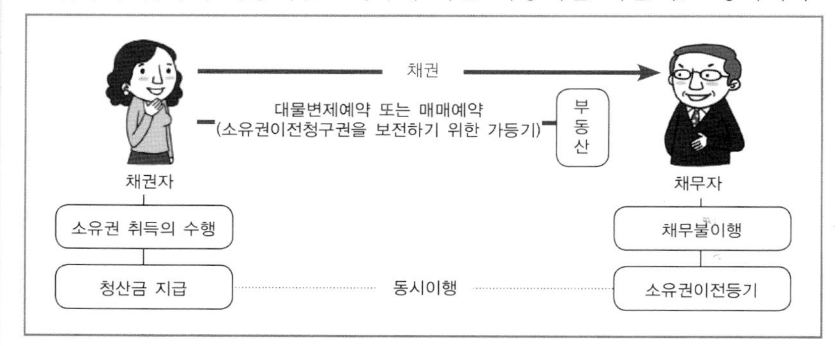

가압류
(假押留)

☑ 제26회, 제28회, 제29회, 제35회

가압류는 채권에 대하여 동산 또는 부동산에 대한 강제집행을 보전하기 위해 잠정적으로 압류해 두는 절차를 말한다. 나중에 승소판결을 받게 되더라도 그때가 되어서는 집행을 할 수 없게 되거나 집행이 곤란하게 생길 우려가 있으면 미리 채무자의 재산을 확보하여 강제집행을 보전하려는 것이다.

가장매매
(假裝賣買)
☑ 제35회

가장행위의 하나로서 매매의 진의가 없으면서 상대방과 통정하여 허위표시를 하여 매매를 가장으로 하는 행위를 말한다. 통정허위표시라고도 하며 이러한 매매는 무효이지만, 그 무효는 선의의 제3자에게 대항하지 못한다(제108조).

> **참고 | 가장행위**
> 표의자가 상대방과 합의(통정)하여 하는 진의 아닌 의사표시를 말한다. 이러한 허위표시를 요소를 하는 법률행위를 가장행위(假裝行爲)라고 한다.

사 례 1 甲이 채권자 A의 강제집행을 면하기 위하여 乙과 짜고 자신의 부동산을 乙에게 매도한 것으로 가장하여 乙 앞으로 소유권이전등기를 경료하는 것을 말한다.

가처분
(假處分)

금전채권 이외의 특정물에 대한 청구권에 대한 집행을 보전하기 위하여 또는 다툼이 있는 권리관계에 대하여 임시의 지위를 정하기 위해 법원이 행하는 일시적인 명령을 말한다. 따라서 금전채권의 집행보전을 위하여서가 아니라 특정의 지급을 목적으로 하는 청구권에 대한 강제집행의 보존을 위하여 그 효능이 있는 것으로서 금전채권의 보전을 위한 가압류와 구별된다.

간이인도
(簡易引渡)

소유권 양도에 있어서 양수인 또는 그 대리인이 이미 물건을 점유하고 있는 경우에는 사실상의 인도를 하지 않고 소유권 양도의 합의만으로 소유권은 양도되어 그 물건이 인도되는 것을 말한다.

간접대리
(間接代理)

간접대리는 일반적으로 '타인의 계산으로, 그러나 자기의 이름으로써 법률행위를 하고, 그 효과는 행위자 자신에 관하여 생기며, 후에 그가 취득한 권리를 타인에게 이전하는 관계'로 설명되어지고 있고, 이에 전형적인 예로 위탁매매업(상법 제101조 이하)을 들고 있다. 간접대리의 경제적 작용은 본래의 대리, 즉 직접대리와 비슷하지만 본인을 위하여 한다는 대리적 효과의사가 요구되지 않고, 그 행위의 법률적 효과가 직접 본인에게 돌아가지 않는다는 것이 대리와 다른 점이다. 간접대리인이 권리를 취득한 때에는 곧 본인에게 이전한다는 특약을 하는 경우도 있으나, 이때에도 본래의 의미에 있어서의 대리와는 다르다.

사 례 1 농부 甲이 자신이 경작한 농작물을 위탁매매업자 乙에게 일정 금액만 주고 팔아달라고 부탁한 경우 위탁매매업자 乙이 자신의 이름으로 농작물을 판매하고 매매대금도 자신이 취득한 후에 농부 甲에게 일정액을 지급한 경우이다.

간접점유
(間接占有)
☑ 제26회, 제27회, 제29회, 제30회, 제33회

전세권, 임대차, 지상권, 사용대차, 질권 등과 같이 일정한 법률관계(점유매개관계)에 의하여 현재 물건의 점유와 소유가 다른 경우, 원래의 소유자가 갖는 점유를 간접점유라 한다. 간접점유도 점유이므로 원칙적으로 점유보호청구권 중 점유권의 효력이 인정된다.

사 례 1 甲이 乙에게 주택을 임대차한 경우, 임차인 乙이 직접점유자이고 乙의 점유를 매개하여 점유하고 있는 임대인 甲이 간접점유이다.

강박에 의한 의사표시
(强迫에 의한 意思表示)
☑ 제26회, 제28회, 제35회

의사표시를 한 자가 타인(상대방 또는 제3자)의 강박행위에 의하여 공포심을 가지게 되고, 그 해악을 피하기 위하여 마음 없이 행한 진의 아닌 의사표시를 말한다. 표시와 의사의 불일치에 관하여 표의자에게 자각이 있는 점에서 착오나 사기의 경우와 다르고, 비진의표시(심리유보) 또는 허위표시에 가깝다. 강박에 의한 의사표시는 강박자가 표의자에게 공포심이 생기게 하려는 고의와 그 공포심으로 인해 의사표시를 하게 할 고의 두 가지가 필요하며(이중의 고의), 강박행위가 존재하여야 하고 이러한 강박행위가 위법하여야 하며 강박행위와 공포심 유발 간에 인과관계가 있어야 한다. 이러한 강박에 의한 의사표시가 인정되면 이는 의사표시한 자가 취소할 수 있게 된다. 그러나 선의의 제3자에게는 대항하지 못한다(제110조).

판 례 1 강박에 의한 법률행위가 하자 있는 의사표시로서 취소되는 것에 그치지 않고 나아가 무효로 되기 위하여는, 강박의 정도가 단순한 불법적 해악의 고지로 상대방으로 하여금 공포를 느끼도록 하는 정도가 아니고, 의사표시자로 하여금 의사결정을 스스로 할 수 있는 여지를 완전히 박탈한 상태에서 의사표시가 이루어져 단지 법률행위의 외형만이 만들어진 것에 불과한 정도이어야 한다(대판 2002다73708).

강박행위
(强迫行爲)
☑ 제28회

강박(强拍)을 하는 자가 자기가 영향력을 행사할 수 있는 해악을 고지하는 행위이다. 행위의 방식에는 제한이 없으므로 침묵도 때에 따라서는 강박이 될 수 있다. 또한 그 해악은 재산적 해악과 비재산적 해악, 현재의 해악과 과거의 해악을 불문한다. 강박은 상대방에게 공포심을 불러일으키는 정도로 족하며 공포심의 정도를 넘어 의사결정이 완전히 박탈된 상황에서의 피강박자의 행위는 의사능력의 결함으로 무효가 된다.

판 례 1 불성실한 태도를 신문에 보도하여 사업을 못하게 하겠다고 위협하는 행위(대판 4290민상58), 대통령을 비롯하여 관계요로에 진정하겠다고 고지하는 행위는 강박행위(대판 71다1688)에 속한다.

판 례 2 강박에 의한 의사표시라고 하려면 상대방이 불법으로 어떤 해악을 고지하므로 말미암아 공포를 느끼고 의사표시를 한 것이어야 하므로 각서에 서명·날인할 것을 강력히 요구하였다는 것만으로는 강박행위에 해당하지 않는다(대판 78다1968).

강제이행
(强制履行)
☑ 제27회

채무자가 채무의 이행이 가능함에도 불구하고 자발적으로 이를 행하지 않을 때에 채권자가 법원에 신청하여 강제적으로 채무를 이행시키는 일을 말한다(제389조). 강제이행은 손해배상의 청구와 함께 채권자의 2대 구제수단의 하나로서 현행 민법상 또는 민사소송법상 인정되는 강제이행방법으로서는 직접 강제 · 간접강제 · 대체집행(代替執行), 의사표시(법률행위) 의무의 집행 등이 있다.

강제집행
(强制執行)
☑ 제26회, 제28회, 제35회

채무자가 채무의 이행이 가능함에도 불구하고 자발적으로 이를 이행하지 않는 자에 대하여, 국가의 강제권력에 의하여 그 의무이행을 실현하는 작용 또는 그 절차를 말한다. 채무자가 강제적으로 이행하는 것을 강제이행이라 하고 집행의 측면에서는 강제집행이라 한다.

강행규정
(强行規定)

민법은 사적자치의 원칙이라는 대원칙하에 이루어진 법이므로 누구나 자기가 원하는 형식, 내용의 계약을 체결하는 등의 자유를 갖는다. 그러나 당사자의 의사 여하에도 불구하고 강제적으로 적용되는 규범을 강행규정이라 한다[예 민법상 권리능력(제3조), 행위능력(제5조), 법인제도(제31조), 채권법상 사회적 · 경제적 약자를 보호하는 규정 및 거래안전을 보호하기 위한 규정 등].

참고 | 강행규정의 구체적인 예

구분	내용
총칙편	권리능력, 행위능력, 법인제도, 소멸시효 등
물권편	물권법정주의, 취득시효제도 등 대부분의 규정
채권편 및 민사특별법	경제적 약자를 보호하기 위한 사회 정책적 규정 : 차주에게 불리한 약정의 금지, 임차인에게 불리한 약정의 금지, 주택(상가건물) 임대차보호법 등
친족 · 상속편	친족관계의 질서나 상속의 기본체계를 유지하기 위한 규정

갱신
(更新)
☑ 제26회~제29회, 제32회, 제35회

어떤 계약의 존속기간이 만료된 때에 그 기간을 연장하는 일을 말한다. 갱신의 예로는 명시(明示)의 갱신과 묵시(默示)의 갱신이 있다. 전자는 당사자가 기간만료 전에 계약으로 기간을 연장하는 경우이고, 후자는 기간이 만료되었는데도 임대인이 아무런 이의를 제기하지 않고 임차인이 계속 임차물을 사용 · 수익하는 경우로서, 법률상 당연히 갱신이 이루어졌다고 보는 것이다. 이를 법정갱신이라고도 한다.

격지자
(隔地者)
☑ 제26회, 제27회, 제29회, 제35회

의사표시를 한 후 이를 알 수 있는 상태가 될 때까지 거래상 고려할 가치가 있는 상당한 시간적 경과를 필요로 하는 관계에 있는 사람을 말한다. 격지자 간의 계약은 승낙의 통지를 발송한 때에 성립한다. 이는 민법상의 의사표시에 있어 도달주의를 원칙으로 함에 대하여, 격지자 사이의 의사표시의 효력발생시기에 관하여 발신주의의 예외를 인정한 것이다.

경락
(競落)
☑ 제26회, 제29회

경매에 의하여 그 목적물인 동산 또는 부동산의 소유권을 취득하는 것을 말한다. 경매란 광의로 매도인이 다수인을 집합시켜 구술로 매수신청을 최고하고, 매수신청인 가운데 최고가 신청인에게 승낙을 하여 매매하는 것을 의미하는데, 여기서의 승낙이 바로 경락이다.

계약금
(契約金)
☑ 제26회~제32회, 제34회, 제35회

계약을 체결할 때에 그 계약에 부수하여 당사자의 일방이 상대방에 대하여 교부하는 금전 기타의 유가물을 말한다. 금전 기타의 유가물의 교부를 요건으로 하므로 요물계약이며, 매매 기타의 계약에 부수해서 행하여지므로 종된 계약이다. 민법은 특약이 없는 한 계약금은 해약금으로 추정하므로 매수인은 계약금을 포기함으로써 해약을 할 수 있고, 매도인은 배액을 지급하는 것으로 계약을 해제할 수 있다. 계약금을 포기하거나 배액을 주고 계약을 해제하면 따로 손해배상을 청구하지 못한다.

계약의 해제
(契約의 解除)
☑ 제26회~제30회, 제33회~제35회

계약당사자의 일방적 의사표시에 의하여 유효하게 성립하고 있는 계약의 효력을 소급적으로 소멸시켜 계약이 처음부터 없었던 것과 같은 상태로 만드는 것을 말한다.

계약의 해지
(契約의 解止)
☑ 제26회, 제27회, 제35회

계약의 당사자 일방이 이미 유효하게 성립한 계속적 계약관계를 장래에 대하여 소멸시키는 것을 말한다. 해지할 수 있는 계약은 임대차와 소비대차와 같은 계속적 계약만이 해당한다. 해지권의 행사는 해제권과 마찬가지로 상대방에 대한 일방적 의사표시, 즉 형성권이다. 소급효가 없으며 임대차의 경우 계약을 해지하려면 임대인은 6개월 전, 임차인은 1개월 전에 해지를 통지해야 한다. 계약의 해지에는 청산의무가 있으며 손해가 있으면 배상해야 한다.

공동대리
(共同代理)

수인의 대리인이 공동으로만 대리할 수 있는 대리를 말한다. 본래 대리인이 수인인 경우에는 각자대리의 원칙이 적용되지만 법률 또는 수권행위에 다른 정함이 있는 때에는 공동대리인은 공동하여서만 본인을 대리한다(제119조 단서). 공동대리의 제한에 위반해서 1인의 대리인이 단독으로 대리행위를 한 때에는 권한을 넘은 무권대리가 된다.

사 례 1 甲이 자신의 소유 건물을 매매하는 법률행위를 乙, 丙, 丁에게 공동대리하게 한 경우

공동저당
(共同抵當)
☑ 제27회

채권자가 동일한 채권을 담보하기 위하여 여러 개의 부동산 위에 설정된 특수한 저당권을 말한다. 공동저당권자가 여러 개의 저당목적물 가운데 어느 것으로부터도 자유로이 우선변제를 받을 수 있을 뿐만 아니라 채권자가 저당목적물 가운데 실행시키기 편한 것을 선택할 수도 있게 되는 장점이 있고, 채무자의 입장에서도 담보가치가 낮은 여러 개의 부동산을 모아 저당권을 설정할 수 있으므로 신용을 얻기가 그만큼 쉬워진다. 공동저당의 경우 각 부동산의 후순위 저당권자의 보호가 특히 문제된다.

사 례 1 甲이 乙에 대하여 1,000만원의 금전채권을 가지고 있는 경우 그 담보를 위하여 乙의 토지 A, 乙의 토지 B, B토지의 乙의 건물 C 위에 각각 저당권을 설정하였다고 할 때 이들 세 저당권이 바로 공동저당이다.

공동점유
(共同占有)

수인이 공동하여 동일물을 점유하는 경우의 점유를 말하는데, 하나의 물건에 관하여 한 사람이 점유하는 경우인 단독점유에 상대되는 개념이다. 공동점유의 성립에는 각자가 자기를 위하여 하는 의사로써 충분하고 공동점유자 전원을 위해서 행하는 의사를 요하지는 않는다.

공시송달
(公示送達)
☑ 제28회

당사자의 주소불명 등의 사유로 서류 등의 송달이 곤란하게 되었을 때 법원사무관 등이 송달서류를 보관하는 대신 그 사유를 법원게시장에 하여 당사자에게 송달받을 수 있게 함과 동시에 일정한 기간이 지나면 송달이 된 것으로 취급하는 제도를 말한다. 최초의 공시송달은 게시한 날로부터 2주일을 경과한 후에 효력이 발생하나, 그 이후의 것은 익일부터 효력이 생긴다(민사소송법 제181조).

공시의 원칙 · 공신의 원칙
(公示의 原則 · 公信의 原則)
☑ 제35회

공시의 원칙이란 물권의 변동에 있어서 물권이 누구에게 속하며 어떠한 내용을 가지고 있으며 어떻게 권리자와 내용이 변경되었는가를 외부에서 쉽게 알 수 있도록 일정한 표시를 갖추어야 한다는 원칙을 말한다. 공신의 원칙이란 공시제도에 의해 적정하게 공시된 물건을 신뢰하여 거래한 자는 비록 그 공시방법이 사실과 다르게 되어 있다고 하더라도, 공시되어 있는 대로 권리가 존재하는 것처럼 다루어 그 자의 신뢰를 보호하여 그의 소유권을 인정하는 제도이다. 즉, 이는 진정한 권리자를 희생시키더라도 거래상대방의 신뢰를 보호하려는 제도이다.

공유
(共有)
☑ 제26회~제30회, 제32회, 제34회, 제35회

몇 사람이 하나의 물건(단일 동산 또는 부동산)을 공동으로 소유하는 형태를 말한다. 이때에 각 소유자는 공유자라고 하며, 각 공유자는 각각 독립된 하나의 소유권을 갖지만 내용적으로는 다른 공유자의 소유권에 제한을 받게 된다.

공유물분할
(共有物分割)
☑ 제27회~제29회, 제35회

공유관계에 있는 각 공유자 중 하나가 당해 공유관계의 소멸을 희망하는 경우에 그 희망자의 분할청구에 의하여 공유의 대상이 되는 목적물을 각각의 지분에 따라 각 공유자에게 따로 귀속시키는 것을 말한다. 공유물분할은 각 공유자끼리의 협의에 의하는 것이 원칙이나 예외적으로 협의가 이루어지지 않는 경우에는 법원에 그 분할을 청구할 수도 있다.

과실
(過失)
☑ 제26회~제29회, 제35회

민법상 과실은 고의와 같이 채무불이행책임과 불법행위책임 성립요건으로서 의미를 갖는다. 과실이란 어떠한 결과가 발생할 것이라고 예상하고 있어야 함에도 불구하고 주의를 게을리 하여 그것을 알지 못하고 행위를 하는 심리상태를 의미한다. 고의와 과실은 이론상 구별되지만, 사법상의 책임요건으로서는 양자를 구별하지 않고 또한 책임의 경중의 차이도 인정하지 않아, 고의나 과실이나 책임성립의 한 요건으로서 같게 평가된다. 이 점은 형법에 있어서와는 크게 다른 점이다. 과실은 부주의의 정도에 따라 경과실(다소라도 주의를 결한 경우)과 중과실(현저하게 주의를 결한 경우)로 나누어지는데, 일반적으로 과실은 경과실을 의미하며, 중과실을 요하는 경우에는 조문상 '중대한 과실'이라고 표현된다.

관리단
(管理團)
☑ 제27회, 제29회

공동주택 및 그 대지와 부대시설의 관리에 관한 사업의 시행을 목적으로 하는 입주자 단체를 의미한다. 건물에 대하여 구분소유가 성립하면 구분소유자는 전원으로써 건물 및 그 대지와 부속건물의 관리에 관한 사업의 시행을 목적으로 하는 관리단을 구성한다.

관습법
(慣習法)
☑ 제26회, 제35회

사회생활 속에서 자연적으로 발생하고 되풀이되던 관행(관습)이 도덕적 규범으로 성립되어 사람의 행위기준으로서의 구속력을 가지게 된 법을 말한다. 다시 말해 국가의 입법기관이 제정한 법이 아니고, 국가 사회 안에 관행의 형태로서 존재하는 것이 그대로 법으로 된 것을 말한다(예 수목의 집단이나 미분리의 과실의 소유권이전에 관한 명인방법, 관습법상의 법정지상권, 분묘기지권, 동산의 양도담보 등).

관습법상의 법정 지상권
(慣習法上의 法定 地上權)
☑ 제28회

동일인에게 속하였던 토지와 건물 중 어느 일방이 매매 기타 원인에 의하여 각각 소유자를 달리하게 된 때에 그 건물을 철거한다는 특약이 없으면 건물소유자가 관습법에 의하여 당연히 취득하게 되는 법정지상권을 말한다. 이는 현행법이 인정하는 법정지상권(입목에 관한 법률, 민법 등)과는 달리 판례에 의하여 인정된 법정지상권이다. 매매 기타 원인이라 함은 매매 · 증여 · 강제경매 · 공유물분할 등을 판례가 들고 있다. 이는 건물이 철거되어 사회경제적인 불이익을 방지하기 위하여 토지소유자의 손해를 감수하면서 인정된 제도이다. 관습법상 법정지상권이 인정되면 그 존속기간은 기강을 정하지 않은 지상권과 같이 보게 된다. 또한 지료 역시 지상권의 규정을 준용하게 된다(제366조 단서).

교환
(交換)
☑ 제26회~제29회, 제32회, 제35회

민법상 당사자가 금전 이외의 재산권을 서로 이전할 것을 약정함으로써 성립하는 계약을 말한다(제596조). 당사자의 일방이 금전을 지급하는 경우에는 매매가 되나, 당사자 쌍방이 금전 이외의 재산권을 서로 이전할 것을 약정하면서 아울러 일방 당사자가 일정액의 금전을 보충 지급할 것을 약정하는 경우에는 민법에 따르면 교환이 되고, 이때 지급되는 금전을 보충금이라 한다. 보충금에 대해서는 매매의 대금에 관한 규정이 준용된다(제597조).

구분소유권
(區分所有權)
☑ 제26회~제28회

1동의 건물에 구조상 구분되는 2개 이상의 부분이 있을 때 그것들이 독립해서 주거, 점포, 사무소 또는 창고 등으로 쓰이는 경우에 그 부분을 각각 다른 사람의 소유로 할 수 있는데 이 전용부분에 대한 권리를 구분소유권이라고 한다. 아파트의 구분소유권의 대상이 될 수 있는 것은 주거부분만이며 계단, 복도, 엘리베이터 등 공용부분은 구분소유권자 전체의 공유가 된다.

구분지상권
(區分地上權)

타인 토지의 지하 또는 지상의 공간에 대하여 건물이나 공작물을 소유하기 위해 상하의 범위를 정하여 그 공간을 사용하는 물권을 말한다. 제3자가 토지의 변경, 수익권을 가진 때에도 그 제3자와 제3자의 권리를 목적으로 하는 권리를 가진 자 전원의 승낙이 있으면 승낙할 수 있다.

구상권
(求償權)

타인에 갈음하여 채무를 변제한 사람이 그 타인에 대하여 가지는 상환청구권을 말한다. 즉, 채무를 이행하여야 할 사람이 여러 명 있는 경우 그중의 한 사람이 채권자에게 변제한 경우, 나머지 채무를 이행하여야 할 사람들에게 자기가 대신 변제한 부분만큼 되찾아 오는 것이다. 이러한 구상권은 민법상 연대채무자의 1인 또는 보증인이 채무를 변제한 경우, 다른 연대채무자나 주된 채무자에게 구상권을 가지게 된다. 또 타인의 불법행위에 의하여 발생한 손해배상 의무를 이행하는 사람, 예를 들면 피용자(被用者)의 행위에 의하여 손해배상책임을 지게 되는 사용자(공무원의 경우는 국가 또는 공공단체) 등이 후에 가해자 본인에게 변제를 청구하는 경우, 착오에 의하여 타인의 채무를 변제한 사람이 그 타인에게 생긴 부당이득의 반환을 청구하는 경우도 이에 해당한다.

권능
(權能)
☑ 제26회, 제28회

다의적 개념이나 일반적으로는 법률상 인정되어 있는 능력을 말한다. 보통 권능은 권리나 권한보다 융통성이 있으며 능력의 범위 내지 한계보다 그 내용 내지는 작용에 중점을 둔 개념이다. 예컨대 소유권자가 가지는 사용의 권능, 수익의 권능, 처분의 권능 등이 그 용례이다. 다른 한편으로는 공법인 또는 사법인의 기관과 관리인 · 대리인 등이 행할 수 있는 모든 것을 말하며, 이런 의미로는 권한이나 직능과 같고, 경우에 따라서는 권리와 비슷한 의미로 쓰이기도 한다.

권리
(權利)
☑ 제26회~제29회

일정한 이익을 향유케 하기 위하여 법이 인정하는 힘, 즉 개인 및 단체(團體)가 어떤 행위를 하거나 또는 어떤 이익을 받을 수 있도록 법질서에 의하여 인정된 자격을 말한다.

권리능력
(權利能力)

권리 · 의무의 주체가 될 수 있는 추상적 · 잠재적인 지위 또는 자격을 말한다. 자연인 및 법인의 경우 모두에게 이러한 권리능력이 인정된다. 권리능력은 자연인의 경우 출생에 의해 시작되며 사망으로 인해 소멸한다. 법인 역시 법인설립등기의 완료로 권리능력이 시작되고 법인 해산절차의 완료로 소멸하게 된다.

사 례 1 매도인 · 매수인이 되거나 채권자 · 채무자가 될 수 있는 자격, 자기명의로 토지나 건물의 소유권을 가질 수 있는 지위자격을 말한다.

참고 | 권리능력의 시기와 종기

구 분	시 기	종 기
자연인	출생(제3조)	사망(제980조, 제997조)
법 인	주무관청의 허가(설립등기시 성립)(제32조, 제33조)	해산사유의 발생, 청산의 종료(제77조, 제94조)

귀책사유 (歸責事由)

☑ 제28회

채무불이행에 있어서 급부가 제대로 이행되지 못한 것을 채무자의 책임으로 돌려 채권자에게 손해배상청구권이 발생하기 위한 채무자의 주관적 요건이다. 의사능력 또는 책임능력이 있고, 고의 또는 과실이 있을 것을 요한다. 귀책사유의 판단은 공평하고 적정한 책임의 분담을 실현하는 데 의미가 있다. 모든 채무불이행이 성립하기 위해서는 이러한 귀책사유가 있어야 하는데 귀책사유에는 채무자의 고의 · 과실과 채무자의 이행보조자의 고의 · 과실도 포함된다. 이러한 채무자의 귀책사유는 원칙적으로 채무자가 자신의 귀책사유가 없음을 입증하여야 한다.

근저당권 (根抵當權)

☑ 제26회~제29회, 제31회, 제33회~제35회

특정의 채권자와 채무자 사이의 일정한 계속적 거래관계로부터 발생하는 불특정 채권을 장래의 결산기에 있어서 일정한 한도액(채권최고액)까지 담보할 것을 내용으로 하는 저당권을 말한다. 저당실무에서는 특정의 채권을 담보하기 위하여서 보통의 저당권을 설정하는 것이 아니라, 일반적으로는 근저당권을 설정한다.

금반언의 원칙, 모순행위금지의 원칙 (禁反言의 原則), (矛盾行爲禁止의 原則)

법률관계에 있어서 앞에서 한 행위로 상대방에게 일정한 신뢰를 준 경우에 이와 모순되는 후행행위를 함으로써 상대방의 신뢰를 저버리는 것은 신의칙에 위반되므로 그 선행행위와 모순되는 후행행위를 금지한다는 원칙이다. “앞에서 한 말을 뒤집는 주장은 받아들여지지 않는다.”는 원칙이다.

사 례 1 임차인이 건물 주인의 부탁으로 저당권자에게 보증금이 없다고 말도 하고 각서까지 써준 후에 경락대금에 대하여 전세금반환을 청구하고 건물명도를 거부하는 행위는 금반언 내지 신의원칙에 반한다.

급부
(給付)
☑ 제29회

넓은 의미로는 청구권의 목적인 의무자의 행위를 말하지만 보통은 채권의 목적이 되는 채무자의 행위를 말한다. 본래 급부라는 용어는 독일말의 Leistung이라는 말을 일본인들이 그들의 민법이나 민사소송법을 제정할 때 번역한 것으로서, 우리나라의 언어감각에 맞지 않으므로 우리 민법이나 민사소송법에서는 이 말을 쓰지 않고, 각기 경우에 따라서 이행 · 지급 · 행위 또는 급여 등의 용어로 쓰고 있다.

기망
(欺罔)
☑ 제26회, 제27회, 제35회

거래관계에서 지켜야 할 신의칙에 반하는 행위로서 사람으로 하여금 착오를 일으키게 하는 것을 말한다. 기망행위의 수단 · 방법에는 제한이 없으며, 일반에게 착오를 일으킬 수 있는 모든 행위가 포함된다. 명시적 · 묵시적, 작위 · 부작위를 불문한다.

기성조건
(既成條件)
☑ 제28회

법률행위의 성립 당시에 이미 성립되어 있는 조건을 기성조건이라고 한다. 이는 미래의 불확실한 상황에 법률행위의 효력 여부를 결부시킨 조건 본래의 모습과는 달리, 기성조건이 정지조건이라면 그 법률행위는 조건 없는 법률행위가 되고, 해제조건이 기성조건이면 그 법률행위는 무효이다.

사 례 1 만약 배가 무사히 항구에 도착하면 그 선적(船積)된 상품을 판다고 하는 약속을 하였는데, 실은 약속하기 이전에 이미 배가 도착하였다고 하는 경우

기한의 이익
(期限의 利益)
☑ 제29회, 제31회, 제35회

기한이 존재하는 것, 즉 채권 · 채무관계에 있어서 기한을 정한 경우 그 기한이 아직 도래하지 아니함으로써 받는 이익을 기한이익이라고 한다. 기한이익은 대부분 채무자쪽에 있기 때문에 민법은 채무자에게 기한이익이 있는 것으로 추정한다. 따라서 채무자를 신용하고 채무이행을 유예하는 것이므로 채무자의 신용상태가 위태롭게 된 경우에는 채무자가 기한이익을 주장하여 채무이행의 청구를 거절할 수 없도록 되어 있다. 이를 기한이익의 상실이라고 한다.

참고 | 기한의 이익이 상대방을 위해서 존재하는 경우에는 상대방의 손해를 배상하고 포기할 수 있다(통설).

낙성계약
(諾成契約)
☑ 제26회, 제33회

낙성계약은 당사자의 합의만으로 성립하는 계약이며, 민법상의 전형계약인 현상광고를 제외하고는 모두 이에 속한다. 계약자유의 원칙에서는 낙성계약이 원칙이다. 민법상의 전형계약 중 현상광고를 제외하고 는 모두 낙성계약이다.

> **참고 | 요물계약(要物契約)** 제26회
> 요물계약은 당사자의 합의 외에 당사자 일방이 물건의 인도 기타의 급부를 하여야만 성립하는 계약을 말한다. 천성계약 · 실천계약이라고도 부른다. 구 민법에서는 요물계약으로서 소비대차 · 사용대차 · 임치(任置)가 있었으나, 그 요물성을 점차 물적으로 고려하지 않고 경제가치적으로 고려하게 되자 요물계약의 존재가치가 희박해짐으로써 이러한 요물계약이 민법에서는 모두 낙성계약으로 바뀌었다.

능동대리 · 수동대리
(能動代理 · 受動代理)

대리행위의 모습에 의한 분류방법으로 본인을 위하여 제3자에 대하여 의사표시를 하는 대리를 능동대리 또는 적극적 대리라고 하며(제114조), 본인을 위하여 제3자의 의사표시를 수령하는 대리를 수동대리 또는 소극적 대리라고 한다(제114조). 예를 들어 본인에 갈음하여 계약을 청약하는 경우를 능동대리라 하고, 상대방의 승낙을 수령하는 것은 수동대리이다.

단독행위
(單獨行爲)
☑ 제26회, 제28회, 제32회, 제33회

어떤 사람의 일방적 의사표시에 의해 성립하는 법률행위를 말한다. 즉, 계약 등과 같이 상대방의 의사표시를 필요로 하지 않는 의사표시로서, 예컨대 법정대리인의 동의 · 채무면제 등의 의사표시가 이에 해당한다. 계약과는 달리 일방적 당사자 한쪽의 의사표시만으로 법률상의 효과가 발생하는 것이므로, 원칙적으로 법률이 특별히 인정한 경우에만 유효하다. 이는 다시 상대방의 유무에 따라 상대방 있는 단독행위와 상대방 없는 단독행위로 나누어지며, 전술한 법정대리인의 동의 등은 전자에 속하며 유언이나 재단법인의 설립행위 등은 후자에 속한다고 할 수 있다.

담보
(擔保)
☑ 제26회~제29회

광의로는 장차 타인이 입게 될지도 모르는 불이익을 보전(補塡)하는 수단(손해보험 · 담보책임 등)을 말하며, 협의로는 채권의 안전확보를 위해 채무자로부터 채권자에게 제공되는 것을 말한다. 담보에는 인적담보(보증 · 연대채무 등)와 물적담보(저당권 · 질권 · 양도담보 등)가 있다.

담보권
(擔保權)
☑ 제26회~제29회

채권관계에 있어서 신용의 확보를 위하여 일정한 물건을 채권의 담보로써 제공할 것을 목적으로 하는 권리를 말한다. 넓은 의미로 양도담보, 환매 · 재매매의 예약, 환매 · 재매매의 예약 등도 담보의 목적을 달성할 수 있는 것으로서 이에 포함된다. 일반적으로 담보권은 담보물권을 의미하는 것으로 그가 가지는 교환가치의 취득을 그 목적으로 하기 때문에 가치권이라고도 한다. 그러므로 목적물을 실제로 이용함을 목적으로 하는 용익권의 개념과는 구별된다.

담보물권
(擔保物權)

☑ 제27회, 제31회

채권의 담보를 목적으로 하는 물권을 말한다. 즉, 채권자가 채무자의 재산을 담보로 잡고 채무의 변제가 없을 때에는 일반채권자에 우선하여 그 담보물을 환가(換價)하여 채무의 변제에 충당함을 목적으로 하는 물권이다.

담보책임
(擔保責任)

☑ 제26회~제29회, 제33회, 제35회

계약의 당사자가 급부한 목적물에 권리의 하자(瑕疵) 또는 물건에 숨겨진 하자가 있는 경우에 부담하는 손해배상 기타의 책임을 말한다. 민법은 증여자(제559조)·매도인(제570조, 제584조)·수급인(제667조, 제672조)·소비대주(제602조) 등에 관하여 규정하고 있으나, 매도인에 관한 규정이 널리 유상계약 일반에 준용된다. 특히 매수인과 수급인의 담보책임이 중요하다.

당사자
(當事者)

☑ 제26회~제29회

법률행위의 주체로서 법률효과가 직접 귀속되는 자를 법률행위의 당사자라 한다. 일반적으로 법률효과는 법률행위를 한 사람에게 귀속되지만, 대리처럼 법률행위는 대리인이 하지만 법률효과는 본인에게 귀속되는 경우도 있다. 당사자 이외의 자를 제3자라 한다.

대리
(代理)

☑ 제26회~제34회

넓은 의미에서 대리라고 하면 타인(본인)을 대신하여 어떤 행위를 하는 것을 말하나, 민법총칙편에 규정되어 있는 대리라 함은 대리인이 본인을 위하여 하는 것임을 나타내면서 의사표시를 하고 또는 의사표시를 받아들이는 것을 말한다. 대리인이 권한 내에서 행한 행위의 효과는 직접 본인에게 귀속한다.

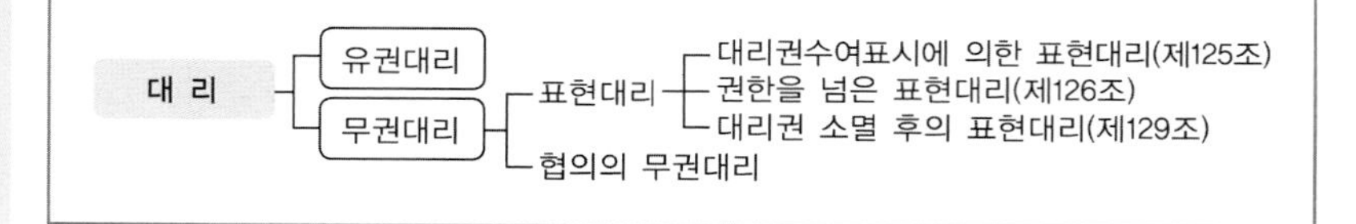

참고 | 대리인(代理人) 제26회~제34회

대리를 할 수 있는 지위에 있는 자를 말한다. 법정대리인과 임의대리인의 둘로 분류되며, 대리인의 행위는 대리인이 의사능력이 있으면 효력이 있고, 그 효과는 대리권을 준 본인에게 귀속된다.

대리권
(代理權)
☑ 제26회~제35회

대리인이 본인의 이름으로 의사표시를 하거나 또는 의사표시를 받음으로써 직접 본인에게 법률효과를 귀속시킬 수 있는 법률상의 지위 내지 자격을 말한다. 대리권은 하나의 가능성을 지닌 지위 내지 자격에 지나지 않고, 어떤 이익을 주는 것이 아니므로 일종의 권리라고 말할 수는 없다. 대리인이 법률행위를 하였는데, 그 법률효과가 직접 본인에게 귀속되는 것은 대리인에게 대리권이 있기 때문이다. 이러한 대리권은 본인의 대리권 수여행위, 즉 수권행위에 의해 발생하기도 하지만 경우에 따라서는 법률의 규정에 의하여 발생하는 때도 있다. 이 경우 전자를 임의대리권이라 하며 후자를 법정대리권이라고 한다.

대물변제
(代物辨濟)

채무자가 부담하고 있던 원래의 급부에 대신하여 다른 급부를 함으로써 채권을 소멸시키는 채권자와 변제자 간의 유상·요물계약을 말한다. 채무자가 본래 계약에 정해진 급부 이외의 다른 급부를 제공하는 경우에는 원칙적으로 유효한 변제가 되지 않는다. 그러나 채무자가 약정과 다른 급부를 본래의 급부에 갈음하여 제공하고, 채권자가 그것을 승낙하며 다른 급부를 받는 경우 변제와 같은 효력이 생기게 되는데, 이를 대물변제라고 한다. 대물변제와 유사한 용어로 경개가 있는데 대물변제가 현실적으로 대체급여를 하여 채권을 소멸시키는 계약(요물계약)인 반면, 경개는 대물급여의 새로운 채무를 부담할 뿐 급여를 필요로 하지 않는 계약(낙성계약)으로 서로 다르다.

사 례 1 甲은 乙에 대한 1억원의 금전채무를 부담하고 있던 중 1억원의 금전채권에 갈음하여 자기소유의 X건물의 소유권을 이전하는 경우

대상청구권
(代償請求權)

채무자가 채권자에게 하기로 한 급부가 이행불능이 된 경우 이행불능이 발생한 것과 동일한 원인에 의하여 채무자가 이행의 목적물의 대상(代償)이 되는 이익을 취득하는 경우에 채권자가 채무자에 대하여 그러한 이익의 상환을 청구하는 권리를 말한다. 채권자가 대상청구권을 행사하기 위하여는 자기가 채무자에게 하기로 한 반대급부를 이행하여야 한다. 이러한 대상청구권은 토지매매에 있어서 목적토지가 나라에 강제수용된 경우, 채무자가 받은 보상금이 매매대금보다 많은 경우, 채권자가 이를 얻기 위한 경우 등에 그 실익이 있다.

사 례 1 甲과 乙은 X토지에 관하여 매매계약을 하고 甲은 토지대금을 지급하였으나 X토지가 국가에 의하여 수용되어 甲이 X토지를 받지 못하게 된 경우에 국가가 乙에게 준 토지보상금을 청구할 수 있는 권리

대위
(代位)
☑ 제29회

권리의 주체 또는 객체인 지위에 갈음(다른 것으로 대신)하는 것을 말한다. 민법상 여러 가지 경우로 사용되며 채권자대위권, 물상대위, 대위변제, 공동저당권에 있어서의 차순위자의 대위, 대위소송 등이 있다. ① 채권자대위권(제404조)은 대위자(채권자)가 피대위자의 지위에서 그 권리를 행사하는 것이고, ② 물상대위(제342조, 제370조)는 담보물권의 효력이 그 목적물에 갈음하는 것에 미친다는 뜻이며, ③ 대위변제(제480조, 제481조 이하), 배상자(賠償者)의 대위(제399조), 공동저당권에서의 차순위자(次順位者)의 대위(제368조), 보험목적에 관한 보험자의 대위(상법 제681조), 위부(委付)에 의한 대위(제718조) 등은 피대위자가 가지는 일정한 물건 또는 권리가 법률상 당연히 대위자에게 이전한다는 뜻으로 사용된다.

대위변제
(代位辨濟)

제3자 또는 공동채무자의 1인이 채무자 또는 다른 공동채무자를 위하여 변제하는 경우에 그 변제자는 채무자 또는 다른 공동채무자에 대하여 구상권을 취득하게 되는데, 민법은 이 변제자의 구상권을 명확하게 하기 위하여 변제자는 변제를 받은 채권자가 갖고 있는 권리를 대위하여 행사할 수 있다고 정하고 있다. 이를 변제자 대위 또는 변제에 의한 대위, 대위변제라고 한다. 변제뿐만 아니라 대물변제 · 공탁 기타 자기의 출재(出財)로 채무자의 채무를 면하게 한 경우에도 대위변제가 성립한다(제480조, 제486조). 변제할 정당한 이익이 없는 자(제3자 등)는 채권자의 승낙이 있어야만 대위할 수 있는데 이를 임의대위(任意代位)라 하고, 변제할 정당한 이익이 있는 자(연대채무자 · 보증인 · 불가분채무자 · 물상보증인, 담보물의 제3취득자, 후순위 담보권자 등)는 변제로 법률상 당연히(채권자의 승낙을 요하지 않는다는 의미) 채권자를 대위하는데 이를 법정대위(法定代位)라고 한다(제480조, 제481조).

대항력
(對抗力)
☑ 제27회, 제32회~제34회

이미 성립한 권리관계를 제3자에게 주장할 수 있는 법률상의 힘을 말한다. 즉, 일단 유효하게 성립한 권리관계는 당사자 이외의 제3자가 부인하는 경우에, 그 부인을 물리칠 수 있는 법률상의 권능이다. 이 권능은 물권이나 채권변동에 있어서의 등기 · 인도 · 통지 또는 승낙 등과 같은 법률상의 대항요건(對抗要件)을 갖추어야만 발생한다. 따라서 대항력을 흠결한 경우에는 실제의 권리자는 제3자로부터 권리관계가 부인될 수 있다. 이것은 제3자가 부인(대항)할 수 있다는 뜻으로 실제로 부인하느냐의 여부는 제3자의 자유이다. 예컨대, 통정허위표시(通情虛僞表示)는 무효지만(제108조), 선의(善意)의 제3자는 이것을 무효로 보든지 유효로 보든지 자유이다.

대항하지 못한다.
☑ 第26회, 第27회

이미 성립한 법률관계를 타인에게 주장하지 못한다는 것을 말한다. 주로 선의의 제3자를 보호하기 위하여 거래의 안전을 보호하고자 하는 경우에 사용되는 용어로서 당사자 간에 발생한 법률관계를 제3자에 대하여 주장하지 못한다는 것을 말한다.

도급
(都給)
☑ 第29회

당사자의 일방(수급인)이 어떤 일을 완성할 것을 약정하고 상대방(도급인)이 그 일의 결과에 대하여 보수를 지급할 것을 약정함으로써 성립하는 계약을 말한다(제644조). 즉, 어떤 공사의 비용을 미리 작성하고 일을 도맡아 하게 하는 것을 말한다. 타인의 노무를 이용한다는 점에서 고용이나 위임과 같이 노무공여계약의 일종이나, 일의 완성을 목적으로 한다는 점에서 일반적인 고용계약이나 위임과 구별된다.

도달주의
(到達主義)
☑ 第35회

의사표시가 상대방의 지배권 내에 도달한 때에 그 효력이 발생한다고 하는 주의를 말한다. 이를 수령주의 또는 수신주의라고도 한다. 여기에서 도달이란 우편으로 배달을 받았을 때와 같이 사회통념상 의사표시를 알 수 있는 객관적인 상태가 생겼다고 인정되는 것을 말한다. 민법은 원칙적으로 도달주의를 취하며 예외적으로 발신주의를 취하고 있다.

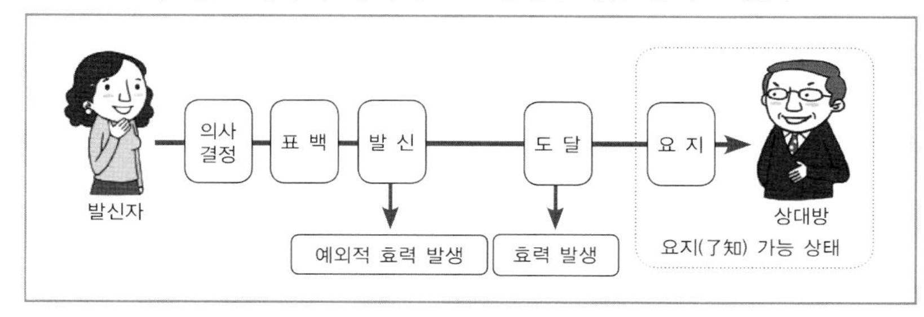

동시이행항변권
(同時履行抗辯權)
☑ 第26회, 第27회, 第35회

쌍무계약의 상대방이 그 채무의 이행을 제공할 때까지는 자기채무의 이행을 거절할 수 있는 제도를 말한다. 일종의 연기적 항변권이다. 쌍무계약에 의하여 각 당사자가 부담하는 채무는 서로 대가적(對價的) 의미를 가지고 서로 관련되어 있으므로, 그 채무의 실행인 이행에 있어서 자기의 채무는 이행하지 않고 상대방의 이행만을 청구하는 것은 공평의 원칙에 반하는 것이다. 따라서 동시이행의 항변권은 유치권과 같이 공평의 원칙에 입각하고 있는 제도이다.

등기
(登記)

☑ 제26회~제29회, 제33회~제35회

일정한 법률관계를 널리 사회에 공시하기 위하여 일정한 공부, 즉 등기부에 기재하는 것을 말한다. 당사자의 신청에 의하여 등기공무원이 하는 것을 원칙으로 한다. 거래관계에 들어가는 제3자를 위하여 목적물의 권리내용을 명백히 하고 예측하지 못한 손해를 입히지 않도록 하기 위한 제도이며 거래의 안전을 도모한다. 우리나라에서는 부동산등기, 선박등기, 공장재단등기, 입목등기 등 권리의 등기, 부부재산계약등기 등 재산귀속의 등기, 법인등기와 상업등기 등 권리주체의 등기가 있다.

등기부취득시효
(登記簿取得時效)

부동산의 소유자로 등기한 자가 10년간 소유의 의사로 평온·공연하게 선의·무과실로 그 부동산을 점유한 때에는 소유권을 취득하는 제도를 말한다(제245조). 민법은 점유취득시효와 등기부취득시효(단기취득시효)의 두 가지를 인정하고 있다. 등기부취득시효에 있어서는 소유자로 등기된 기간과 점유기간이 때를 같이 하여 다같이 10년이어야 한다는 것이 통설·판례의 입장이다.

판 례 1 등기부취득시효의 요건으로서의 소유자로 등기한 자라함은 적법·유효한 등기를 마친 자일 필요는 없고 무효의 등기를 마친 자라도 상관없다(대판 93다23367).

등기의 추정력
(登記의 推定力)

☑ 제30회

어떤 등기가 있으면 그 등기에 부합하는 실체적 권리관계가 존재하는 것으로 추정되는 등기의 효력을 의미한다. 등기의 추정력은 절차의 적법뿐만 아니라 등기원인의 적법도 추정되며, 등기의 추정력의 효과는 명의인뿐만 아니라 제3자도 원용 가능하다.

등기청구권
(登記請求權)

☑ 제30회, 제32회

등기권리자가 등기의무자에 대하여 등기의 신청에 협력할 것을 청구하는 권리를 말한다. 즉, 등기는 등기권리자와 의무자 양 당사자의 공동신청으로 하는 것이 원칙이므로 등기의무자가 등기신청에 협력하지 아니하는 경우에는 실효를 거두기 어렵다. 그러므로 등기권리자는 등기의무자에게 등기의 신청에 필요한 협력을 청구할 수 있는 권리가 필요하고 이를 등기청구권이라고 한다.

말소등기
(抹消登記)
☑ 제26회

어떤 부동산에 관하여 현재 존재하고 있는 등기의 전부를 말소하는 등기를 말한다. 즉, 등기에 부합하는 실체관계가 없는 경우 그 등기를 법률적으로 소멸시킬 목적으로 하는 등기이다. 이러한 말소등기는 ① 일단 유효하게 성립한 등기가 후에 부적법하게 된 경우(예 목적부동산의 소멸) 또는 ② 처음부터 부적법한 등기이기 때문에 무효인 경우(예 등기원인의 무효)에 하게 된다. 말소등기는 말소의 등기를 한 다음 기존의 등기에 붉은 선을 긋는 방식으로 행한다.

매도담보
(賣渡擔保)

매매의 형식에 의한 물적담보를 말한다. 부동산을 담보로 돈을 빌려오는 경우 저당권이라는 민법상 제도가 있지만 등기의 번거로움 등을 이유로 실제 거래계에서는 다양한 비전형 담보방식이 쓰이는데, 그중에서 매매의 형식을 빌려 필요한 자금을 얻는 방식을 매도담보라고 한다. 우리 민법상 매도담보는 환매 · 재매매의 예약이 이용되는데, 환매에 있어서는 환매대금 · 환매기간 등에 제한규정이 있어서 이를 피하여 보통 재매매의 예약의 방법이 이용된다.

매수청구권
(買受請求權)
☑ 제29회, 제35회

타인의 부동산을 이용하는 경우에 이용자가 그 부동산에 부속시킨 물건에 대하여 이용관계가 종료할 때 타인에 대하여 그 부속물의 매수를 청구할 수 있는 권리를 말한다. 청구권이라 하지만 권리를 행사하면 상대방의 승낙이 없이 청구만으로 매매가 성립하므로 일종의 형성권이다. 매수청구권은 부동산에 부속된 물건의 경제적 효용을 다하게 하는 작용을 하는 것이며, 특히 이 권리를 이용자가 행사하는 경우에는 이용자의 투하자본을 회수하는 작용을 하게 된다. 민법이 인정하는 매수청구권으로는 지상권설정자 및 지상권자의 지상물매수청구권, 전세권설정자의 부속물매수청구권, 토지임차인 및 전차인의 건물 기타 공작물의 매수청구권이 있다.

멸실등기
(滅失登記)

등기된 부동산이 멸실된 경우에 행하는 등기를 말한다. 멸실의 원인으로는 수해 · 화재 등 원인을 불문한다. 멸실등기는 '사실의 등기'이지만 부동산의 멸실이므로 부동산 외의 권리도 모두 소멸한다. 단, 토지나 건물의 일부가 멸실한 때에는 변경등기가 행하여지고 멸실등기를 할 수는 없다. 멸실등기를 할 때에는 표시란에 멸실원인을 기재하고, 부동산의 표시와 표시번호를 붉은 선으로 지워 말소한 후 그 등기용지를 폐쇄하여야 한다.

명의신탁
(名義信託)
☑ 제26회~제30회, 제32회~제35회

소유관계를 공시하도록 되어 있는 재산에 대하여 소유자 명의를 실소유자가 아닌 다른 사람 이름으로 해 놓는 것, 즉 당사자 간의 신탁에 관한 채권계약에 의하여 신탁자가 실질적으로는 그의 소유에 속하는 부동산의 등기명의를 실체적인 거래관계가 없는 수탁자에게 매매 등의 형식으로 이전하여 두는 것을 말한다. 특히 동산에 관하여는 공부(公簿)상 그 소유관계가 공시될 수 없기 때문에 명의신탁이 성립되지 않는다. 명의신탁이 된 재산의 소유관계는 신탁자와 수탁자 사이에서는 소유권이 그대로 신탁자에게 있지만, 대외관계 또는 제3자에 대한 관계에서는 소유권이 수탁자에게 이전・귀속된다. 따라서 수탁자가 신탁자의 승낙 없이 신탁재산을 처분할 때에는 제3취득자는 선의・악의를 불문하고 적법하게 소유권을 취득한다. 1995년 3월 부동산 실권리자명의 등기에 관한 법률이 제정되어 명의신탁은 원칙적으로 무효가 되었다. 다만, 예외적으로 종중이 보유한 부동산에 관한 물권을 종중 외의 자의 명의로 등기한 경우와 배우자 명의로 부동산에 관한 물권을 등기한 경우 공유자 사이의 명의신탁의 경우 조세포탈이나 강제집행의 면탈 또는 법령상 제한의 회피를 목적으로 한 것이 아닌 경우에는 명의신탁을 인정하고 있다.

명인방법
(明認方法)
☑ 제27회

지상물의 소유권이 누구에게 있다는 것을 명백히 인식시키는 적당한 방법을 말한다. 지상물을 토지로부터 분리하지 않은 채로 토지의 소유권으로부터 분리해서 그 자체를 독립해서 거래하는 데 이용하는 공시방법이다. 부동산등기법은 부동산으로서의 토지와 건물에 대해서만 등기할 수 있고 입목등기에 의하지 않은 수목의 집단, 입도, 미분리과실 등은 토지의 정착물로서 부동산이기는 하지만 부동산등기법에 의하여 등기할 수 없다. 이러한 수목 등을 토지와 분리하여 처분하고자 할 때 그 공시방법으로 관습법상 형성된 명인방법이 사용된다.

사 례 1 명인방법의 예로는 임야에 입산금지 소유자 甲과 같은 푯말을 세우거나 나무에 명찰을 세우는 방법 또는 소유자의 성명을 묵서(墨書)하는 방법을 사용한다.

목적물반환청구권
(目的物返還請求權)
☑ 제26회

어떠한 사법상 원인이나 사실행위에 의해 목적물을 상대방에게 넘겨주었는데, 후에 원인이 된 계약이나 법정조건이 취소・무효・해제・해지 등의 이유로 더 이상 유효할 수 없다면 원래 그 물건의 소유자는 상대방에 대해 자기 물건의 반환을 청구할 수 있는 권리를 말한다. 이러한 청구권의 행사에 있어서는 자기가 그 물건을 넘겨주면서 받았던 반대급부의 반환도 같이 행해져야 하는 것이 원칙이다.

무과실책임주의 (無過失責任主義)

고의나 과실 없이 부담하는 손해배상책임을 말한다. 민법상 책임에 있어서 고의 또는 과실이 없으면 손해배상책임이 없다는 것이 과실책임주의 원칙이다. 그러나 경제성장, 과학기술의 발달에 의하여 대형사고가 빈번히 발생하는 사례가 늘고 있다. 따라서 개인의 과실 등의 유무에 관계없이 가해의 사실이 있으면 이에 대해 책임을 지도록 하는 것이 무과실책임주의이다.

무권대리 (無權代理)

☑ 제26회~제28회, 제31회~제35회

대리행위의 다른 요건은 모두 갖추었으나 대리행위자에게 그 행위에 관한 대리권이 없는 경우를 말한다. 즉, 대리권이 없음에도 불구하고 타인의 이름으로 의사표시를 하거나 의사표시를 수령하는 행위를 의미한다. 이는 대리권 없이 이루어진 법률행위이므로 행위의 법률효과를 본인에게 발생시킬 수 없으며, 무권대리인의 상대방은 행위의 효과발생을 본인에게 주장할 수 없는 것이 원칙이다. 다만, 확정적 무효는 아니므로 이러한 무권대리행위를 본인이 추인하는 등의 일정한 요건이 갖추어지면 유효로 될 수 있다.

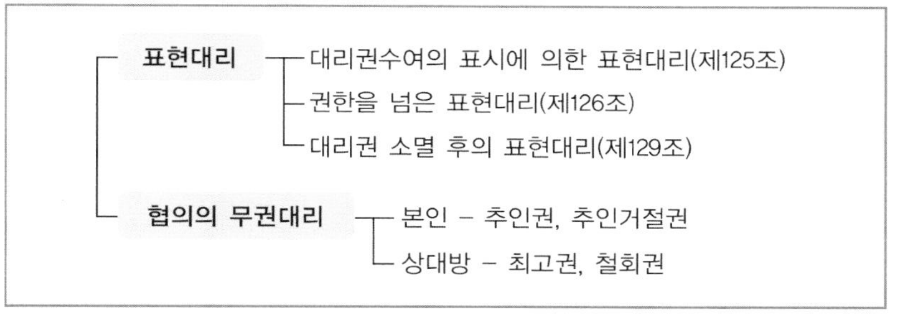

무권대리행위의 추인 (無權代理行爲의 追認)

☑ 제26회, 제31회, 제34회

무권대리의 경우에 본인이 당해 무권대리행위의 효과를 귀속받고자 하는 경우에 이를 사후 추인하는 것을 의미한다. 추인의 방법에는 명시적・묵시적 방법을 불문하며 일정 사유가 있으면 추인한 것으로 간주하는 법정추인제도도 마련되어 있다. 추인의 상대방은 무권대리인이나 거래상대방에게나 모두 할 수 있으며, 본인이 추인을 거절한 경우에는 당해 무권대리행위가 유동적 무효에서 확정적 무효로 된다.

무주물 (無主物)

무주물이란 현재 소유자가 없는 물건으로서 과거에는 누군가의 소유에 속하였지만 현재까지 그 소유가 계속되고 있다고 볼 수 없는 물건을 의미한다(예 고대인의 유적).

무주물선점
(無主物先占)
☑ 제28회

현재 주인이 없는 동산을 소유의 의사로 다른 사람보다 앞서서 점유하는 것을 말한다. 점유자는 그 소유권을 취득한다. 동산만이 그 대상이 되며 부동산은 주인이 없으면 국유가 되므로 선점의 대상이 되지 않는다. 이렇게 선점한 무주물은 선점자의 소유로 되며 이는 원시취득이다.

무체재산권
(無體財産權)

특허권·실용신안권·상표권·디자인권 및 저작권 등과 같이 지능적 창작물을 독점적으로 이용하는 것을 내용으로 하며 재산적 가치를 가지나 유체물을 지배하는 권리가 아닌 것을 말하며, 유체물에 대한 배타적 지배권인 물권에 대응되는 개념이다. 일반적으로 지적 산물이며 법률이 정한 바에 따라 등록함으로써 배타적 지배권이 발생하며 물권에 준한 취급을 받는다.

무효
(無效)
☑ 제26회~제29회, 제32회~제35회

일정한 원인에 의해 법률행위의 내용에 따른 법률효과가 당연히 생기지 않는 것을 말한다. 민법상 규정되어 있는 무효의 법률행위로서는 의사무능력자의 법률행위, 불능한 법률행위, 강제규정에 위반하는 법률행위, 반사회질서의 법률행위, 불공정한 법률행위, 비진의표시, 허위표시 등이 있다. 무효의 종류에는 누구에게나 주장할 수 있는 절대적 무효와 특정인에 대해서는 그 무효를 주장할 수 없는 상대적 무효, 원칙적으로 법률상 당연히 무효가 되는 당연무효와 재판에 의한 무효선고를 필요로 하는 재판상의 무효(회사 설립의 무효, 회사 합병의 무효), 법률행위의 내용 전부가 무효로 되는 전부무효와 일부만이 무효가 되는 일부무효 등이 있다.

무효와 취소의 비교

무 효	취 소
특정인의 주장을 필요로 하지 않으며, 당연히 효력이 없다.	특정인(취소권자)의 주장(취소)이 있어야 비로소 효력이 소멸한다.
처음부터 효력이 없으므로, 누구든지 효력이 없는 것으로서 다루게 된다.	취소를 하기 전에는 일응 효력이 있는 것으로서 다루어진다.
시간의 경과에 의하여 효력에 변동이 있게 되지 않는다.	추인할 수 있는 날로부터 3년 내에 또는 법률행위를 한 날로부터 10년 내에 행사하지 않으면 소멸하게 된다. 취소되면 처음부터 효력이 없었던 것으로 된다.

무효등기의 유용
(無效登記의 流用)

어떤 등기가 행하여져 있으나 그것이 실체적 권리 체계에 부합하지 않아 무효가 된 후, 다시 그 등기에 부합하는 실체적 권리관계가 있게 된 때에 무효였던 등기를 유효한 것으로 유용하는 것을 말한다.

무효행위의 전환
(無效行爲의 轉換)
☑ 제34회

어떤 법률행위가 그 자체로는 무효이지만 그것이 다른 법률행위로서 요건을 갖추고 있고 당사자가 무효를 알았더라면 그 다른 법률행위를 하는 것을 의욕하였으리라고 인정될 때에 그 다른 법률행위가 행해진 것으로 인정하는 것을 말한다.

사 례 1 지상권설정으로 무효인 행위를 임대차계약으로는 유효하다고 하는 경우

무효행위의 추인
(無效行爲의 追認)
☑ 제28회, 제32회, 제34회

어떤 법률행위가 무효인 경우에 그 무효의 원인이 없어진 것을 전제로 하여 그 추인한 때로부터 새로운 법률행위로 보는 것을 말한다.

묵시의 갱신
(默示의 更新)

계약기간이 만료한 후에 일정한 사실이 있으면 계약의 갱신으로 추정할 수 있다는 것을 말한다. 임대차 기간이 만료한 후 임차인이 임차물의 사용·수익을 계속하는 경우에 임대인이 상당한 기간 내에 이의를 하지 아니한 때에는 전 임대차와 동일한 조건으로 다시 임대차한 것으로 추정된다.

물권
(物權)
☑ 제26회~제35회

특정의 물건(또는 재산권)을 직접적으로 지배하여 그것으로부터 직접으로 이익을 향수할 수 있는 배타적 권리를 말한다. 물권은 소유권, 점유권, 지상권·지역권·전세권 등의 용익물권, 유치권·질권·저당권 등의 담보물권을 총칭한다.

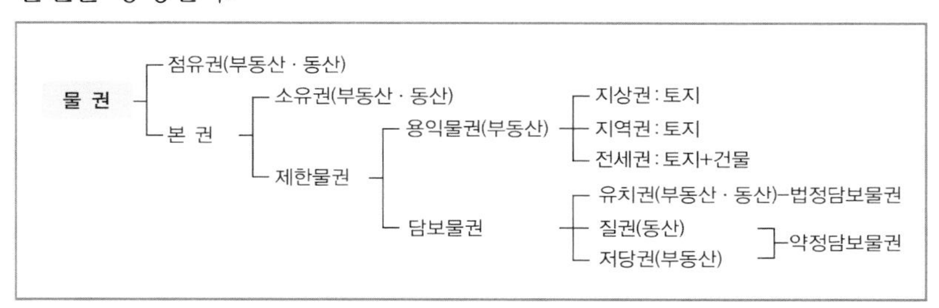

물권법정주의
(物權法定主義)
☑ 제32회

물권의 종류와 내용은 민법이나 기타 법률이 정하는 것에 한하여 인정되고 당사자가 자유로이 창설하는 것을 금하는 것을 말한다(제185조). 그러므로 물권법에서는 채권법과 같이 계약자유의 원칙이 적용되지 않는다.

판 례 1 민법 제185조는, "물권은 법률 또는 관습법에 의하는 외에는 임의로 창설하지 못한다."고 규정하여 이른바 물권법정주의를 선언하고 있고, 물권법의 강행법규성은 이를 중핵으로 하고 있으므로, 법률(성문법과 관습법이)이 인정하지 않는 새로운 종류의 물권을 창설하는 것은 허용되지 아니한다(대판 2001다64165).

물권변동
(物權變動)
☑ 제28회, 제30회

물권의 발생 · 변경 · 소멸이라는 효과를 가져오는 사실의 총체를 말한다. 오늘날의 물권변동은 그 대부분이 물권의 득실변경을 목적으로 하는 법률행위의 효과로서 일어나는데 이러한 물권변동을 목적으로 하는 의사표시를 요소로 하는 법률행위를 물권행위 또는 물권적 법률행위라고 한다.

물권적 반환청구권
(物權的 返還請求權)

타인의 목적물을 점유함으로써 물권의 내용이 완전한 실현을 방해받고 있는 자가 그 물권에 기하여 그 물권의 반환을 청구하는 권리를 말한다. 그 전형적인 것은 소유권에 기한 소유물반환청구권과 점유권에 기한 점유물반환청구권이다.

물권적 청구권
(物權的 請求權)
☑ 제26회, 제29회~제34회

물권의 내용의 실현이 어떤 사정으로 인해 방해당하고 있거나 방해당할 염려가 있는 경우, 물권자가 방해자에 그 방해의 제거나 예방에 필요한 행위를 청구할 수 있는 권리를 말한다. 즉, 물권의 행사가 침해당하거나 또는 침해당할 염려가 있는 경우, 그 침해의 제거 또는 예방을 청구할 수 있는 물권자의 권리를 말하는 것으로 물상청구권이라고도 한다. 민법은 점유권과 소유권에 관하여 각각 규정을 두고 있으며, 소유권에 기한 물권적 청구권의 규정을 다른 물권에 준용함으로써 물권적 청구권을 물권의 일반적 효력으로서 인정하고 있다. 물권적 청구권은 그 기초되는 물권에 따라 점유권에 기한 물권적 청구권과 본권에 기한 물권적 청구권으로 나눌 수 있다. 물권적 청구권은 다시 물권의 객체인 목적물을 반환할 것을 청구할 수 있는 물권적 반환청구권과 방해제거를 요구할 수 있는 방해제거청구권 또한 물권을 방해받을 염려가 있는 경우 이를 예방하는 데 필요한 일체의 행위를 청구할 수 있는 방해예방청구권으로 나눌 수 있다.

물권행위
(物權行爲)

직접적으로 물권변동을 목적으로 하는 의사표시를 요소로 하는 법률행위를 말한다. 물권행위의 내용과 방식에는 아무런 제한이 없으며 어떤 의사표시가 채권행위인가 물권행위인가의 여부는 당해 의사표시의 해석으로써 결정될 문제에 불과하다. 예컨대 부동산을 매매하기로 하는 계약은 단지 당해 부동산의 인도를 청구할 수 있는 채권행위에 불과한 것으로서 별도로 등기라는 이행의 문제를 남기는 반면에, 어떠한 동산을 인도하는 행위는 직접 물권변동의 효과를 가져오며 별도의 이행을 필요로 하지 않기 때문에 물권행위가 되는 것이다.

물상대위 (物上代位)

☑ 제26회, 제27회, 제34회

목적물의 멸실 · 훼손 · 공용징수 등에 의하여 그 물건의 소지자(채무자)가 금전 기타의 물건을 받을 청구권(보험금 · 손해배상 · 보상금 등의 청구권)을 취득한 경우에 그 담보물권이 이 청구권 위에 효력이 미치는 것을 말한다. 이것을 물상대위라 한다. 담보물권은 목적물의 교환가치를 파악하는 가치권이므로 본래의 목적물이 변형되더라도 그 교환가치를 대표하는 것이 존속하는 한, 담보물권이 이러한 변형물 위에 그 효력을 미치는 것은 당연하며 이 효력은 질권과 저당권에만 인정되고 우선변제력이 없는 유치권에는 인정되지 아니한다.

물상보증인 (物上保證人)

타인의 채무를 위하여 자기가 소유하는 재산을 담보에 제공하는 것을 물상보증이라 하고 그 재산을 제공한 사람을 물상보증인이라고 한다. 물상보증인은 채무자에 대하여 채무를 부담하지 않고, 다만 담보권설정에 의해 물적 유한책임을 부담할 뿐이다. 즉, 물상보증인의 경우에는 채무와 책임이 분리되어 있으며, 담보로 제공한 물건의 한도 내에서만 책임을 부담한다. 물상보증인은 채무를 부담하지 않으므로 채권자는 물상보증인을 상대로 이행의 소를 제기할 수 없다.

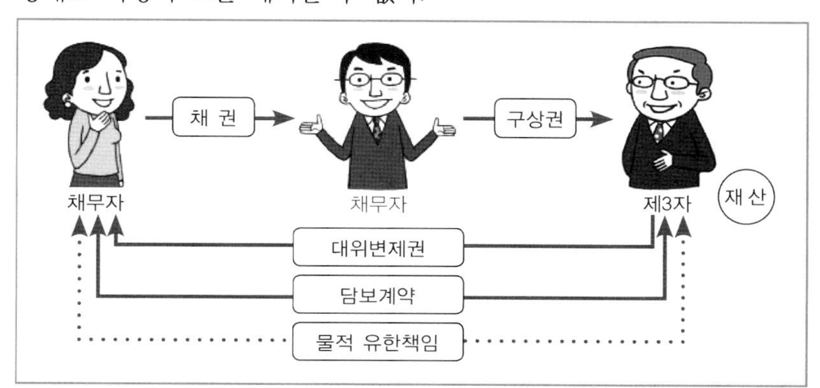

미분리과실 (未分離果實)

원물에서 아직 분리되지 않은 천연과실을 말한다. 나무에 달려 있는 과실 · 뽕잎 · 입도(立稻) 등이 그 예이다. 미분리의 과실은 원래 원물의 일부로서 독립하여 거래의 대상이 될 수 없으나 실제는 그 거래가 빈번하게 행하여지고 있으므로 판례는 성숙한 것에 관하여는 독립한 물건으로서의 거래를 인정하였다. 다만, 거래안전을 위하여 명인방법을 요한다.

발신주의
(發信主義)

의사표시가 외형적 존재를 가지고 표의자의 지배를 떠나서 상대방에게 발신된 때에 효력이 발생하는 주의를 말한다. 상법에서는 발신주의를 채용하고 있는 경우가 많으며, 민법은 원칙적으로 도달주의를 취하고 있으나 예외적으로 특별한 경우에 발신주의를 취하고 있다.

법률관계
(法律關係)

사회생활관계 중 법규범에 의하여 규율되는 생활관계이다. 법률관계의 내용은 구체적으로 권리·의무관계로 나타난다.

법률사실
(法律事實)

법률요건을 구성하는 개개의 사실을 말한다. 이러한 법률사실에는 유언·동의에 있어서처럼 하나의 법률사실이 법률요건으로 된 경우와 계약에서처럼 청약과 승낙이라는 두 개의 법률사실이 합쳐져서 법률요건을 이루고 있는 경우가 있다.

법률요건
(法律要件)

일정한 법률효과(권리변동)를 발생하게 하는 원인을 말한다. 법률요건의 가장 중요한 예는 법률행위이나, 법률행위 외에도 준법률행위·불법행위 부당이득·사무관리 등이 이에 속한다. 원래 형법학의 범죄구성요건의 개념이 민법학에 도입되어 생긴 것이다.

사 례 1 甲과 乙은 A건물을 1억원에 매매하기로 계약을 체결한 경우에는 甲은 乙에게 A건물을 인도하여야 하고 乙은 甲에게 1억원을 지급하여야 한다. 이처럼 매매계약(법률행위)은 A건물의 인도와 1억원의 지급이라는 법률효과를 발생시키는 법률요건이다.

법률행위
(法律行爲)

☑ 제26회~제35회

의사표시로써 이루어지는 법률요건을 말한다. 즉, 일정한 법률효과의 발생을 목적으로 하나 또는 다수의 의사표시 및 기타 요건으로 성립된 것으로서 법률요건의 가장 중요한 예이다. 예컨대 계약이라는 법률행위는 청약과 승낙이라는 두 개의 의사표시로 이루어진 것이다. 법률행위는 표의자가 목적한 사법상의 효과를 발생시킨다는 점에서 행위자가 원한 것과는 다른 법률효과가 생기는 법률적 행위(준법률행위)와는 구별된다.

법정과실
(法定果實)

법률상 물건의 사용대가로 받는 금전 기타의 물건을 말한다(제101조 제2항). 즉, 현금을 빌려 준 경우 이자가 붙고 토지를 빌려 준 경우 임대료를 받듯이 물건의 사용대가로 빌려 준 사람이 받는 돈이나 기타 물건을 의미한다. 물건을 사용한 대가이므로 노동의 대가인 임금·봉급 등은 법정과실이 아니며, 또한 권리의 사용대가, 예컨대 무체재산권(특허권·의장권·실용신안권·저작권 등)의 사용대가인 사용료(로열티·인세 등)는 법정과실이 아니다.

법정담보물권
(法定擔保物權)

일정한 요건하에서 법률상 당연히 성립하여 채권을 담보하는 제한물권을 말한다. 민법상 법정담보물권으로는 유치권·법정질권·법정저당권이 인정되어 있다. 당사자의 설정행위에 의하지 않고 법률상 당연히 성립하여 특정채권의 담보를 유일한 목적으로 하는 법정담보물권은 당사자 간의 계약에 의해서만 성립하고 재화를 자금화하는 것을 목적으로 하는 약정담보물권과 다르다.

법정대리
(法定代理)

임의대리에 상대하는 개념으로 본인의 의사에 의하지 아니하고 직접 법률의 규정에 의하여 부여된 대리를 말한다.

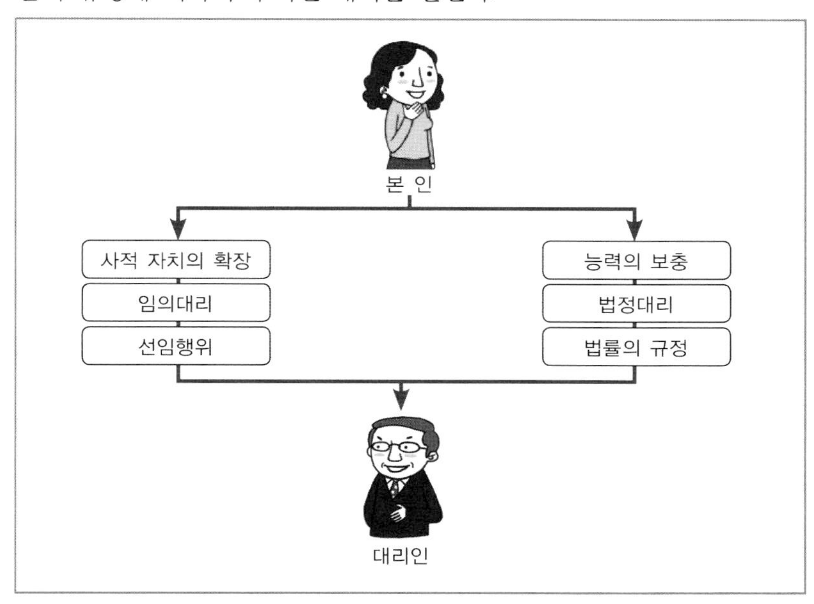

법정대리인
(法定代理人)
☑ 제26회, 제27회, 제29회, 제33회, 제34회

대리인에는 임의대리인과 법정대리인이 있는데 법정대리인은 본인의 의사에 의하지 않고 직접 법률의 규정에 의해 대리권이 부여된 자를 말한다. 법정대리인이 되는 형태에는 본인에 대해 일정한 지위에 있는 자가 당연히 대리인이 되는 경우로 친권자・미성년후견인이 있고, 본인 이외에 일정한 지정권자의 지정으로 대리인이 되는 경우로 지정후견인・지정유언집행자가 있으며, 법인이 선임하는 자가 대리인이 되는 경우로 부재자재산관리인・상속재산관리인・유언집행자 등이 있다.

법정저당권
(法定抵當權)

법률의 규정에 의하여 성립하는 저당권으로서 토지임대인의 일정 범위의 차임채권을 보호하기 위하여 법률의 규정에 의해 당연히 성립되는 저당권을 말한다(제649조). 법정저당권이 성립되는 토지임대인의 채권은 변제기를 경과한 최후 2년의 차임채권에 한하며 법정저당권의 목적은 임대차의 목적이 된 토지 위에 있는 임차인 소유의 건물이다. 법정저당권의 효력발생을 위해서는 토지임대인이 그 목적물인 건물을 압류하여야 한다.

법정지상권
(法定地上權)
☑ 제26회~제29회, 제33회, 제35회

토지와 건물이 동일소유자에 속하고 있는 경우에 토지 또는 건물의 일방에만 제한물권(전세권 또는 저당권)이 설정되어 있다가 그 후에 어떠한 사정으로 토지와 건물이 소유자를 달리하게 된 때에는 건물 소유자를 위하여 법률상 지상권이 설정된 것을 말한다. 만일 이 경우에 지상권을 인정해 주지 않는다면 건물 소유자는 아무 권리 없이 타인의 토지를 사용하는 것이 되어 건물을 철거하지 않으면 안 되게 되므로 법은 이 경우 당연히 지상권이 설정된 것으로 만든 것이다. 법정지상권은 토지와 건물을 각각 별개의 부동산으로 취급함으로써 일어나는 우리 법제상의 결함을 보완해 주는 제도이다.

법정추인
(法定追認)
☑ 제30회, 제32회

취소할 수 있는 행위에 관하여 당사자 간에 일정한 사유가 있기만 하면 당연히 추인한 것으로 보는 것을 말한다. 추인이란 취소할 수 있는 법률행위를 취소하지 않겠다는 의사표시이며, 추인에 의해 취소할 수 있는 행위는 확정적으로 유효하게 된다. 즉, 추인은 취소권의 포기이다. 법정추인은 취소할 수 있는 법률행위에 관해 취소의 원인이 종료한 후에, 전부나 일부의 이행, 이행의 청구, 경개, 담보의 제공, 취소할 수 있는 행위로 취득한 권리의 전부나 일부의 양도, 강제집행 중 하나가 있었을 때 성립한다. 법정추인의 효과는 추인한 것으로 간주되므로 추인에 있어서와 같은 효과가 생긴다.

법정해제권
(法定解除權)

유효하게 성립하고 있는 계약의 효력을 당사자 일방의 의사표시에 의해 계약을 해소시키는 권리를 해제권이라고 하는데, 이 해제권에는 당사자가 미리 계약해서 그것을 유보하는 약정해제권과 법률의 규정에 의해서 발생하는 법정해제권이 있다. 채무불이행을 이유로 하는 계약 일반에 공통한 것(제544조, 제546조)과 각종의 계약에 특수한 것이 있다. 채무불이행에는 이행지체 · 이행불능 · 불완전이행 · 채권자 수령지체가 있고, 후자로는 증여 · 매매 · 도급 등에서 규정하고 있는 해제와 같다.

변제
(辨濟)
☑ 제26회~제29회

채무자 또는 기타의 자가 채무의 내용대로 급여를 하여 채무를 소멸시키는 일을 말한다. 즉, 채무의 이행을 말한다. 변제가 있으면 채권자는 목적을 달성하고 채권은 소멸한다. 본래의 급여에 갈음하여 다른 급여를 함으로써 채권을 소멸시키는 계약을 대물변제라 하며 변제와 같은 효력을 가진다.

보증금
(保證金)
☑ 제26회, 제28회, 제29회, 제33회, 제34회

부동산임대차 특히 건물임대차에 있어서 임차인 또는 제3자가 임차인의 차임 기타 채무를 담보하기 위하여 임대인에게 교부하는 금전 기타의 유가물을 말한다. 보증금의 성질에 대해서는 정지조건부 반환채무를 수반하는 금전소유권의 이전이라고 한다. 임대차가 종료하는 때에 임차인의 채무불이행이 없으면 전액을, 만일에 채무불이행이 있으면 그 금액 중에서 당연히 변제에 충당되는 것으로 하고 잔액을 반환한다는 조건으로 금전소유권을 임차인(또는 제3자)이 임대인에게 양도하는 것이라고 한다. 보증금계약은 임대차에 종된 계약이므로 임대차관계에 수반하여 이전한다.

보증채무
(保證債務)

채권자와 보증인 사이에 체결된 보증계약에 의하여 성립하는 채무로서 주채무자가 그 채무를 이행하지 않는 경우에 보증인이 이를 이행하여야 하는 채무를 말한다. 보증채무는 주채무와는 독립된 채무이며, 주채무와 동일한 내용을 갖고 있지만 주채무가 소멸하거나 그 내용이 변경된 경우 보증채무도 그에 따라 변화하게 된다. 보증채무에서 보증인은 채권자의 변제요구에 대해 주채무자에게 먼저 최고할 것을 항변할 수 있다.

복대리
(複代理)
☑ 제29회, 제30회, 제32회~제35회

대리인이 그의 권한 내의 행위를 행하기 위하여 대리인 자신의 이름으로 선임한 본인의 대리인이다. 즉, 대리인이 자기가 가지고 있는 대리권의 범위 내에서 특정한 자를 선임하여 그 자에게 권한 내의 행위의 전부 또는 일부를 행하게 하는 것이다. 복대리인을 연임할 수 있는 권리를 복임권이라 한다.

복임권
(復任權)
☑ 제29회

대리인이 복대리인을 선임할 수 있는 권능을 말한다. 법정대리인은 언제든지 복임권을 갖지만 임의대리인은 복임권이 없는 것이 원칙이나 본인의 승낙이 있거나 부득이한 사유가 있을 경우에 한하여 인정한다. 복임권에 의하여 복대리인을 선임한 경우에는 대리인은 그 선임·감독에 대하여 책임을 진다.

본권
(本權)
☑ 제26회, 제28회

물건을 지배할 수 있는 법률상의 권원이 있는 물권을 말한다. 물권은 크게 본권과 점유권으로 나누어지는데, 점유권은 물건을 지배할 수 있는 법률상의 권원의 유무를 묻지 않고서 물건을 사실상 지배하고 있는 상태 그 자체를 보호하는 것을 목적으로 하는 물권임에 반하여, 본권은 물건을 사실상 지배하고 있느냐의 여부와는 관계없이 이를 지배할 수 있는 권리를 말한다. 본권과 점유권은 동일물 위에 중복해서 존재할 수 있으며, 양자를 구별하는 실익은 주로 보호의 목적과 수단이 다르다는 점이다.

본등기
(本登記)
☑ 제28회, 제29회

등기의 종국등기, 즉 등기의 본래 효력을 완전히 발생시키는 등기를 말한다. 종국등기라고도 한다. 또 가등기에 상대되는 개념으로, 그 가등기에 의하여 순위를 보전받는 등기를 말하기도 한다.

부담부증여
(負擔附贈與)

수증자가 증여를 받는 동시에 일정한 급부를 하여야 할 채무를 부담하는 것을 부관으로 하는 증여를 말한다. 여기서 부담은 증여와 대가관계에 서는 것이 아니므로 쌍무계약이나 유상계약이 아니다. 증여계약의 부관이므로 증여가 무효이면 당연히 무효가 된다. 증여자는 한편으로 수증자에 대하여 부담의 이행을 청구할 권리가 있으며, 다른 한편으로는 그 부담의 한도에서 매도인과 같은 담보의 책임을 진다.

사례 1 甲은 시골에 있는 乙에게 농장을 증여하기로 하는 대신 甲의 부모를 시골에서 계시는 동안 돌봐 주기로 하는 경우

부동산이중매매
(不動産二重賣買)
☑ 제32회

매도인 甲이 자기소유 토지를 매수인 乙(제1매수인)에게 매매계약을 체결하고 중도금을 지급받은 후 이전등기 전에 매수인 丙(제2매수인)에게 다시 그 토지를 매매한 후에 丙 명의로 이전등기를 경료해 준 경우, 매도인 甲과 제2매수인 丙 사이의 매매계약을 이중매매라 한다. 부동산이중매매는 원칙적으로 유효하나, 예외적으로 제2매수인인 丙이 매도인 甲의 배임행위에 적극 가담(교사)한 경우에는 판례가 제1매수인 乙을 보호하기 위해 반사회질서 위반행위로 무효로 하고 있다.

부속물매수청구권
(附屬物買受請求權)
☑ 제27회, 제29회, 제30회

전세권자 또는 건물 기타 공작물의 임차인(또는 전차인)이 목적물 사용의 편익을 위하여 전세권설정자나 임대인의 동의를 얻어 부속시킨 물건이나 그로부터 매수한 부속물을 계약의 종료시에 전세권설정자 또는 임대인에 대하여 매수할 것을 청구하는 권리를 말한다. 전세권자 또는 임대인에 대하여 투자자본을 회수하는 편의를 주는 동시에 건물 등의 객관적 이용가치를 증가시키고 있는 부속물을 철거함으로써 생기는 사회경제적 손실을 방지하려는 취지에서 인정된 것이다. 지상물매수청구권과 대응하는 권리이며 그것과 마찬가지로 일종의 형성권이다.

부합
(附合)
☑ 제28회~제30회

소유자를 각각 달리하는 2개 이상의 물건이 결합하여 1개의 물건으로 되는 것을 말한다. 부합의 결과 생기는 물건을 분리하는 데 생기는 경제적 손실을 방지하기 위하여 소유권 변동이 발생한다. 동산이 부동산에 결합된 경우 부동산의 소유자가 모든 소유권을 갖는다. 토지 위에 건물이 신축된 경우에는 건물을 독립된 부동산으로 하는 우리 법체계상 부합이 아니며, 건물에 건물이 증축 등을 이유로 덧붙여진 경우에는 그것이 권원에 의하고 독립된 것일 때에는 부합되지 않지만 그 외의 경우에는 부합된다. 동산 간의 부합에 있어서는 주된 동산의 소유자에게 소유권이 있고 만약 주종을 따지기 어려우면 각각의 가격 비율로 공유한다.

분묘기지권
(墳墓基地權)
☑ 제26회, 제27회, 제35회

타인의 토지 위에 분묘를 설치한 자가 그 분묘의 기지부분의 토지를 사용할 것을 내용으로 하는 지상권에 유사한 일종의 물권을 말한다. 분묘기지권은 관습법상 인정되는 것이며, 분묘의 내부에는 시신이 암장되어 있어야 한다. 공시방법은 그 무덤의 봉분이므로 등기를 요하지 않는다.

분할채권관계
(分割債權關係)

다수당사자의 채권관계에 있어 특별한 의사표시가 없으면 하나의 가분급부에 대한 채권 또는 채무가 수인의 채권자 및 채무자에게 분할되는 경우를 말한다. 분할채권이 성립하는 전형적인 경우로서는 공유물을 매각·임대하거나 또는 공유물에 대한 제3자의 불법행위로 공유자가 대금채권·차임채권 또는 손해배상채권을 취득하는 것을 들 수 있다. 특히 민법은 제439조에서 수인이 공동으로 보증채무를 부담하는 경우에 이를 분할채무로 한다고 명시하고 있다.

불가분급부
(不可分給付)

그 성질·가치를 해하지 않고서는 분할할 수 없는 급부를 말한다. 예컨대 소 한 마리의 인도라든가, 일정한 공작물의 설치 등이 그것이다. 그러나 성질상 가분인 급부에도 당사자의 특약에 따라 불가분으로 하는 것이 인정된다. 예컨대, 쌀 100가마를 한꺼번에 급부한다는 특약이 그 예이다. 불가분급부는 언제나 일체로서 다루어지기 때문에 일부이행·일부불능 등의 문제는 생기지 않는다.

불가분물
(不可分物)

분할에 의해 지금까지의 성질을 잃는 물건을 말한다. 예컨대 한 마리의 소나 말, 1동의 건물 등이 그 예이다. 또한 분할에 의해 그 성질상 변경이 생기지 않아도 그 가치가 현저히 손상하는 물건이나, 분할에 과다한 비용·노력이 필요한 물건도 불가분물이라고 할 수 있을 것이다. 불가분물은 가분물에 대응하는 개념으로 이 구별의 실익은 주로 공유관계 및 다수당사자의 채권 등에 관해서 생긴다.

불가분성
(不可分性)

담보물권자는 피담보채권의 전부를 변제받을 때까지 목적물의 전부에 관해 그 권리를 행사할 수 있는데 이를 담보물권의 불가분성이라고 한다. 피담보채권의 일부가 변제·상계·혼동·경개·면제 등을 이유로 소멸하더라도 잔액이 있는 한 담보물의 전부에 담보물권의 효력이 미친다는 원칙이다. 또한 담보물의 일부가 불가항력 기타의 사유로 멸실한 경우에도 그 잔존부분이 전 채권을 담보하고 멸실한 부분의 비율로 채권액의 일부가 감소되지 않으며, 담보물이 공유자 사이에서 분할된 경우에도 담보물권자는 분할된 각 부분 위에 채권액의 전부에 관하여 그 효력을 미칠 수 있게 된다.

불가분채권
(不可分債權)

분할해서 실현할 수 없는 불가분급부를 목적으로 하는 다수당사자의 채권관계를 말한다. 불가분채권관계에서는 그 주체의 수만큼 채권 또는 채무가 존재하나, 급부의 불가분성으로 인해 각 채권자는 모든 채권자를 위하여 자기에게 이행할 것을 청구할 수가 있고, 또 채무자는 모든 채권자를 위하여 임의의 1인에게 이행할 수 있다(제409조). 채권자의 1인이 청구하면 전채권자를 위하여 효력이 발생하고 시효 중단 등의 효과가 생긴다. 또 1인의 채권자에 대한 이행은 전 채권자에 대하여 효력이 발생하고 채권 소멸의 효과가 생긴다. 그 밖의 1인의 채권자에 관하여 생긴 사유는 다른 채권자에 대하여 아무런 영향을 미치지 않는다(제410조 제1항).

불능조건
(不能條件)

성취하는 것이 객관적으로 불가능한 사실을 내용으로 한 조건을 말한다. 조건이 되는 사실은 그 성부가 객관적으로 불확실한 사실일 것을 요하기 때문에 불능조건은 당사자가 그 성취가 불가능한 것을 알지 못한 경우에는 진정한 의미에서 조건은 아니다.

사 례 1 내일 태양이 서쪽에서 뜨면 나의 전 재산을 주겠다.

불법행위
(不法行爲)

☑ 제26회~제28회

고의 또는 과실로 인한 위법행위로 타인에게 손해를 가한 자는 그 손해를 배상할 책임이 있다.

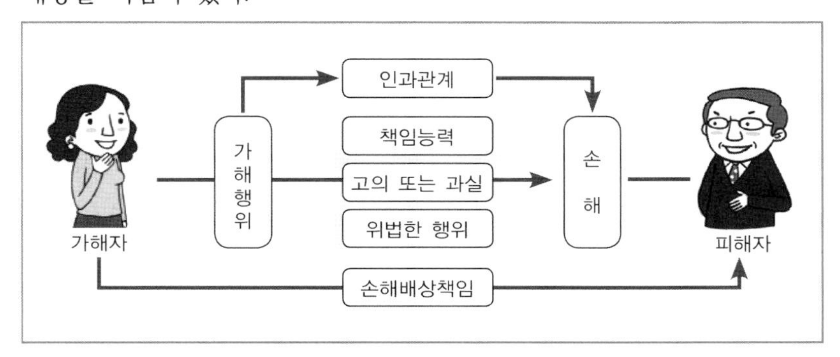

불요식행위
(不要式行爲)

법률행위의 요소인 의사표시를 일정한 방식에 의해 행할 것을 필요로 하지 않는 행위를 말한다. 법률행위 자유의 원칙하에서는 불요식행위가 원칙이며, 따라서 법률행위는 불요식행위가 대부분이다. 다만, 당사자의 신중을 요구하거나(예 혼인 · 이혼 · 입양 등) 법률관계를 명확하게 할 필요가 있거나(예 법인의 설립행위 · 유언 · 증여 등) 또는 거래의 안전과 신속을 도모할 필요가 있는 경우(예 어음 · 수표의 발행 등)에는 일정한 방식을 갖춘 요식행위로 할 것을 법률이 규정하고 있다.

> **참고 | 요식행위(要式行爲)**
> 법률행위를 조성하는 의사표시가 서면이나 그 밖의 일정한 방식에 따를 것을 요하는 행위를 의미한다.

비용상환청구권
(費用償還請求權)

유치권자가 유치물에 관하여 필요비를 지출한 때에는 소유자에게 그 상환을 청구할 수 있다(제325조 제1항). 유치권자가 지출한 비용에 관하여 그의 손실로 소유자에게 부당한 이득을 줄 필요가 없기 때문에 유치권자의 권리로 인정된 것이다. 유치권자가 유치물에 관하여 유익비를 지출한 때에는 그 가액의 증가가 현존한 경우에 한하여, 소유자의 선택에 좇아 그 지출한 금액이나 증가액의 상환을 청구할 수 있다. 그러나 이 경우 법원은 소유자의 청구에 의하여 상당한 상환기간을 허여할 수 있다(제325조 제2항 본문).

비진의표시
(非眞意表示)
☑ 제32회

표의자가 의사와 표시가 일치하지 않는다는 것, 즉 자기 진의와 다른 의사표시를 표의자 스스로 알면서 하는 의사표시를 말한다. 비진의표시는 의사와 표시가 일치하지 않음을 표의자 자신이 알고 있는 점에서 그것을 모르는 착오(錯誤)와 다르고, 알고는 있으나 상대방과의 통정(通情)이 없는 점에서 통정허위표시와 다르다. 비진의표시는 원칙적으로 표시한 대로의 법률효과가 생긴다(제107조 제1항 본문).

사기
(詐欺)
☑ 제27회, 제29회, 제35회

사람을 속여 착오를 일으키게 함으로써, 일정한 의사표시나 처분행위를 하게하는 일을 말한다. 민법상 사기에 의한 의사표시는 취소할 수 있고, 불법행위로서 손해배상을 청구할 수도 있다. 형법상으로는 사기로 인하여 재물이나 재산상의 이득을 얻거나, 제3자로 하여금 얻게 하면 사기죄가 성립한다.

사실행위
(事實行爲)

그 행위에 의하여 표시되는 의식의 내용이 무엇이냐를 묻지 않고서, 단지 행위가 행하여져 있다는 것 또는 그 행위에 의하여 생긴 결과만이 법률에 의하여 법률상 의미가 있는 것으로 인정되는 행위를 말한다. 외부적 결과의 발생만으로써 법률효과를 인정해 주는 순수사실행위와 어떤 의식과정이 내포되고 있어야 하는 혼합사실행위가 있다.

사용대차
(使用貸借)

당사자의 일방(貸主)이 상대방(借主)에게 무상으로 사용 · 수익하게 하기 위하여 목적물을 인도할 것을 약정하고, 상대방은 이를 사용 · 수익한 후 그 물건을 반환할 것을 약정함으로써 성립하는 계약을 말한다(제609조). 물건의 사용 · 수익을 목적으로 하는 낙성(諾成) · 무상(無償) · 편무(片務) · 불요식(不要式)의 계약이다. 사용대차는 물건의 소비 · 처분을 목적으로 하지 않는다는 점에서 소비대차(消費貸借)와 다르며, 무상 · 편무계약이라는 점에서 임대차(賃貸借)와 다르다(제609조).

사적자치의 원칙
(私的自治의 原則)

개인이 자기의 법률관계를 자기 의사에 따라 스스로 형성한다는 원칙으로 인간 개인의 행위 내지 행동의 자유에 따를 자기결정의 원칙의 한 부분으로 인간의 인격적 · 이성적 존재에 바탕한 행동의 자유에 바탕하고 있다.

상계
(相計)
☑ 제29회

채권자와 채무자가 서로 동종의 채권 · 채무를 가지는 경우에 채무자의 일방적 의사표시에 의하여 그 채권과 채무를 대등액만큼 소멸시키는 것을 말한다. 상계는 단독행위이며, 특수한 채권소멸원인이다. 상계는 상계되는 양채권은 상계자와 피상계자 사이의 채권이어야 하고 동종(同種)의 목적을 가져야 하며, 자동채권은 반드시 변제기(辨濟期)에 있어야 하고, 채권의 성질이 상계를 허용하는 것이어야 한다. 당사자 일방의 상계의 의사표시로 채권대등액만큼 소멸된다.

상린관계
(相隣關係)
☑ 제26회, 제28회, 제33회

인접하고 있는 부동산의 소유자나 이용자 상호간의 이용을 조절하기 위하여, 그 소유자나 이용자들이 상호 그 권리관계를 일정한 한도 양보 · 협력할 것으로 규정한 법률관계를 말한다(제216조, 제244조).

선의 · 악의
(善意 · 惡意)
☑ 제26회~제35회

민법상 선의는 어떤 사실을 알지 못하는 것이고, 악의는 어떤 사실을 알고 있는 것을 말한다.

선의취득
(善意取得)

권리외관을 신뢰하고 거래한 자를 보호하기 위한 제도로서 평온 · 공연하게 동산을 양수한 자가 선의이며 과실 없이 그 동산을 점유한 경우에 양도인이 정당한 소유자가 아닌 때에도 즉시 그 동산의 소유권을 취득하는 것을 말한다.

소급효
(遡及效)
☑ 제27회

법률의 효력이나 법률요건의 효력이 법률시행 전 또는 법률요건 성립 이전의 시점으로 소급하여 효력이 생기는 것을 말한다. 법률의 효력은 그 시행 전의 사항에 대하여 미치지 않는 것, 즉 불소급을 원칙으로 하므로 소급효가 인정되는 것은 특별한 규정이 있는 경우에 한한다. 예컨대 법률행위의 취소(제141조), 소멸시효(제167조), 계약의 해제(제548조), 상속재산의 분할(제1015조) 등의 경우이다.

소멸시효
(消滅時效)
☑ 제28회, 제35회

일정한 재산권에 대해 권리자가 권리를 행사할 수 있음에도 불구하고 일정 기간 동안 이를 행사하지 않고 있던 경우에 그 권리를 소멸시키는 제도이다. 소멸시효는 사회질서의 안정과 유지, 시간의 경과에 따른 입증곤란의 구제, 권리행사 태만에 대한 제재라는 의의를 지닌다. 이러한 소멸시효의 대상이 되는 재산권은 재산권에 한정되며, 권리의 불행사가 법률상 장애 때문인 경우에는 소멸시효가 걸리지 않는다. 이러한 소멸시효는 채권자의 청구와 최고 등에 의해서 중단될 수 있다.

소멸시효의 정지
(消滅時效의 停止)
☑ 제28회

소멸시효가 거의 완성될 무렵에 이르러 권리자가 시효를 중단시키는 행위를 할 수 없거나 그 행위를 하는 것이 대단히 곤란한 사정이 있는 경우에, 그 사정이 소멸한 후 일정 기간이 경과하는 시점까지 시효의 완성을 유예하는 것을 말한다.

소멸시효의 중단
(消滅時效의 中斷)

소멸시효가 진행되는 도중에 권리자의 권리행사가 있거나 권리의 불행사라는 상태와 조화될 수 없는 사유가 발생한 경우에는 이미 진행된 시효기간은 무의미하게 되므로 그 효력을 상실하게 하는 제도를 말한다. 소멸시효가 중단되면 그때까지 진행된 시효기간은 소멸되고, 중단사유가 종료된 때부터 새로 시효가 진행된다(제178조 제1항).

소멸시효이익의 포기
(消滅時效利益의 抛棄)

소멸시효의 완성으로 소멸하는 권리의 의무자가 시효완성으로 인하여 생기는 이익을 받지 않겠다는 일방적인 의사표시를 말한다. 소멸시효이익의 포기는 처분행위이므로 포기자는 처분권한과 처분능력을 가져야 한다.

소유권
(所有權)
☑ 제26회~제35회

물건의 사용가치 · 교환가치를 모두 지배할 수 있는 권리를 말한다. 소유권은 물건에 대한 사실상의 지배로서의 점유권과는 달리 물건을 법률상 지배할 수 있는 관념적인 지배로 구성되어 있다.

소유물반환청구권
(所有物返還請求權)
☑ 제27회~제29회, 제35회

목적물의 점유를 상실한 소유자가 그 목적물을 점유함으로써 소유자의 점유를 방해하고 있는 자에 대하여 그 반환을 청구할 수 있는 권리를 말한다.

송달
(送達)
☑ 제28회

소송법상 당사자 기타 이해관계인에게 소송관계 서류의 내용을 알리기 위하여 법원이 법률이 정한 절차에 따라서 서면을 보내는 형식적 행위를 말하는데, 법정(法定) 절차에 따른 송달은 지정인의 승낙 · 불승낙을 불문하고 효력이 생긴다.

수권행위
(授權行爲)
☑ 제27회, 제33회

임의대리권에 있어 본인이 대리인에게 자기를 대리하여 법적 관계를 형성할 수 있도록 권한을 부여하는 행위를 말한다. 수권행위는 대리인에게 일정한 지위 또는 자격을 부여하는 것에 불과하고 어떤 권리나 의무를 부여하는 것이 아니므로 상대방 있는 단독행위라고 한다.

수반성
(隨伴性)

종된 권리가 주된 권리의 처분에 따라 이전하는 성질을 말한다. 담보물권(보증채무)은 피담보채권(주된 채무)에 의존하는 것이므로 그 채권이 이전하면 담보물권(주된 채무)도 같이 이전되는 것을 말한다.

승계취득
(承繼取得)

타인의 물건을 사오는 경우처럼 타인이 소유한 권리에 기초하여 권리를 취득하는 것을 말한다. 승계취득의 경우에는 취득자의 권리가 타인의 권리에 기초하고 있기 때문에 권리에 어떠한 하자나 제한이 있는 경우에는 승계인은 하자나 제한이 있는 권리를 취득한다.

> **참고 | 원시취득과 승계취득**
>
> **원시취득** – 무주물선점, 유실물 습득, 시효취득, 선의취득 등
>
> **승계취득**
> - 이전적 승계
>   - 특정 승계 – 매매, 증여
>   - 포괄 승계 – 상속, 포괄유증, 회사합병
> - 설정적 승계 – 지상권설정, 지역권설정, 전세권설정, 저당권설정 등

승낙
(承諾)
☑ 제26회~제29회, 제35회

청약에 대하여 계약을 성립시킬 목적으로 청약자에게 응낙하는 의사표시를 말한다. 청약과 승낙이 합치할 때에 계약이 성립한다.

승역지
(承役地)
☑ 제26회~제28회

지역권에 있어서 두 개의 토지 중 편익을 제공하는 토지를 말한다. 승역지는 1필의 토지이어야 할 필요는 없고, 토지의 일부 위에도 지역권을 설정할 수 있다(제293조 제2항 단서, 부동산등기법 제138조). 승역지의 이용자는 그 승역지가 요역지의 편익에 제공되는 범위에서 의무를 부담한다.

> **참고 | 요역지** 제27회, 제28회, 제29회
>
> 승역지에 상대되는 개념으로 지역권을 설정하는 경우 편익을 받는 토지를 말한다. 승역지는 1필의 토지 일부일 수 있으나 요역지는 1필의 토지이어야 한다.

시효
(時效)
☑ 제26회~제28회, 제34회

일정한 사실상태가 일정기간 계속된 경우에 그 상태가 진실한 권리관계에 합치하느냐를 묻지 않고 그 상태를 진실한 권리관계로 인정하여 일정한 법률상의 효과(권리의 취득 또는 소멸)를 발생시키는 법률요건을 말한다.

신의성실의 원칙
(信義誠實의 原則)
☑ 제28회

일정한 법률관계에 있는 모든 자는 서로 상대방의 신뢰에 어긋나지 않도록 성의를 가지고 행동해야 한다는 원칙이다. 즉, 법률관계에 참여한 자는 상대방이 옳다고 믿는 바대로 성의를 가지고 말한 바를 실천해야 하는 행동의 원리이며 신의성실에 위반한 권리행사는 권리남용이 된다.

쌍무계약
(雙務契約)

☑ 제26회, 제28회, 제31회, 제33회

쌍무계약이란 당사자 양쪽이 서로 대가적 의미를 가지는 채무를 부담하는 계약을 말하며, 편무계약과 대응되는 개념이다. 상호의 채무가 대가적 의미를 가지고 있다는 것은 그 채무의 객체인 이행이 객관적 · 경제적으로 서로 균형이 되는 가치를 가지고 있는 것이 아니고, 상호적으로 이행해야 할 일이 의존관계를 가지고 채무의 부담이 교환적인 원인관계에서는 것을 뜻한다.

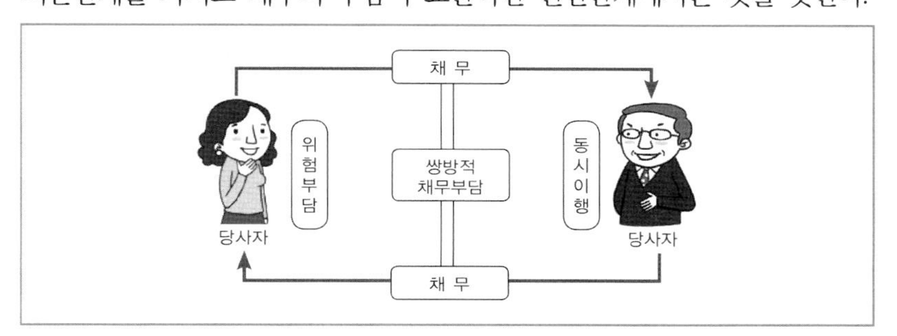

쌍방대리
(雙方代理)

한 사람의 대리인이 쌍무계약의 당사자 양쪽의 대리인의 자격으로 계약을 체결하는 경우와 같은 대리 형태를 의미한다. 민법은 본인의 이익을 해할 우려가 있기 때문에 원칙적으로 이것을 금지한다(제124조). 다만 본인의 이익을 해하지 않는 경우에는 예외로 한다. 부동산중개업법 제16조에서도 중개업자가 거래 당사자 쌍방을 동시에 대리하는 행위를 금지하고 있다.

양도담보
(讓渡擔保)

☑ 제29회

담보목적물을 채권자에게 양도하는 형식에 의한 담보, 즉 채권의 담보가 되는 담보물의 소유권을 채권자에게 양도하고 일정 기간 내에 변제하면 그 담보물의 소유권을 반환받는 방법에 의한 담보 또는 그 제도를 말한다. 양도담보가 행하여지면 제3자에 대한 외부관계에서는 그 담보물은 완전히 채권자의 소유물이 되고 채권자가 제3자에게 양도시에는 그 물건의 소유권은 제3자에게 넘어가게 된다.

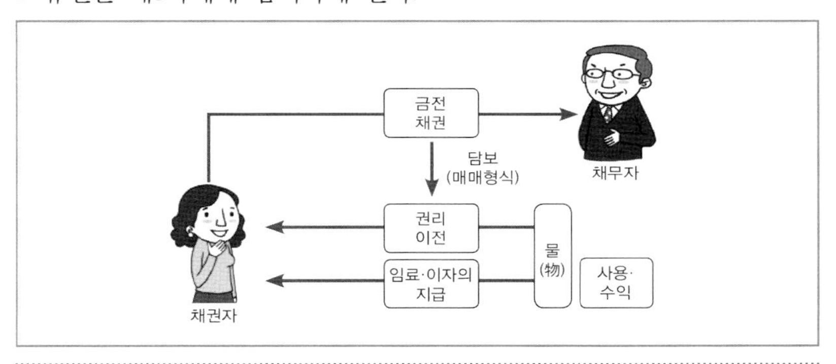

예고등기
(豫告登記)

등기원인의 무효 또는 취소로 인한 등기의 말소 또는 회복의 소가 제기된 경우에 이를 제3자에게 경고하기 위하여 수소법원의 촉탁으로 행하여지는 등기를 말한다(부동산등기법 제4조, 제39조). 예고등기는 어떤 부동산에 관한 기존등기에 관하여 어떤 소의 제기가 있었다는 사실을 공시함으로써 제3자에게 경고를 준다는 사실상의 효과를 가질 뿐이며, 처분제한 등의 물권변동의 효력이나 등기원인의 무효 또는 취소의 사유가 존재한다는 추정의 효력을 갖지 않는다.

예비등기
(豫備登記)

종국등기(본등기)를 할 수 있는 요건을 갖추지 못한 경우에 장래 행하여질 종국등기의 준비를 하는 등기를 말한다. 등기 본래의 효력(대항력)을 지니지 않으며, 장래에 종국등기를 할 것을 예상하여 미리 하는 가등기나 단순히 일정한 사실을 기입하는 등기이다.

오표시무해의 법칙

표의자 및 그 상대방이 표시행위를 본래의 의미대로 이해하지 아니하고 양 당사자가 일치하여 이와 다른 의미로 이해한 때에는 그 법률행위는 표의자와 상대방이 실제로 이해한 의미대로 성립한다는 원칙이다.

사 례 1 甲과 乙은 X토지를 매매목적물로 하기로 하였으나 계약서상 목적물로 Y토지의 지번을 표시하고 Y토지에 대해서 乙명의로 소유권이전등기가 경료된 경우

요물계약
(要物契約)
☑ 제26회, 제28회, 제35회

당사자의 합의 외에 당사자의 일방이 물건의 인도나 기타의 급부를 하여야만 성립되는 계약을 말한다. 즉, 계약이 성립함에는 양 당사자의 의사의 합치만이 있으면 족한 것이나, 일정한 계약의 경우에는 계약의 목적인 물건의 수수가 있어야만 계약이 성립하는 경우가 있다. 이를 요물계약이라고 한다. 민법의 계약법에 규정된 전형계약 중에는 현상광고가 유일한 요물계약이지만, 그 외에 대물변제·매매 등의 계약금계약, 임대차의 보증금계약 등이 요물계약의 성질을 갖는다.

용익물권
(用益物權)
☑ 제27회, 제28회

물건의 사용가치만을 지배하는 권리, 즉 타인의 토지 또는 건물을 일정한 목적을 위하여 사용·수익할 수 있는 물권을 말한다. 타인의 물건 위에 성립하는 권리이므로 타물권(他物權)이라고도 하며, 사용·수익을 목적으로 사용가치를 지배하는 권리라는 점에서 교환가치의 지배를 목적으로 하는 담보물권과 차이가 있다. 민법상의 용익물권은 지상권·지역권·전세권의 세 가지가 있다. 용익물권은 당사자 간의 설정계약에 의하여 성립하는 것이 원칙이나, 상속·판결·경매·공용징수·취득시효 기타 법률의 규정에 의하여 지상권이 취득되는 경우가 있고, 관습법에 의하여 성립하는 경우도 있다.

원상회복의무
(原狀回復義務)
☑ 제26회, 제27회, 제29회

일정한 사실이 없었던 것과 같은 원래의 사실상 또는 법률상의 상태를 만드는 일을 말한다. 계약의 해제 또는 불법행위의 경우에는 계약이나 불법행위가 없었던 본래의 상태로 상대방을 회복시킬 의무가 발생한다. 민법은 불법행위로 인한 손해배상의 경우 금전배상(金錢賠償)을 원칙으로 하므로, 불법행위의 효과로서 원상회복은 일반적으로 인정되지는 않는다.

원시적 불능
(原始的 不能)
☑ 제28회

채권에 관하여 최초부터 그 이행이 불능하게 확정되어 있는 경우를 말한다. 원시적 불능에는 전부불능의 경우와 일부불능의 경우가 있다. 원시적 전부불능의 경우에는 채권의 목적이 없으므로 채권은 성립할 수 없고, 그를 목적으로 한 법률행위는 무효가 된다. 다만, 무효한 계약을 체결한 자에게 고의나 과실이 있는 때에는 일정한 손해배상책임을 진다(계약체결상의 과실). 원시적 일부 불능의 경우에는 매매 등 유상계약에 있어서는 계약이 성립하나 담보책임을 지게 된다(제574조, 제567조 등).

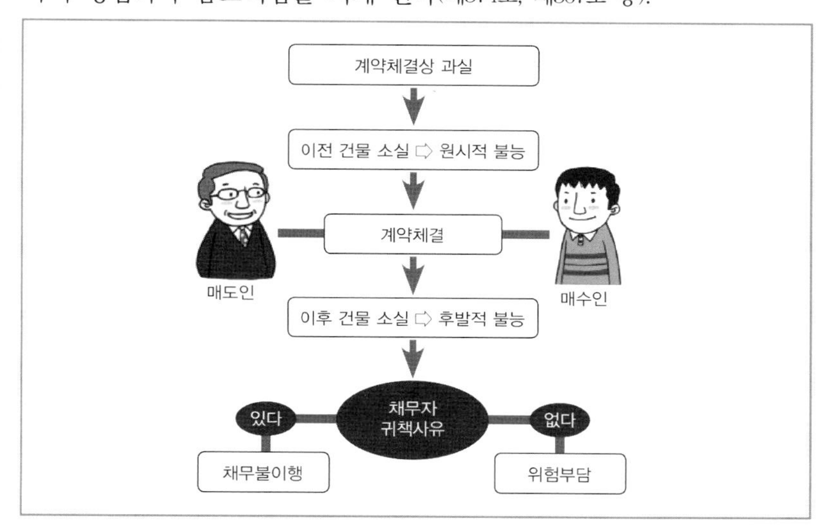

사 례 1 甲과 乙이 가옥매매계약이 체결되기 전에 그 가옥이 화재로 타버린 경우

원시취득
(原始取得)
☑ 제28회

어떤 권리를 타인의 권리에 의하지 아니하고 독립해서 취득하는 것을 말한다. 즉, 전에 없었던 권리가 새로이 발생하는 것을 의미한다. 타인의 권리에 의하여 권리를 취득하는 승계취득과는 달리, 그 권리에 전 권리자에게서 여러 가지 하자나 부담이 붙어 있었다 하여도, 그것들은 취득자에게 승계되지 아니한다[예 원시취득에는 무주물선점(제252조), 유실물 습득(제253조), 시효취득(제245조, 제246조), 선의취득(제249조) 등].

사 례 1 가옥을 신축한 자는 그 가옥의 소유권을 원시적으로 취득한다.

위임
(委任)

당사자의 일방, 즉 위임인이 상대방(수임인)에 대하여 사무의 처리를 위탁하고 상대방, 즉 수임인이 이를 승낙함으로써 성립하는 계약을 말한다(제680조). 위임은 무상을 원칙으로 하며, 위임인과 수임인 간의 특별한 개인적 신뢰를 기초로 하고 있다. 수임인은 특약이 없는 한 위임인에 대하여 보수를 청구하지 못한다[무상(無償)임을 원칙으로 함]. 수임인의 가장 기본적인 채무는 위임의 본지에 따라 선량한 관리자의 주의로써 위임사무를 처리하는 것이다(제681조).

유동적 무효
(流動的 無效)
☑ 제26회, 제28회, 제33회

법률행위가 무효이기는 하지만 추인에 의하여 행위시에 소급하여 유효로 될 수 있는 것을 말한다. 유동적 무효상태에 있는 거래계약은 허가받기 전의 상태에서는 거래계약의 채권적 효력도 전혀 발생하지 않으므로 권리의 이전 또는 설정에 관한 어떠한 내용의 이행청구도 할 수 없으나 일단 허가를 받으면 그 계약은 소급해서 유효화되므로 허가 후에 새로이 거래계약을 체결할 필요는 없다(대판 90다12243).

사 례 1 국토의 계획 및 이용에 관한 법률상(동법은 규제지역에 속한 토지에 대한 거래시에는 허가를 받아야 하고 이 허가를 받지 않고 체결한 계약은 무효로 하고 있다)의 허가를 받지 않은 토지거래계약

유증
(遺贈)

유언에 의하여 유산의 전부 또는 일부를 무상으로 타인에게 주는 행위로서 상대방 없는 단독행위를 말한다. 일종의 무상증여이다. 사인증여라는 점에서 생전증여와 차이가 있다. 그러나 증여자의 사망에 의해서 효력이 생기지만 단독행위라는 점에서는 계약인 사인증여와 다르다.

유치권
(留置權)
☑ 제26회~제35회

타인의 물건 또는 유가증권을 점유한 자가 그 물건이나 유가증권에 관하여 생긴 채권을 가지는 경우에 그 채권을 변제받을 때까지 그 물건이나 유가증권을 유치할 수 있는 권리를 말한다. 유치권은 법정담보물권이기는 하나 다른 담보물권, 즉 질권이나 저당권처럼 우선변제권이 명문으로 규정되어 있지 않다(예 甲은 乙의 양복을 수선한 후 乙이 수선비를 지급할 때까지 甲이 양복의 인도를 거절할 수 있는 권리).

참고 | 유치권과 동시이행의 항변권 비교

구 분	유치권	동시이행의 항변권
법적 성질	독립한 물권(법정담보물권)	쌍무계약상 채권의 한 권능에 불과
발생원인	법률의 규정에 의한 것이므로 계약, 사무관리, 부당이득 등을 불문	쌍무계약에 기한 채권에서 발생
권리의 내용	채권변제를 받을 때까지 인도거절권능	상대방의 단순 청구에 대한 이행거절권능 및 이행지체저지효과를 가져오는 권능
효 력	• 목적물을 직접 점유하여 유치함이 본래 의미의 효력 • 유치권은 물권이므로 누구에게나 주장 • 경매권이 있음 • 거절할 수 있는 급부는 목적물의 인도에 한함	• 상대방에 대한 항변으로서 자기채무이행을 거절하는 연기적 항변권의 효력 • 쌍무계약의 상대방에 대해서만 주장 • 경매권이 없음 • 거절할 수 있는 급부에는 제한이 없음
소 멸	점유의 상실, 대담보제공	이행제공을 통해 소멸

의사능력 (意思能力)

자기행위의 의미나 결과를 인식·판단하여 정상적인 의사결정을 할 수 있는 정신능력을 말한다. 이러한 능력에 미치지 못하는 사람을 의사무능력자(예 유아, 만취자, 정신병자, 백치 등)라고 하는데, 의사무능력자의 법률행위는 무효이다.

사 례 1 유아가 완구점에서 주인에게 인형을 달라고 해도 법적으로 인형에 대한 매매대금지급의무가 없다.

의사표시 (意思表示)

☑ 제26회~제35회

어떤 일정한 법률효과의 발생을 목적으로 하는 의사를 표시하는 행위를 말한다. 의사표시는 법률행위를 이루는 불가결의 요소가 되는 법률사실로서 의사표시의 무효나 취소는 당연히 법률행위 전체에 그 영향을 미친다.

사 례 1 계약에 있어서는 청약과 승낙이라는 2개의 의사표시의 합치로 법률행위가 이루어지고 단독행위에는 1개의 의사표시로 법률행위가 성립한다.

이행불능 (履行不能)

☑ 제26회, 제28회~제30회

채권관계가 성립한 후에 채무자의 책임 있는 사유로 그 이행이 불가능하게 된 경우를 말한다. 이행하고 싶어도 이행할 수 없다는 점에서 이행지체와 차이가 있다. 이행불능이 발생하면 본래의 급부를 목적으로 하는 청구권은 소멸하고 대신 이에 갈음한 금전배상을 목적으로 하는 전보배상청구권이 성립하게 된다. 또한 해제도 가능하며 이행불능된 사유로 인해 채무자가 보상금 등을 받았다면 이에 대해 대상청구권을 행사할 수도 있을 것이다.

이행지체
(履行遲滯)
☑ 제28회, 제29회

채무가 이행기에 있고 또한 그 이행이 가능함에도 불구하고 채무자가 그에게 책임 있는 사유로서 위법하게 채무의 내용에 좇은 이행을 하지 않는 것을 말한다. 이행지체가 되려면 채무의 이행기가 도래했고, 그 이행이 가능함에도 불구하고, 채무자의 책임 있는 사유로 채무를 이행하지 않아야 한다.

인도
(引渡)
☑ 제26회~제32회, 제34회, 제35회

점유의 이전으로 인한 현실로 물건을 이전시키는 것을 말한다. 민법은 현실의 인도 외에 간이인도, 반환청구권의 양도에 의한 인도의 방법도 인정하고 있다. 인도가 있으면 그 효과로서 점유권이 이전된다.

인지사용청구권
(隣地使用請求權)

토지소유자는 경계나 그 근방에서 담 또는 건물을 축조하거나 수선하기 위하여 필요한 범위 내에서 이웃 토지의 사용을 청구할 수 있다. 그러나 이웃사람의 승낙이 없으면 그 주거에 들어가지 못한다(제216조 제1항). 이상의 경우에 이웃사람이 손해를 받은 때에는 보상을 청구할 수 있다(제216조 제2항).

일괄경매청구권
(一括競賣請求權)
☑ 제31회

토지를 목적으로 한 저당권을 설정한 후 그 저당권설정자가 그 토지에 건물을 축조한 때에는 저당권자가 토지와 건물을 일괄하여 경매를 청구할 수 있는 권리를 말한다(제365조). 이 규정의 취지는, 저당권은 담보물의 교환가치의 취득을 목적으로 할 뿐 담보물의 이용을 제한하지 아니하여 저당권설정자로서는 저당권설정 후에도 그 지상에 건물을 신축할 수 있는데, 후에 그 저당권의 실행으로 토지가 제3자에게 경락될 경우에 건물을 철거하여야 한다면 사회경제적으로 현저한 불이익이 생기게 되어 이를 방지할 필요가 있으므로 이러한 이해관계를 조절하고, 저당권자에게도 저당토지상의 건물의 존재로 인하여 생기게 되는 경매의 어려움을 해소하여 저당권의 실행을 쉽게 할 수 있도록 한 데에 있다.

일물일권주의
(一物一權主義)

하나의 물건에는 서로 용납될 수 없는 권리는 병존할 수 없다는 것을 말한다. 예컨대 어떤 물건의 소유자가 그 물건을 이중매매한 경우에는 그 물건 위에 동일한 채권이 2개 이상 성립할 수 있는 것이지만, 그 물건의 소유권은 매도인이 인도 또는 등기해 준 한 사람에게만 이전되고, 두 사람의 소유권이 1개의 물건 위에 성립할 수 없는 것과 같다. 민법상 일물일권주의는 1개의 물건 위에는 동일한 내용의 1개의 물권만이 성립한다는 의미와 물권은 1개의 독립한 물건 위에만 성립한다는 의미를 가진다.

일부무효
(一部無效)

법률행위의 일부가 무효인 경우를 말한다. 그 효과는 원칙적으로 그 법률행위 전부가 무효이지만 그 무효인 부분이 없더라도 법률행위를 하였을 것이라고 인정될 때에 한하여 나머지 부분은 유효하다. 일부무효가 성립하려면 우선 법률행위가 분할 가능한 것이어야 하며, 나머지 부분만으로도 법률행위를 의도하여야 한다. 다만, 일체성이 인정되는 법률행위를 분할할 수 없으면 일부의 무효는 전체무효가 된다.

일부취소
(一部取消)

일부무효(一部無效)의 법리에 준하여 법률행위가 일체적이면서 분할 가능하고 또 잔존부분을 유지하려는 당사자의 가정적 의사가 인정되는 경우에 한해 일부만의 취소가 가능한 경우를 말한다.

임대차
(賃貸借)
☑ 제26회~제34회

임대인이 임차인에게 목적물(임대물건)을 사용 · 수익하게 할 것을 약정하고 임차인이 이에 대하여 차임을 지급할 것을 약정함으로써 성립하는 계약을 말한다. 임대차라는 계약을 등기함으로써 임차권이 된다.

임의규정
(任意規定)

법에 어떠한 사항이 규정되어 있는 경우에도 당사자가 이러한 규정과 다른 합의를 하는 것도 허용되는 규정을 의미한다. 계약자유의 원칙이 지배하는 채권법에서는 임의규정이 많고, 물권의 안정성을 추구하는 물권에는 강행규정이 많다. 즉, 이러한 임의규정을 위반한다 하여도 아무런 제재를 할 수 없다.

참고 | 임의규정의 구체적인 예

구 분	구체적인 예
총칙편	의사표시의 착오(제109조), 의사표시의 효력발생, 기한의 이익 채무자 이익추정 규정 등
물권법	상린관계, 유치권(배제특약), 저당권의 효력에서 종물배제특약
채권법	동시이행의 항변권, 위험부담, 계약금 등 대부분의 계약법 규정

임의대리
(任意代理)
☑ 제27회, 제28회, 제30회, 제31회

민법상 수권행위에 의하여 성립되는 대리를 말한다. 그 대리인을 임의대리인이라 말한다. 이에 반하여 법률의 규정에 의하여 발생하는 대리를 법정대리라고 한다.

임의채권
(任意債權)

채권자 또는 채무자가 채권의 본래 목적인 급부에 갈음하여 다른 급부를 할 수 있는 권리[대용급부권(代用給付權)]를 가진 채권을 말한다.

사 례 1 양복 한 벌을 급부할 것을 약속하였으나, 그에 대신하여 돈 10만원을 급부할 수 있도록 약정한 경우

임차권
(賃借權)
☑ 제26회, 제28회, 제29회, 제33회

임대차계약에 의하여 임차인이 목적물을 사용·수익할 수 있는 권리를 말한다. 임차인은 계약 또는 그 목적물의 성질에 의하여 정해진 용법으로 이를 사용·수익하여야 하며 임대인의 승낙 없이 임차물을 타인에게 사용하게 하여 이익을 얻게 할 수 없다.

임차권등기명령
(賃借權登記命令)
☑ 제28회, 제29회

임대차 종료 후 보증금을 반환받지 못한 임차인에게 단독으로 임차권등기를 경료할 수 있도록 함으로써 자유롭게 주거를 이전할 수 있는 기회를 보장하기 위한 제도를 말한다. 종래에는 임차인이 임대차가 종료된 후 보증금을 반환받지 못한 상태에서 다른 곳으로 이사가거나 주민등록을 전출하면 임차인이 종전에 가지고 있던 대항력과 우선변제권을 상실하게 되어 보증금을 반환받는 것이 사실상 어렵게 되는 문제점이 있었다. 따라서 1999년 3월 1일부터 시행되는 개정 주택임대차보호법은 위와 같은 주택임대차제도의 문제점을 해소하기 위하여 임차권 등기명령절차를 도입하였다. 위와 같은 절차의 개선으로 앞으로는 임차인이 근무지 변경 등으로 다른 곳으로 이사할 필요가 있는 경우에 법원에 임차권등기명령신청을 하고 그에 따라 임차주택에 임차권등기가 경료되면, 그 이후부터는 주택의 점유와 주민등록의 요건을 갖추지 아니하더라도 이미 취득하고 있던 대항력과 우선변제권을 상실하지 않기 때문에 임차인은 안심하고 자유롭게 주거를 이전할 수 있게 되었다.

임치
(任置)

당사자의 일방인 수치인(受置人)이 상대방인 임치인(任置人)을 위하여 위탁받은 금전이나 유가증권 기타의 물건을 보관하기로 하는 계약을 말한다. 구 민법은 기탁이라 하여 요물계약으로 규정하고 있었으나, 현행 민법은 낙성계약으로 하였다.

자기계약·쌍방대리
(自己契約·雙方代理)
☑ 제28회

자기계약이란 대리인이 한편으로는 본인을 대리하고 다른 한편으로는 자기자신이 상대방이 되어 계약을 맺는 것이다. 즉, 대리인이 본인을 위하여 자기와 법률행위를 하는 경우이다. 쌍방대리란 대리인이 동일한 법률행위에 관하여 당사자 쌍방(매수인, 매도인)을 대리하는 경우이다. 우리 민법(제124조)은 자기계약과 쌍방대리를 본인보호를 위해 원칙적으로 금지하고, 예외로 본인의 승낙이 있거나 채무의 이행은 허용하고 있다.

자주점유 · 타주점유 (自主占有 · 他主占有)

☑ 제26회, 제29회

자주점유는 소유의 의사로써 하는 물건의 점유를 말하고, 타주점유는 물건을 타인을 위해 점유한다는 의사를 가지고 있는 점유를 말한다. 소유의 의사라 함은 소유자가 할 수 있는 것과 같은 배타적 지배를 사실상 행사하려고 하는 의사를 말한다. 법률상 그러한 지배를 할 수 있는 권한, 즉 소유권을 가지고 있거나 또는 소유권이 있다고 믿고 있어야 하는 것은 아니며, 사실상 소유할 의사가 있으면 된다. 예컨대, 무효인 매매에 있어서의 매수인이나 매도인도 자주점유자이다. 이에 대하여 타주점유는 타인이 소유권을 가지고 있다는 것을 전제로 하는 점유이다. 자주점유와 타주점유를 구별하는 실익은 취득시효와 무주물선점 및 점유자의 책임 등에 있다(第202조, 第245조, 第252조). 점유자는 자주점유를 하는 것으로 추정된다(제197조 제1항).

재단법인 (財團法人)

일정한 목적에 바친 재산을 개인에게 귀속시키지 않고, 그것을 독립의 것으로 하여 운영하기 위해 그 재산을 구성요소로 하여 법률상 구성된 법인을 말한다(제32조 이하). 재산이 실질상의 본체인 점에서 사람의 집단을 본체로 하는 사단법인과는 구별된다. 일정한 재산으로써 항구적 사업을 행하기에 적합한바, 영리 아닌 사업을 목적으로 하는 것, 즉 비영리법인만이 인정된다.

재단저당 (財團抵當)

기업경영을 위한 토지 · 건물 · 기계 · 기구 기타의 물적 설비나 그 기업에 관한 면허 · 특허 그 밖의 특권 등을 일괄하여 하나의 재단으로 구성하고, 그 위에 저당권을 설정하는 것을 인정하는 제도를 말한다. 민법은 집합물의 관념을 인정하지 않으므로 재단에 저당권을 설정할 여지가 없지만 특별법으로써 특정기업시설에 대하여 재단을 구성하는 것을 일체로 하여 저당권의 목적이 될 수 있도록 하고 있다. 재단저당법으로는 공장저당법과 광업재단저당법이 있다.

저당권 (抵當權)

☑ 제26회~제30회, 제32회~제35회

채권자가 물건을 점유하지 아니하고 이를 채권과 담보로 하여 채무자가 변제를 하지 않는 때에는 그 물건에서 우선적으로 변제를 받을 권리를 말한다. 저당권은 목적물의 이용가치를 소유자에게 남겨두어 매매 · 교환 · 이용을 자유롭게 하면서 교환가치만을 파악하는 가장 순수한 담보물권으로 타인의 점유는 건드리지 않고 물건을 관념적으로만 지배하는 물권이라고 할 수 있다. 담보물권의 일반적 성질인 부종성 · 수반성 · 불가분성 · 물상대위성을 모두 가지고 있으며, 특수한 저당권에서는 일반적 성질이 일부 완화되는 경우가 있다.

전대차
(轉貸借)
☑ 제26회, 제27회, 제29회

임대차계약에 의하여 타인의 물건을 임차하고 있는 자가 스스로 다시 임대인이 되어 그 물건을 제3자(轉借人)에게 사용·수익하게 하는 것을 말한다. 민법 제629조는 "임차인은 임대인의 동의 없이 그 권리를 양도하거나 임차물을 전대하지 못한다."라고 규정하여 제한적 양도·전대를 인정하고 있다.

전세권
(傳貰權)
☑ 제26회~제35회

전세금을 지급하고 타인의 부동산을 점유하여 그 부동산의 용도에 좇아 사용·수익하면서 그 부동산 전부에 대하여 후순위 권리자 기타 채권자보다 전세금에 관하여 우선변제권이 인정되는 특수한 용익물권을 말한다.

전유부분
(專有部分)
☑ 제26회~제28회

아파트 등의 집합건물에서 각 소유자가 자기만의 공간으로 사용하는 부분을 말한다. 이는 공용부분을 제외하고 구분소유권의 목적인 건물부분을 의미하며 아파트의 경우 각 세대가 이에 해당한다. 이러한 전유부분의 건물을 소유하기 위한 것을 대지사용권이라 하고 이는 당해 집합건물의 총 부지를 각 세대의 평수 비율에 따라 정해진다.

전저당
(轉抵當)

저당권자가 그 저당권으로써 자기의 채무의 담보로 제공하는 것을 말한다. 저당권자가 저당권에 의하여 투자한 자금을 유동화하는 작용을 영위한다. 이것은 구 민법하에서 허용되었던 것이나 신 민법에서는 저당권은 그 담보한 채권과 분리하여 타인에게 양도하거나 다른 채권의 담보로 하지 못한다고 가정하여 저당권의 처분을 제한하고 있다.

전전세
(轉傳貰)
☑ 제26회, 제35회

전세권 위에 전세권을 설정하는 것, 즉 전세를 든 사람이 자신의 전세권을 그대로 유지하면서 그 전세물을 목적으로 하는 전세권을 다시 설정하는 것을 말한다. 전세권은 물권이므로 설정행위로 금지하지 않는 한 전세권자는 양도 또는 담보로 제공할 수 있다. 또 그 기간 내에서는 목적물을 전전세 또는 임대할 수 있다. 전세를 얻을 사람이 일부 또는 전부를 월세로 다시 임대하는 경우가 이에 해당된다. 전전세권은 전세권의 범위를 벗어날 수 없으며 전세권이 소멸하면 전전세권도 함께 없어진다.

사 례 1 甲은 乙의 X건물을 전세를 내어 이용하면서 甲이 동 건물을 丙에게 전세권을 다시 설정하는 경우

점유개정
(占有改定)

물건의 양도인이 목적물을 계속 점유하기로 한 경우 당사자 간의 합의만으로 목적물의 인도가 있었던 것으로 보는 것을 말한다(제189조). 즉, 물건의 양도인이 양도 후에도 종래와 같이 점유를 계속하나, 양수인과의 사이에 점유매개관계를 설정함으로써 양수인에게 간접점유를 취득시키는 한편, 스스로는 양수인의 점유매개자가 되는 경우에는 양수인이 인도받은 것으로 본다. 따라서 점유개정에 의한 동산소유권의 양도에 있어서는 소유권이전의 합의와 양수인에게 간접점유를 취득시키는 합의가 있을 뿐이고, 현실의 인도는 행해지지 않는다. 점유매개관계를 성립시킬 수 있는 것으로서는 간접점유를 취득케 하는 계약(예 임대차, 사용대차, 임치)을 예로 들 수 있다.

사 례 1 만년필을 A에게 매도(賣渡)한 B가 계속하여 그 만년필을 빌려 쓴다고 할 경우에는 만년필을 A에게 되돌렸다가 다시 A로부터 인도를 받는다는 것은 번거롭기 때문에 실제로 물건의 수수(授受)는 일체 하지 않고 A와 B의 양해(諒解)만으로 인도(引渡)를 끝내버리는 간편한 인도방법을 말한다.

점유권
(占有權)
☑ 제26회, 제28회, 제32회, 제35회

물건을 사실상 지배하고 있는 자에 대하여 그 물건을 지배할 정당한 권리가 있느냐 없느냐를 불문하고 점유라는 사실상태를 권리로써 보호하는 물권을 말한다. 사실상의 지배를 법적으로 정당화할 수 있는 권리를 본권이라고 하는 데 반하여 본권의 유무를 묻지 않고 물건에 대한 사실상의 지배에 대하여 인정되는 권리를 점유권이라고 한다. 점유권은 사실적 지배가 있는 한에서만 존속하므로 일시적・잠정적인 권리이다.

점유물반환청구권
(占有物返還請求權)
☑ 제27회, 제28회, 제35회

점유자가 점유를 침탈당한 때에 그 물건의 반환 및 손해의 배상을 청구할 수 있는 권리를 말한다. 점유보호청구권의 일종이며 물권적방해배제청구권의 성질을 가진다. 침탈이란 점유자가 그의 의사에 기하지 않고서 사실적 지배를 빼앗아 가는 것을 말한다. 청구권자는 점유를 침탈당한 자이며, 직접점유자・간접점유자 또는 본권 유무를 불문한다. 상대방은 점유의 침탈자 및 그의 포괄승계인이다.

점유물방해예방청구권
(占有物妨害豫防請求權)

점유자가 점유의 방해를 받을 염려가 있는 때에 그 방해의 예방 또는 손해배상의 담보를 청구할 수 있는 권리를 말한다. 점유보호청구권의 일종이며 물권적 방해배제청구권의 성질을 가진다. 공사로 인하여 방해를 받은 염려가 있는 경우에는 공사 착수 후 1년을 경과하거나 또는 그 공사가 완성한 때에는 방해의 예방을 청구하지 못한다(제205조 제2항).

점유물방해제거청구권
(占有物妨害除去請求權)

점유자가 점유의 침탈 이외의 방법으로 점유의 방해를 받은 때에 그 방해의 제거 및 손해의 배상을 청구할 수 있는 권리를 말한다. 점유보호청구권의 일종이며 물권적 방해배제청구권의 성질을 가진다. 이 청구권은 방해가 종료한 날로부터 1년 이내에 행사하여야 한다. 공사로 인하여 방해를 받은 경우에는 공사 착수 후 1년을 경과하거나 또는 그 공사가 완성한 때에는 방해의 제거를 청구하지 못한다(제205조 제3항).

점유보조자
(占有補助者)

물건을 사실상 지배하고 있지만 점유자가 되지는 못하는 자로서 가사상 또는 영업상 기타 유사한 관계에 의하여 타인의 지시를 받아 물건에 대한 사실상의 지배를 하는 자를 말한다(제195조). 점유보조자는 점유권을 취득하지 못하며, 점유보조자를 통해 점유하는 자만이 점유권자이다. 예컨대 상점의 점원, 가정부, 은행의 출납원, 공장의 근로자, 공무집행 중의 공무원, 법인의 대표기관 등은 점유보조자이고, 가게주인, 은행, 공장주, 국가, 법인 등이 점유자가 된다. 점유보조자는 점유자가 아니나 자력구제만은 행사할 수 있다.

:: 참고 | 점유보조자・직접점유자・간접점유자의 비교

구 분	점유권	점유보호청구권	자력구제권
점유보조자	×	×	○
직접점유자	○	○	○
간접점유자	○	○	×(다수설)

점유보호청구권
(占有保護請求權)
☑ 제26회

점유자가 점유를 방해당하거나 또는 방해받을 염려가 있는 경우에 방해자에게 방해의 제거를 청구할 수 있는 권리를 말한다. 본권, 즉 점유할 수 있는 권리의 유무와는 관계없이 점유 그 자체를 보호하기 위한 일종의 물권적 청구권으로서 점유에 대한 침해가 있을 경우에 발생하는 청구권이다.

정지조건
(停止條件)
☑ 제28회, 제29회, 제33회, 제35회

법률행위의 효력의 발생을 장래의 불확실한 사실에 의존케 하는 조건을 말한다. 매매대금의 완불을 조건으로 하여 매매목적물의 소유권이 매수인에게 이전되는 소유권유보부 매매에 있어서는 소유권이전이라고 하는 법률효과의 발생은 매매대금의 완불이라고 하는 조건이 성취되는 때에 비로소 발생하게 된다. 정지조건부 법률행위에 있어서는 조건이 성취되면 법률행위는 그 효력을 발생하고, 불성취로 확정되면 무효로 된다. 그리고 조건성취의 효력은 원칙적으로 소급하지 않고 조건이 성취한 때로부터 발생한다. 그러나 당사자의 의사표시로 소급효를 줄 수 있다.

제3자를 위한 계약
☑ 제26회~제29회, 제32회, 제34회

계약으로부터 발생하는 권리를 제3자에게 직접적으로 귀속하게 하는 내용을 가진 계약을 제3자를 위한 계약이라고 한다. 이 계약에서 제3자에 대하여 그 계약상의 의무를 지는 자를 낙약자(諾約者 : 계약을 승낙한 자), 제3자에 대한 이행의 약속을 받은 자를 요약자(要約者 : 계약이 필요한 자), 제3자를 수익자(受益者 : 수익을 받을 자)라고 한다.

사 례 1 甲이 乙생명보험회사와 생명보험을 계약하면서 보험금을 배우자나 자녀가 수령하게 한 계약

제3취득자
(第3取得者)
☑ 제28회, 제29회

담보물권이 설정되어 있는 물건에 대하여 소유권 또는 용익물권을 취득한 제3자를 말한다. 담보물권이 실행되기 전에는 제3취득자는 목적물의 소유권을 취득하거나 용익하는 데 아무런 제한을 받지 않는다. 그러나 담보물에 대하여 제3취득자가 있더라도 그 담보물권의 실행은 지장받지 않으므로 제3취득자는 채무자의 변제 여부에 따라 매우 불안정한 지위를 갖게 된다. 민법은 이와 같은 제3자의 불안한 지위를 보호하기 위해서 여러 규정을 두고 있다. 즉, 제3취득자는 이해관계 있는 자이므로 채무자의 의사에 반하여서도 변제할 수 있고(제469조 제2항), 저당물을 취득한 제3취득자는 경매인이 될 수 있다(제363조 제2항). 특히 저당부동산에 대하여 소유권 · 지상권 또는 전세권을 취득한 제3취득자는 저당권자에게 그 부동산으로 담보된 채권을 변제하고 저당권의 소멸을 청구할 수 있음을 규정하고 있다(제364조). 제3취득자는 변제하는 데 정당한 이익을 가지는 자이므로, 변제를 하면 당연히 채권자를 대위하게 된다(제481조).

제한능력자
(制限能力者)
☑ 제27회, 제29회, 제35회

단독으로는 완전한 법률행위를 할 수 없는 자로서 일반적으로 행위능력이 없는 자를 말한다. 제한능력자는 정상적인 법률행위를 할 수 있는 능력을 갖지 못한 자이므로 법정대리인의 도움을 받아서 법률행위를 하게 하며 단독으로 한 법률행위는 취소할 수 있게 한다. 이를 제한능력자제도라고 한다. 제한능력자제도는 원칙적으로 재산법적 관계에만 적용되고 가족법적 관계에는 적용되지 않으며, 친족・상속법에는 제한능력자에 대한 개별적 규정이 있다. 우리 민법상 규정되어 있는 제한능력자에는 미성년자・피한정후견인・피성년후견인이 있다.

제한물권
(制限物權)

일정한 목적을 위하여 타인의 물건에 대한 제한적 지배를 내용으로 하는 물권을 말한다. 전면적 지배를 하는 소유권과 구별되며, 제한물권은 다시 물건의 이용에 관한 내용인 용익물권과 물건의 가치를 파악하는 담보물권으로 나누어진다.

조건
(條件)
☑ 제26회~제29회,
제31회~제34회

법률행위의 효력의 발생 또는 소멸을 장래의 불확실한 사실의 성부에 의존케 하는 법률행위의 부관을 말한다.

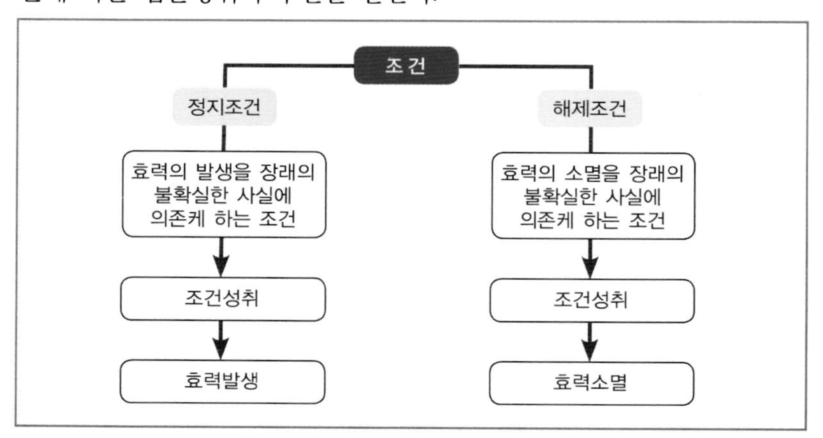

판 례 1 조건은 의사표시의 일체적 내용을 이루는 것이므로 조건의사와 그 표시가 필요하다. 따라서 조건의사가 있더라도 그것이 외부에 표시되지 않으면 법률행위의 동기에 불과할 뿐이고, 그것만으로는 법률행위의 부관으로서의 조건이 되는 것은 아니다(대판 2003다10797).

조건부권리
(條件附權利)
☑ 제31회

조건부법률행위가 성립한 경우에 당사자는 장래조건의 성취로 일정한 이익을 가지게 되는데 이러한 기대 내지 희망을 조건부권리라고 한다. 조건부법률행위의 당사자는 조건의 성부가 확정되지 않은 동안에 조건의 성취로 인하여 생길 상대편의 이익을 해하지 못한다(제148조). 조건부권리를 침해한 때에는 불법행위가 되어 손해배상책임이 발생하며, 조건부권리를 침해하는 처분행위는 무효로 본다.

조리
(條理)

사물의 도리 또는 법의 일반원리를 말하며, 경험칙 · 사회통념 · 신의성실 등으로 표현되기도 한다. 조리는 실정법 및 계약의 해석표준 그리고 법의 흠결시 재판의 준거 등으로 기능한다.

종중
(宗中)

종중이란 공동선조의 분묘수호, 제사 · 종원 상호간의 친목을 목적으로 하는 공동선조의 후손 중 성년 이상인 자를 종원으로 하여 구성되는 종족의 자연적 집단이다.

판 례 1 종중이란 공동선조의 분묘수호와 제사 및 종원 상호간의 친목 등을 목적으로 하여 구성되는 자연발생적인 종족집단이므로, 종중의 이러한 목적과 본질에 비추어 볼 때 공동선조와 성과 본을 같이 하는 후손은 성별의 구별 없이 성년이 되면 당연히 그 구성원이 된다고 보는 것이 조리에 합당하다(대판 전합 2005.7.21, 2002다1178).

주물 · 종물
(主物 · 從物)

물건의 소유자가 그 물건의 상용에 제공하기 위하여 자기소유인 다른 물건을 이에 부속시킨 때 그 기본이 되는 물건을 주물이라고 하고, 주물에 부속시킨 물건을 종물이라고 한다. 종물의 요건은 ① 주물의 상용에 제공될 것, 즉 사회통념상 계속해서 주물의 경제적 효용을 다하게 하는 작용을 하는 물건이어야 하고 ② 어떤 주물에 부속되어 있다고 인정될 만큼 장소적으로 밀접한 위치에 있을 것 ③ 독립된 물건일 것 즉, 독립성이 없는 주물의 구성부분은 주물의 일부분이고 종물이 아니다. ④ 주물과 종물이 모두 동일한 소유자에 속할 것 등이다(제100조 제1항). 종물의 효과는 주물의 처분에 따른다는 것이다(제100조 제2항). 예컨대 주물을 매매하면 특별한 의사표시가 없는 한 종물은 주물에 포함된다. 주물에 저당권을 설정하면 그 효력은 종물에 미친다. 이는 종물을 주물의 법률적 운명에 따르도록 하여, 물건의 경제상 효용을 유지하려는 데에 취지가 있다.

사 례 1 배와 노, 자물쇠와 열쇠, 시계와 시계줄, 주택과 딴채로 된 광에서 배 · 자물쇠 · 시계 · 주택은 주물이고, 노 · 열쇠 · 시계줄 · 광은 종물이다.

준법률행위
(準法律行爲)
☑ 제26회

물권 이외의 권리의 발생·변경·소멸을 직접 가져오게 하고 후에 채권처럼 이행의 문제를 남기지 않는 것을 말한다. 여기서 물권 이외의 권리라 함은 채권, 무체재산권 등을 의미하고 물권행위처럼 채권의 양도, 채무면제 등의 행위를 하면 그걸로 법률관계가 재정립되고 더 이상의 부수적 행위가 필요 없는 행위를 의미한다.

준용
(準用)
☑ 제28회, 제29회

기존의 법규와 유사한 사항을 규정할 때에 법률을 간결하게 할 목적으로 그 문언을 중복해서 표현하는 것이 아니라 그 기존의 법규를 수정을 가하여 적용시키는 것을 말한다.

준점유
(準占有)

물건이 아닌 재산권을 사실상 행사하는 경우를 말한다. 점유는 원래 물건의 지배에 관해서만 인정되는 것이나, 물건 이외의 이익에 대해서도 사실상의 지배가 존재하고 사회가 그 외형을 신뢰하는 경우에는 점유에 있어서와 같은 보호를 부여할 필요가 있다. 이러한 보호를 목적으로 인정된 것이 준점유이다. 즉, 물건이 아닌 재산권(예 채권, 무체재산권)을 사실상 행사하는 것이다(제210조). 준점유에는 점유권의 규정이 준용되므로 준점유자는 재산권의 과실을 취득하며 비용상환을 청구할 수 있고, 방해제거 및 예방도 청구할 수 있다. 특히 준점유자는 적법성을 추정받으므로, 채권의 준점유자에게 선의·무과실로 변제한 때 그 변제는 유효하다(제470조).

준총유
(準總有)

준공동소유의 한 유형으로 법인 아닌 사단이 소유권 이외의 재산권을 소유하는 것을 말한다. 준총유에 관하여 다른 법률에 특별한 규정이 없으면 총유에 관한 규정을 준용한다(제278조). 준총유가 인정될 수 있는 소유권 이외의 재산권에는 지상권·전세권·지역권·저당권 등의 민법상의 물권과 주식·광업권·저작권·특허권·어업권 등이 있다.

중간생략등기
(中間省略登記)
☑ 제29회, 제31회, 제32회

부동산 물권이 최초의 양도인으로부터 중간취득자에게 다시 중간취득자로부터 최후의 양수인에게 전전 이전되어야 할 경우에 중간취득자 명의의 등기(중간등기)를 생략한 채 최초의 양도인으로부터 최후의 양수인에게 직접 행하여진 등기를 말한다.

사 례 1 甲과 乙 사이에 어떤 물권의 이전을 위한 물권적 합의가 있었으나 乙 앞으로 이전등기를 하지 않은 상태에서 乙이 다시 丙과 동일한 물권의 이전을 위한 물권적 합의를 한 경우에 마치 甲으로부터 丙에게 직접 물권이 이전되는 것과 같이 등기를 행하는 것을 말한다.

증여
(贈與)

☑ 제26회, 제28회, 제29회, 제35회

당사자의 일방(증여자)이 무상으로 재산을 상대방(수증자)에게 준다는 의사를 표시하고 상대방이 이를 승낙함으로써 성립하는 계약을 말한다(제554조). 계약이라는 점에서 증여는 단독행위인 유증과 구별된다. 이 계약의 법률적 성질은 무상 · 낙성 · 편무 · 불요식의 계약이다. 증여가 무상이라는 점에서 증여자의 책임은 일반 채권관계에서 보다 경감되어, 증여자는 그가 계약에 기하여 급여한 물건이나 권리에 하자 또는 흠결이 있다 하더라도 이에 대한 담보책임을 지지 않는 것이 원칙이다(제559조 제1항 본문). 다만, 증여자가 그 하자나 흠결을 알고 있었음에도 불구하고 수증자에게 고지하지 않은 때에는 담보책임을 지며(제559조 제1항 단서), 부담부증여의 경우에는 그 부담의 한도에서 증여자는 매도인과 같은 담보책임을 진다(제559조 제2항).

지료증감청구권
(地料增減請求權)

지상권에 있어서 지료는 그 요소가 아니므로 당사자가 지료지급을 약정한 경우에만 지급의무를 진다. 이러한 지료의 액수는 당사자 간의 합의에 의해 정해지는데, 그 후에 지가의 변동, 조세 기타 부담의 증가로 인해 기존의 지료가 불합리한 경우에 당사자는 그 지료의 증감을 청구할 수 있다. 증감청구에 대해 서로 간에 합의가 안 되면 법원이 판결을 내리며, 증감이 인정되면 그 증감청구를 한 때로 소급하여 새로운 지료가 적용된다.

지상권
(地上權)

☑ 제26회, 제28회~제35회

타인의 토지에 건물, 기타의 공작물이나 수목(樹木)을 소유하기 위하여 그 토지를 사용할 수 있는 물권(物權)을 말한다. 지상권은 지상물의 소유를 목적으로 하므로 타인의 토지 위에 물건을 보관하기 위해서 또는 타인의 토지상의 건물을 사용하기 위해서 지상권을 설정할 수는 없다. 또한 지상물은 '건물 기타 공작물 · 수목'에 한정된다. 공작물이란 지상공작물뿐만 아니라 지하공작물도 포함되고 수목은 식림(植林)의 대상이 되는 식물을 말하며, 경작의 대상이 되는 식물(예 벼 · 보리 · 야채 · 과수 · 뽕나무 등)은 포함하지 않는다. 관습법상의 지상권(예 분묘기지권 등) 또는 법정지상권(法定地上權)도 있으나, 보통은 당사자 간의 계약에 의하여 지상권이 설정된다.

사례 1 甲의 토지를 乙이 빌려서 집을 세우는 경우 乙은 그 토지에 대하여 지상권을 가진다.

지상물매수청구권
(地上物買受請求權)
☑ 제26회, 제30회, 제34회, 제35회

지상권이 소멸한 경우 또는 건물 기타 공작물의 소유 등을 목적으로 하는 토지 임대차의 기간이 만료한 경우 일정한 요건하에 지상권자나 토지임차인 또는 전차인이 지상권설정자나 임대인에 대하여 상당한 가액으로 건물 기타 공작물 등의 매수를 청구할 수 있는 권리(제283조 제2항, 제643조, 제644조), 또는 지상권 소멸의 경우 지상권설정자인 토지소유자가 상당한 가액을 제공하여 지상물의 매수를 지상권자에게 청구할 수 있는 권리를 말한다(제285조 제2항). 지상권자는 토지소유자의 매수청구권에 대하여 정당한 사유 없이 이를 거절하지 못하며(제285조 제2항), 이 청구권의 행사가 있으면 곧 지상물에 관한 매매가 성립하게 되므로 이 매수청구권은 명칭은 청구권이나 그 성질은 형성권이다.

지역권
(地役權)
☑ 제26회~제35회

설정행위에서 일정한 목적을 위하여 타인의 토지를 자기 토지의 편익(便益)에 이용하는 용익물권을 말한다. 이때 편익을 제공하는 토지를 요역지(要役地)라 하고 편익을 주는 토지를 승역지(承役地)라고 한다.

질권
(質權)

채권자가 채무자 또는 제3자(담보제공자)가 채무의 담보로서 제공한 동산, 유가증권, 채권 등을 점유함으로써 채무의 변제를 간접적으로 강제하고, 채무를 이행하지 않을 경우에는 그 물건을 처분하거나 권리를 실행하여 그 대금으로 우선변제를 받을 수 있는 권리를 말한다. 저당권은 부동산에 설정되나, 질권은 동산, 유가증권 또는 권리에 설정된다는 점에서 구별되며 저당권은 등기를 함으로써 효력이 발생하고 목적물의 인도와 점유를 요하지 않으나, 질권은 원칙적으로 목적물을 인도함으로써 효력이 발생하므로 담보권이 존속하는 동안 계속 목적물을 점유한다.

차임
(借賃)
☑ 제26회, 제27회~제33회

임대차에 있어서 임대물 사용의 대가로서 지급되는 금전 그 밖의 물건을 차임이라고 한다. 토지의 경우에는 지료, 가옥의 경우에는 가임이라고도 한다.

차임증감청구권
(借賃增減請求權)

차임의 결정 후 임대인 또는 임차인이 차임의 증액 또는 감액을 청구하는 권리를 말한다. 임대차계약에 있어서 차임은 당사자 간에 합의가 있어야 하고, 임대차기간 중에 당사자의 일방이 차임을 변경하고자 할 때도 상대방의 동의를 얻어서 하여야 하며, 그렇지 않은 경우에는 민법 제628조에 의하여 차임의 증감을 청구하여야 한다. 민법 제628조에 의하면 차임증감청구권을 행사할 수 있는 것은 임대물에 대한 공과부담의 증감 기타 경제사정의 변동으로 인하여 약정한 차임이 상당하지 아니하게 된 때에 당사자가 장래에 대한 차임의 증감을 청구할 수 있다고 규정하고 있다.

착오
(錯誤)
☑ 제26회~제32회, 제35회

진의와 표시상의 효과의사가 일치하지 않는 의사표시로서 그 불일치를 표의자 자신이 인식하지 못하는 것을 말한다. 착오에는 표시행위 자체를 잘못하여 생기는 표시상의 착오(예 오기 · 오담), 표시행위가 가지는 의의를 잘못 이해한 내용상의 착오(예 상대방이나 목적물의 동일성에 관한 착오)가 있는데, 가장 문제가 되고 있는 것은 동기의 착오를 착오로 인정할 것인가이다. 판례와 다수설은 동기가 표시되고 상대방이 알고 있는 경우에 한하여 그 범위 내에서 동기의 착오도 내용의 착오가 된다고 하고 있다. 민법은 "의사표시는 법률행위의 내용의 중요부분에 착오가 있는 때에는 취소할 수 있다. 그러나 그 착오가 표의자의 중대한 과실로 인한 때에는 취소하지 못한다."고 하였다(제109조 제1항). 또한 착오로 인한 의사표시의 취소는 선의(善意)의 제3자에게 대항하지 못한다(제109조 제2항).

채권
(債權)
☑ 제26회~제35회

특정인(채권자)이 타인(채무자)에 대하여 일정한 행위(급부)를 요구할 수 있는 권리를 말한다. 반면에 그러한 급부를 하여야 할 의무를 채무(債務)라 한다. 또한, 채권과 채무로 인하여 결합되는 당사자의 관계를 채권관계라 한다. 물권과 채권의 차이는 물권은 물건에 대한 지배권을 갖는 데 대하여 채권은 사람에 대한 청구권으로서 배타성이 없다. 따라서 동일한 물건에 물권과 채권이 성립하면 물권이 우선한다. 채무자가 채무를 이행하지 않는 때에는 채권자는 원칙적으로 강제이행을 구하거나 손해배상을 청구할 수 있다.

참고 | 물권과 채권의 비교

구 분	물 권	채 권
법적 성질	• 절대적 지배권 • 물권법정주의 • 대부분 강행규정	• 상대적 청구권 • 계약자유의 원칙 • 대부분 임의규정
객 체	물건	채무자의 행위
공 시	필요	불필요
종류 및 내용	법률 또는 관습법에 의하여 결정	당사자의 자유로운 의사에 의해 결정
경 합	물권과 채권의 경합 ⇨ 물권우선원칙	

채권양도
(債權讓渡)

채권자(양도인)가 채무자에 대한 채권을 그 내용의 동일성을 유지하고 새로운 채권자(양수인)에게 이전하는 종래의 채권자와 새로운 채권자 간의 계약을 말한다. 그 법률적 성질은 물권 이외의 권리를 직접 변동시키는 계약으로 이행의 문제를 남기지 않는 준물권행위이다. 채권양도는 법률행위에 의한 채권의 이전이라는 점에서 법률의 규정에 의한 채권의 이전과는 구별된다. 채권양도의 성립과 대항요건으로 지명채권은 양도계약만으로써 효력이 발생하며, 당사자 간에서는 권리가 이전된다. 그러나 채무자나 제3자에게 대항하려면 채무자에게 통지하거나 채무자의 승낙이 있어야 한다(제450조, 제451조). 지시채권은 그 증서의 배서・교부에 의하여(제508조, 제509조), 무기명채권 및 지명 소지인출급채권은 그 증서의 교부에 의하여 양도한다(제523조, 제525조).

채권자대위권
(債權者代位權)

채권자가 자신의 권리를 보전하기 위하여 채무자의 권리를 행사할 수 있는 것을 말한다(제404조). 실체법상의 권리로서 소송법상의 권리가 아니다. 대리권이 아니며 일종의 법정재산관리권이다.

채권자지체
(債權者遲滯)

채무자가 채무의 내용의 실현을 위하여 채권자의 협력을 필요로 하는 경우에, 채무자의 이행의 제공이 있음에도 불구하고 채권자의 협력을 하지 않는 것을 말한다. 수령지체(受領遲滯)라고도 한다. 이러한 경우에 채권자가 수령을 하지 않으면 채무자는 변제를 완료할 수 없게 되므로 민법은 공탁에 의하여 채무자가 단독으로 채무를 면할 수 있게 하였고, 그와 동시에 채권자지체의 제도를 두어 채무자의 책임경감 내지 채권자의 책임을 인정하였다(제400조, 제403조).

채권자취소권
(債權者取消權)
☑ 제35회

채무자가 채권자를 해함을 알면서 자기 일반재산을 감소시키는 채무자의 법률행위(사해행위)를 취소하여 채무자의 재산을 원상으로 회복하는 것을 재판상 청구할 수 있는 채권자의 권리를 말한다(제406조, 제407조). 사해행위취소권(詐害行爲取消權)이라고도 한다. 채권자대위권과는 달리 채권자취소권은 반드시 재판상 행사하여야 하지만 이는 권리행사의 방법으로 소송상의 권리가 아니라 실체법상의 권리이다.

사 례 1 채무자인 乙이 채권자인 甲을 해함을 알면서 자기의 재산인 부동산 X를 타인에게 증여한 경우

채무
(債務)
☑ 제26회~제29회, 제34회

채권이 특정인(채권자)이 타인(채무자)에 대하여 일정한 행위(급부)를 요구할 수 있는 권리인데 반하여, 그러한 급부를 하여야 할 의무를 채무라고 한다.

채무불이행
(債務不履行)
☑ 제26회~제29회, 제34회, 제35회

채무자가 정당한 이유 없이 채무의 내용에 좇은 이행이 없는 경우를 말한다. 채무불이행의 형태로는 이행이 가능함에도 불구하고 이행기가 지났는데 아직 이행하지 않고 있는 이행지체, 채권의 성립 후에 이행할 수 없게 된 이행불능, 채무를 이행하였으나 채무의 내용에 좇은 것이 아닌 불완전이행 등이 있다. 채무불이행의 주요한 효력으로는 강제이행과 손해배상이 있으며, 그 이외에도 계약의 해제권 · 해지권이 발생한다. 채무불이행으로 인한 손해배상청구권과 불법행위로 인한 손해배상청구권은 경합하게 된다.

철회
(撤回)
☑ 제26회~제29회

아직 법률행위의 효력이 발생하지 않은 것에 대하여 그 효력을 장래를 향하여 저지시키는 것을 말한다. 민법상 취소라는 용어와 혼동해서 쓰이나, 취소는 이미 효력이 발생한 후에 그 효력을 소멸시키는 것임에 반해, 철회는 아예 효력발생 전에 이루어지는 행위라는 점에서 차이가 있다.

사 례 1 유언자가 생전에 얼마든지 유언을 철회하거나, 미성년자의 행위에 대해 추인이 있기 전에 상대방이 자기 의사표시를 철회하는 경우

첨부
(添附)

소유자가 각기 다른 두 개의 이상의 물건이 결합하여 사회관념상 분리하는 것이 불가능하게 된 때, 물건에 노력이 결합하여 사회관념상 그 분리가 불가능하게 된 때, 이의 복구를 허용하지 않고서 그것을 어느 한 사람의 소유로 귀속시키고자 하는 것을 말한다. 소유권의 원시취득 원인인 부합(附合) · 혼화(混和) · 가공(加工)의 총칭 혹은 자연적으로 영토를 얻게 되는 일을 말한다.

청구권
(請求權)

특정인이 다른 특정인에 대하여 일정한 행위(작위 · 부작위)를 청구할 수 있는 권리를 말한다. 청구권은 어느 권리를 기초로 하여서만 있을 수 있기 때문에, 청구권은 어느 권리와 밀접하게 결부되어 있다. 기초가 되는 권리로서는 채권(債權)과 물권(物權) 또는 신분권(身分權)이 있다. 청구권은 그 권리의 내용을 실행하기 위해서는 특정한 사람의 이행행위를 필요로 하므로 이행의 확보수단으로 담보와 채무불이행의 문제가 중요하게 된다.

청약
(請約)
☑ 제26회~제33회

일정한 내용의 계약을 체결하려고 신청하는 상대방 있는 의사표시를 말한다. 청약은 상대방이 승낙하여야 법률행위로서의 계약이 성립하므로 청약은 법률행위가 아니라 하나의 법률사실이다. 청약에 대해 상대방이 수정된 승낙을 하는 경우에는 상대방의 새로운 청약으로 보아서 최초 청약자가 다시 승낙을 하여야 계약이 성립된다.

청약의 유인
(請約의 誘引)
☑ 제28회

계약을 체결할 용의가 있음을 표시하여 상대방으로 하여금 청약하게 하려는 행위로서 의사의 통지에 해당한다. 청약의 유인에서는 유인을 받은 자가 한 의사표시가 되고 이에 대해 청약을 유인한 자가 승낙을 하여야만 계약이 성립된다.

사 례 1 신문에 구인광고, 식당 안의 음식 메뉴, 상품목록의 배부, 기차 등의 시간표의 게시

총유
(總有)
☑ 제29회

법인이 아닌 사단의 사원이 집합체로서 하나의 물건을 소유하는 공동소유의 한 형태를 말한다. 다수인이 하나의 단체로서 결합되어 있고, 목적물의 관리・처분은 단체 자체의 권한으로 하지만, 단체의 구성원들은 일정한 범위 내에서 각각 사용・수익의 권한만을 가지는 공동소유형태이다. 예를 들어 동창회가 회관과 기타의 물건을 소유하고, 촌락이 산림을 소유하거나, 종중 또는 문중이 위토를 소유하는 경우 이러한 단체가 법인으로서의 실체는 가지고 있으나 법인격을 취득하지 못하였을 때에는 법인이 아닌 사단이라고 하며, 이때의 소유형태가 총유이다. 부동산의 총유는 이를 등기하여야 하며, 등기는 사단의 명의로 그 대표자 혹은 관리인이 이를 신청한다. 총유물의 관리・처분은 사원총회에 의해 결정된다.

최고
(催告)
☑ 제26회~제29회

일정한 행위를 하도록 상대방에게 요구하는 의사의 통지를 말한다. 최고는 의무이행의 최고와 권리행사의 최고로 나눌 수 있는데, 의무이행의 최고에는 채무자에게 이행을 독촉함으로써 이행지체의 책임을 지게 하는 최고(제395조), 시효중단을 위한 최고(제174조), 해제권을 발생시키기 위한 최고(제544조) 등이 있고, 권리행사의 최고에는 제한능력자의 행위에 대한 추인의 최고(제15조), 법인의 청산절차에 있어서 청산인이 하는 채권신고의 최고(제89조) 등이 있다. 최고의 효과는 법률에 규정된 대로 어떤 이익 또는 불이익을 받는 데에 있다. 예컨대 최고로 인하여 시효중단을 생기게 하거나, 이행지체 또는 계약해제권의 발생 또는 제한능력자의 행위에 대한 최고에 대하여 확답이 없을 때에는 법정대리인에 대한 최고의 경우는 그 행위를 추인한 것으로 보고, 특별한 절차를 요하는 경우에는 그 행위를 취소한 것으로 보는 것과 같다(제15조 제2항・제3항).

추인
(追認)

☑ 제26회~제32회, 제34회, 제35회

불완전한 법률행위를 사후에 보충하여 확정적으로 유효하게 하는 일방적 의사표시를 말한다. 추인에는 ① 취소할 수 있는 행위의 추인(제143조), ② 무권대리행위의 추인(제130조, 제133조), ③ 무효행위의 추인(제139조)이 있다.

추정
(推定)

☑ 제26회, 제28회~제32회

추정은 불명확한 사실을 일단 존재하는 것으로 정하여 법률효과를 발생시키되, 추후 반증(反證)이 있을 때에는 그 효과를 발생시키지 않는 제도를 말하며 그 사실 내지 법률관계의 존재를 다투는 자가 입증책임을 지고 그에 따라 번복될 수 있다.

> **:: 참고 | 간주(看做)**
> 입증(立證)의 곤란을 구제하기 위한 제도로서 추후 반증만으로는 발생된 효과를 전복시키지 못하는 것을 말한다. 즉, 사실에 부합하는지 여하를 불문하고 또한 당사자가 그 반대의 사실을 입증한다 할지라도 그것만으로는 번복되지 않고 법률이 정한 효력을 당연히 발생시키는 것으로 '~로 본다.'고 해석한다.

출연행위
(出捐行爲)

자기의 의사로써 자기의 재산을 감소시키고 타인의 재산을 증가하게 하는 효과를 발생시키는 법률행위를 말한다. 출연행위에 의하여 제공된 재산을 출연재산(出捐財産)이라 하고, 재산의 감소는 현실의 출비(出費)든 의무의 부담이든 이를 묻지 아니한다. 또, 출연행위는 유상행위와 무상행위로 나뉘어지는데, 이는 양 당사자가 대가적(對價的) 의의를 가지는 출연행위를 하느냐의 여부에 따른 구별이다.

> **:: 참고 | 비출연행위**
> 타인의 재산을 증가하게 하지 않고 행위자만의 재산을 감소시키거나 직접 재산의 증감을 일어나지 않게 하는 법률행위를 말한다.

> **:: 참고 | 재산의 증감에 따른 법률행위**
>
> **출연행위**
> - 유상행위 – 매매, 교환, 임대차, 고용, 도급 등
> - 무상행위 – 증여, 사용대차 등
>
> **비출연행위** – 소유권의 포기, 대리권수여행위 등

취득시효
(取得時效)

☑ 제26회, 제28회, 제30회~제32회

권리를 취득하는 원인이 되는 시효를 말한다. 이 시효에 의하여 취득하는 권리는 전(前) 소유자의 권리를 계승한 승계취득이 아니라 원시취득이다.

:: 참고 | 부동산과 동산 소유권의 취득시효

구 분		요 건	시효기간
부동산	점유취득 시효	평온·공연한 자주점유	20년 + 등기
	등기부취득 시효	평온·공연한 자주점유 + 선의 및 무과실	등기 + 10년
동 산	장기취득 시효	평온·공연한 자주점유	10년
	단기취득 시효	평온·공연한 자주점유 + 선의 및 무과실	5년

취소
(取消)

☑ 제26회~제35회

일단 유효하게 성립된 법률행위의 효력을 행위시에 소급하여 무효로 하는 특정인(취소권자)의 의사표시를 말한다. 취소의 의사표시는 단독행위이므로, 특별한 방식은 필요하지 않은 것이 원칙이다. 다만, 상대방이 확정되어 있을 때에는 상대방에 대한 의사표시로 하여야 한다(제142조).

통정허위표시
(通情虛僞表示)

☑ 제26회, 제27회, 제30회~제34회

표의자가 상대방과 짜고 거짓의 의사표시를 한 경우, 즉 표의자가 진의가 아니라는 것을 알면서 의사표시를 하는데 상대방과 합의가 있는 경우를 말한다. 이러한 의사표시는 당사자 사이에서는 당연히 무효이고 대외적으로도 무효인 행위가 된다. 다만, 표의자가 허위표시가 무효라고 제3자에게는 주장할 수 없으므로 선의의 제3자가 진짜라고 믿었다면 표시된 대로 효력을 지니게 된다. 여기에서 제3자라 함은 허위표시의 당사자 혹은 그의 포괄승계인 이외의 자로서 허위표시에 의하여 외형상 형성된 법률관계를 토대로 새로이 법률관계를 맺은 자로서 가장매매의 매수인으로부터 다시 부동산을 매수한 자, 가장저당권설정행위로 인한 저당권의 실행에 의해 이를 경락받은 자 등이 이에 해당한다.

판 례 1 허위표시는 당사자 간에 합의에 의해 이를 철회할 수 있으며, 채권자취소권의 대상이 된다(대판 84다카68).

특정물 · 불특정물
(特定物 · 不特定物)

특정물이란 구체적 거래에서 당사자가 물건의 개성에 착안하여 같은 종류의 다른 물건으로 바꾸는 것을 허용하지 않는 물건을 말한다. 이에 대하여 바꾸는 것이 허용되는 물건이 불특정물이다. 특정물 · 불특정물의 구별은 거래당사자의 주관적 의사에 의한 구별로서 물건의 구별이라기 보다는 거래방법의 구별이라고 할 수 있다. 예컨대 금전 · 곡물과 같은 대체물이라도 특정용기에 넣거나 봉합으로 하는 경우 등에는 특정물이 되고, 소나 말과 같은 불대체물도 대량으로 거래하는 경우에는 불특정물이 되기도 한다.

특정물채권
(特定物債權)

특정물의 인도를 목적으로 하는 채권으로서 특정물의 점유뿐만 아니라 소유권의 이전까지 포함된다. 종류채권이나 선택채권에서 목적물이 특정된 때에는 그때부터 특정물채권이 된다. 특정물채권의 채무자는 그 물건을 인도하기까지 선량한 관리자의 주의로 보존하여야 한다(제374조). 채무자가 선관주의를 게을리하여 목적물을 멸실 또는 훼손케 한 때에는 손해배상의 책임을 진다(제390조).

특정후견
(特定後見)

질병, 장애, 노령, 그 밖의 사유로 인한 정신적 제약으로 일시적 후원 또는 특정한 사무에 관한 후원이 필요한 사람에 대하여 본인, 배우자, 4촌 이내의 친족, 미성년후견인, 미성년후견감독인, 검사 또는 지방자치단체의 장의 청구에 의하여 가정법원이 심판하는 것을 말한다.

편무계약
(片務契約)
☑ 제28회, 제35회

당사자 일방만이 급부를 하고, 상대방은 이에 대응하는 반대급부를 하지 않는 계약을 말한다. 편무계약은 쌍무계약과 달리 동시이행의 항변권이나 위험부담 등의 문제가 발생하지 않는다. 우리 민법상 전형계약 중 증여 · 사용대차 · 현상광고가 이에 해당하며, 무상소비대차 · 무상위임 및 무상임치도 이에 속한다.

포괄승계
(包括承繼)
☑ 제29회

포괄승계는 하나의 법률상의 원인에 의하여 당사자의 의사와 관계없이 전주의 모든 권리 · 의무를 일괄하여 승계하는 승계취득을 말한다. 예컨대 회사 합병(상법 제235조)이나 상속(제1005조)으로 인하여 합병회사와 상속인은 합작 전의 회사 및 피상속인의 권리 · 의무를 포괄적으로 승계한다.

표현대리
(表現代理)
☑ 제26회~제29회, 제32회, 제33회

대리인에게 대리권이 없음에도 불구하고 마치 그것이 있는 것과 같은 외관이 있고 또한 그러한 외관의 발생에 관하여 본인이 어느 정도 원인을 주고 있는 경우에, 그 무권대리행위에 대해 본인으로 하여금 책임을 지게 함으로써 선의 · 무과실의 제3자를 보호하려는 제도를 말한다.

피성년후견인
(成年被後見人)

질병, 장애, 노령, 그 밖의 사유로 인한 정신적 제약으로 사무를 처리할 능력이 지속적으로 결여된 사람으로서 가정법원에 의해서 성년후견개시의 심판을 받은 자를 말한다. 본인, 배우자, 4촌 이내의 친족, 미성년후견인, 미성년후견감독인, 한정후견인, 한정후견감독인, 특정후견인, 특정후견감독인, 검사 또는 지방자치단체의 장의 청구에 의하여 가정법원이 성년후견개시의 심판을 한다. 피성년후견인의 법률행위는 취소할 수 있다. 다만, 일용품의 구입 등 일상생활에 필요하고 그 대가가 과도하지 아니한 법률행위는 성년후견인이 취소할 수 없다.

피한정후견인
(限定被後見人)

질병, 장애, 노령, 그 밖의 사유로 인한 정신적 제약으로 사무를 처리할 능력이 부족한 사람으로서 가정법원에 의해서 한정후견개시의 심판을 받은 자를 말한다. 본인, 배우자, 4촌 이내의 친족, 미성년후견인, 미성년후견감독인, 성년후견인, 성년후견감독인, 특정후견인, 특정후견감독인, 검사 또는 지방자치단체의 장의 청구에 의하여 가정법원이 한정후견개시의 심판을 한다. 가정법원은 피한정후견인이 한정후견인의 동의를 받아야 하는 행위의 범위를 정할 수 있다. 한정후견인의 동의가 필요한 법률행위를 피한정후견인이 한정후견인의 동의 없이 하였을 때에는 그 법률행위를 취소할 수 있다. 다만, 일용품의 구입 등 일상생활에 필요하고 그 대가가 과도하지 아니한 법률행위에 대하여는 그러하지 아니하다.

필요비
(必要費)
☑ 제26회~제29회, 제34회

물건의 보존을 위하여 지출한 비용과 같이 물건 자체에 기여하기 위한 비용을 말한다.

사례 1 임차인이 자기의 비용으로써 임차한 건물을 수리하든가 기타 건물의 보존유지에 통상 필요한 비용을 지출했을 경우, 공과금을 냈을 경우 그 지출한 비용을 말한다.

하자담보책임
(瑕疵擔保責任)
☑ 제26회, 제28회, 제29회

매매 기타의 유상계약(有償契約)에 있어서 그 목적물에 하자가 있을 때에 일정한 요건하에 매도인 등 인도자(引渡者)가 부담하는 담보책임을 말한다. 하자로 인하여 매수인이 계약의 목적을 달성할 수 없는 경우에는 매수인이 계약을 해제하고 손해배상을 청구할 수가 있고, 그렇지 않은 경우에는 완전물의 급부와 대금감액 및 손해배상의 청구를 할 수 있다(제580조, 제581조).

합유
(合有)
☑ 제27회, 제29회, 제34회

공동소유의 한 형태로서 수인이 조합체로서 물건을 소유하는 형태를 말한다(제271조 제1항). 개인적 색채가 강한 공유(共有)와 단체적 색채가 강한 총유(總有)의 중간형태이며, 합유자 간의 단체적 구속력이 강한 점에서 총유와 비슷하고, 합유자가 지분(持分)을 가지는 점에서는 공유와 비슷하다. 그러나 합유자의 지분은 공동목적을 위하여 구속되어 있으므로 지분을 공유처럼 자유로이 처분하지 못하며, 분할의 청구도 할 수 없다.

해제
(解除)
☑ 제26회~제35회

유효하게 성립한 법률관계를 당사자 일방의 의사표시에 의하여 처음부터 계약이 존재하지 않았던 것으로 소급적으로 소멸시키는 것을 말한다. 본래 계약이 일단 성립한 후에는 당사자가 이를 마음대로 해제하지 못하므로 계약을 해제할 수 있는 것은 당사자가 해제권을 가지는 경우에 한한다.

참고 | 해제와 취소의 비교

구 분	해 제	취 소
적용범위	계약에서만 인정	모든 법률행위에 인정
발생사유	• 법률의 규정 ⇨ 법정해제권 • 당사자 사이의 계약 ⇨ 약정해제권	법률규정에 의해서만 발생(제한능력자, 착오, 사기·강박)
행사기간	형성권으로서 10년간 행사하지 않으면 소멸	추인할 수 있는 날로부터 3년, 법률행위를 한 날로부터 10년
효 과	• 원상회복의무가 발생 • 손해배상의 문제가 발생	• 부당이득반환의무가 발생 • 손해배상의 문제가 발생하지 않음

해제계약
(解除契約)
☑ 제30회

해제권의 유무와 관계없이 기존 계약의 효력을 새로운 계약에 의하여 소멸하게 하는 경우에 그 새로운 계약을 말한다. 합의해제(合意解除)라고도 한다.

해제권
(解除權)
☑ 제26회~제28회, 제33회

일방적인 의사표시에 의하여 유효하게 성립한 계약을 해제시키려는 권리를 말한다. 당사자 일방의 채무불이행을 원인으로 법률의 규정에 의하여 당연히 채무자가 채무를 이행하지 않았을 때와 그 밖에 특정한 경우에는 계약을 해제할 수 있다.

해지
(解止)
☑ 제26회~제32회

계속적 계약관계에서 그 효력을 장래를 향하여 소멸시키는 계약당사자의 일방적 의사표시를 말한다. 이러한 해지가 행해지면 해제와는 달리 장래를 향해서만 계약관계를 해소하는 것이므로 해지 이전의 계약관계는 유효한 것으로 남게 된다.

현명주의
(顯名主義)

대리인이 그의 권한 내에서 의사표시를 하는 경우에는 상대방에 대하여 본인을 위하여 하는 것임을 표시하지 않으면 아니 된다. 즉, 대리의사를 표시하여 의사표시를 하여야 하는데 이것을 현명주의라고 한다.

현존이익
(現存利益)
☑ 제29회

어떤 사실에 의하여 받은 이익이 그 후의 멸실·훼손·소비 등으로 감소한 경우 그 잔여의 이익을 말한다. 이익이 현존한다 함은 사실상의 이익이 그대로 있거나 또는 그것이 변형되어 잔존하고 있는 것을 말하는데, 받을 것을 이미 소비한 경우에는 이익이 현존하지 않으나 필요한 비용(생활비 등)에 충당한 경우에는 다른 재산의 소비를 면하는 것이므로 그 한도에서 이익이 현존하는 것이 된다.

형성권
(形成權)
☑ 제34회

권리자의 일방적인 의사표시에 의해서 법률관계의 변동(권리의 발생·변경·소멸)을 일으키게 하는 권리를 말한다(예 취소권, 추인권, 해제권, 해지권, 상계권, 채무변제, 상속의 포기, 공유물분할청구권, 지상물매수청구권, 부속물매수청구권, 지료증감청구권 등).

혼동
(混同)

서로 대립하는 두 개의 법률상 지위 또는 자격이 동일인(同一人)에게 귀속하는 것을 말하며 이는 물권과 채권의 공통소멸 원인이다. 동일한 물건에 대한 소유권과 제한물건이 동일인에게 귀속한 경우에는 그 제한물건을 소멸하는 것이 원칙이며, 채권과 채무가 동일한 주체에 귀속한 때에는 채권은 원칙적으로 소멸한다.

혼화
(混和)

소유자를 각각 달리하는 수개의 물건이 혼합이나 융화에 의하여 원물을 식별할 수 없게 되는 것을 말한다. 부합(附合) · 가공(加工)과 함께 소유권 취득의 원인인 첨부(添附)에 속하며, 곡물 · 금전과 같은 고형종류물(固形種類物)의 혼합과 술 · 기름과 같은 유동종류물(流動種類物)의 융화의 두 가지가 있다. 그 성질은 일종의 동산의 부합이라 할 수 있고, 따라서 일반적으로 동산의 부합에 관한 규정이 준용되며 효과도 마찬가지이다. 즉, 원물의 소유자는 혼화물의 분리를 청구하지 못하고, 혼화물은 그 주된 동산의 소유자가 소유권을 취득한다. 만약 주종(主從)을 구별할 수 없을 때에는 혼화 당시의 가격비율에 따라 각 소유자가 이를 공유(共有)한다(제258조).

환매
(還買)

☑ 제27회, 제30회, 제32회~제34회

매매계약과 동시에 체결된 특약으로 매도인이 보류한 해제권을 행사하여 매매계약을 해제하고 매매의 목적물을 다시 사는 것을 말한다. 형성권이다. 환매는 매매계약과 동시에 하여야 하고, 환매기간은 부동산은 5년, 동산은 3년을 넘지 못한다(강행규정). 환매대금은 영수한 대금과 매수인이 부담한 매매비용을 넘지 못한다(임의규정).

후발적 불능
(後發的 不能)

계약이 성립한 때는 이행이 가능했지만, 성립 후 이행 전에 이행이 불가능하게 된 경우를 말한다. 원시적 불능과는 달리 일단 효력이 있는 계약이 성립되었기 때문에 계약을 한 그 후의 효과가 문제가 된다. 불능이 채무자의 책임 있는 사유에 의하여 발생하였을 때에는 채무불이행으로서 채권자는 손해배상을 청구할 수 있다. 반면에 채무자의 귀책사유가 없을 때에는 채무는 소멸하지만 채무가 쌍무계약에서 발생한 경우에는 위험부담의 문제가 발생한다.

부동산공법

PART 03

부동산공법

가각전제 (街角剪除)

가각전제는 도로의 교차지점에서의 교통을 원활히 하고 시야를 충분히 확보하기 위하여 추가적인 공간을 확보한 것을 의미한다.
너비 8m 미만인 도로의 모퉁이에 위치한 대지의 도로모퉁이 부분의 건축선은 그 대지에 접한 도로경계선의 교차점으로부터 도로경계선에 따라 다음의 표에 따른 거리를 각각 후퇴한 두 점을 연결한 선으로 한다.

도로의 교차각	해당 도로의 너비		교차되는 도로의 너비
	6미터 이상 8미터 미만	4미터 이상 6미터 미만	
90° 미만	4미터	3미터	6미터 이상 8미터 미만
	3미터	2미터	4미터 이상 6미터 미만
120° 미만	3미터	2미터	6미터 이상 8미터 미만
	2미터	2미터	4미터 이상 6미터 미만

:: 참고 | 도로모퉁이의 가각전제

1. 필요성 : 도로모퉁이에서의 가각전제를 하는 이유는 차량의 회전반경을 확보하기 위해서 후퇴하는 것이다.
2. 요 건
   ① 교차하는 2개의 도로가 모두 8m 미만이어야 한다.
   ② 교차각이 120° 미만이어야 한다.
3. 효 과
   ① 교차점으로부터 후퇴하는 길이는 2m 이상 4m 이하이다.
   ② 대지면적을 산정할 때에는 도로경계선으로부터 건축선까지의 대지 부분은 제외한다.

가설건축물 (假設建築物)

☑ 제28회, 제31회

공사의 규모・내용・기일 등에 따라 그 정도가 달라지고 조립 또는 해체가 쉽고 반복해서 사용할 수 있는 건물 등을 말한다. 도시・군계획시설 및 도시・군계획시설예정지에서 가설건축물을 건축하려는 자는 특별자치시장・특별자치도지사 또는 시장・군수・구청장의 허가를 받아야 한다. 해당 가설건축물의 건축이 다음의(참고) 어느 하나에 해당하는 경우가 아니면 허가를 하여야 한다.

:: 참고 | 가설건축물 허가기준

①「국토의 계획 및 이용에 관한 법률」제64조(개발행위허가)에 위배되는 경우
② 4층 이상인 경우
③ 구조, 존치기간, 설치목적 및 다른 시설 설치 필요성 등에 관하여 다음의 기준의 범위에서 조례로 정하는 바에 따르지 아니한 경우
1. 철근콘크리트조 또는 철골철근콘크리트조가 아닐 것
2. 존치기간은 3년 이내일 것. 다만, 도시·군계획사업이 시행될 때까지 그 기간을 연장할 수 있다.
3. 전기·수도·가스 등 새로운 간선 공급설비의 설치를 필요로 하지 아니할 것
4. 공동주택·판매시설·운수시설 등으로서 분양을 목적으로 건축하는 건축물이 아닐 것
④ 그 밖에 이 법 또는 다른 법령에 따른 제한규정을 위반하는 경우

감가보상금 (減價補償金)

행정청인 시행자는 도시개발사업의 시행으로 사업 시행 후의 토지 가액(價額)의 총액이 사업 시행 전의 토지 가액의 총액보다 줄어든 경우에는 그 차액에 해당하는 감가보상금을 대통령령으로 정하는 기준에 따라 종전의 토지소유자나 임차권자 등에게 지급하여야 한다.

$$\text{감가보상금} = \frac{\text{시행 전 토지 가액 총액} - \text{시행 후 토지 가액 총액}}{\text{시행 전 토지가액 총액}} \times \text{종전의 토지(수익할 수 있는 권리)의 시행 전 가액}$$

개발밀도관리구역 (開發密度管理區域)

☑ 제29회, 제33회~제35회

개발로 인하여 기반시설이 부족할 것이 예상되나 기반시설의 설치가 곤란한 지역을 대상으로 건폐율 또는 용적률을 강화하여 적용하기 위하여 국토의 계획 및 이용에 관한 법률에 따라 지정하는 구역을 말한다.

:: 참고 | 개발밀도관리구역의 지정권자와 지정기준

1. 지정권자: 특별시장, 광역시장, 특별자치시장, 특별자치도지사, 시장 또는 군수
2. 지정기준: 국토교통부장관이 정함

개발제한구역
(開發制限區域)

국토교통부장관은 도시의 무질서한 확산을 방지하고 도시주변의 자연환경을 보전하여 도시민의 건전한 생활환경을 확보하기 위하여 도시의 개발을 제한할 필요가 있거나 국방부장관의 요청이 있어 보안상 도시의 개발을 제한할 필요가 있다고 인정되면 개발제한구역의 지정 또는 변경을 도시·군관리계획으로 결정할 수 있다.

개발진흥지구
(開發振興地區)
☑ 제35회

주거기능·상업기능·공업기능·유통물류기능·관광기능·휴양기능 등을 집중적으로 개발·정비할 필요가 있는 지구이다.

구분	내용
주거개발진흥지구	주거기능을 중심으로 개발·정비할 필요가 있는 지구
산업·유통 개발진흥지구	공업기능 및 유통·물류기능을 중심으로 개발·정비할 필요가 있는 지구
관광·휴양 개발진흥지구	관광·휴양기능을 중심으로 개발·정비할 필요가 있는 지구
복합개발진흥지구	주거기능, 공업기능, 유통·물류기능 및 관광·휴양기능 중 2 이상의 기능을 중심으로 개발·정비할 필요가 있는 지구
특정개발진흥지구	주거기능, 공업기능, 유통·물류기능 및 관광·휴양기능 외의 기능을 중심으로 특정한 목적을 위하여 개발·정비할 필요가 있는 지구

개발행위허가제
☑ 제26회, 제30회, 제31회, 제34회, 제35회

국토의 계획 및 이용에 관한 법률에서는 개발행위를 하고자 하는 때에 도시·군계획사업에 해당하는 경우 및 규정된 경미한 경우를 제외하고는 특별시장·광역시장·특별자치시장·특별자치도지사·시장 또는 군수의 허가를 받아야 하며 허가받은 사항을 변경하는 경우에도 마찬가지로 허가를 받도록 하고 있다.
이를 개발행위허가제도라고 하는데 계획의 적정성, 기반시설의 확보 여부, 주변 환경과의 조화 등을 고려하여 개발행위에 대한 허가 여부를 결정함으로써 난개발을 방지하기 위한 제도이다.

:: 참고 | 허가를 요하지 아니하는 개발행위

1. 응급조치(재해복구 또는 재난수습)
2. 「건축법」에 따라 신고하고 설치할 수 있는 건축물의 개축·증축 또는 재축과 이에 필요한 범위에서의 토지의 형질 변경
3. 대통령령으로 정하는 경미한 행위

개축 (改築)	기존 건축물의 전부 또는 일부[내력벽 · 기둥 · 보 · 지붕틀(한옥의 경우에는 지붕틀의 범위에서 서까래는 제외) 중 3 이상이 포함되는 경우를 말한다]를 해체하고 그 대지 안에 종전과 같은 규모의 범위에서 건축물을 다시 축조하는 것을 말한다.
건축 (建築)	건축물을 신축 · 증축 · 개축 · 재축하거나 건축물을 이전하는 것을 말한다.

신 축	건축물이 없는 대지(기존 건축물이 해체되거나 멸실된 대지를 포함)에 새로 건축물을 축조(築造)하는 것[부속건축물만 있는 대지에 새로 주된 건축물을 축조하는 것을 포함하되, 개축(改築) 또는 재축(再築)하는 것은 제외]을 말한다.
증 축	기존 건축물이 있는 대지에서 건축물의 건축면적, 연면적, 층수 또는 높이를 늘리는 것을 말한다.
개 축	기존 건축물의 전부 또는 일부[내력벽 · 기둥 · 보 · 지붕틀(한옥의 경우에는 지붕틀의 범위에서 서까래는 제외) 중 셋 이상이 포함되는 경우를 말한다]를 해체하고 그 대지에 종전과 같은 규모의 범위에서 건축물을 다시 축조하는 것을 말한다.
재 축	건축물이 천재지변이나 그 밖의 재해(災害)로 멸실된 경우 그 대지에 다음의 요건을 모두 갖추어 다시 축조하는 것을 말한다. 1. 연면적 합계는 종전 규모 이하로 할 것 2. 동(棟)수, 층수 및 높이는 다음의 어느 하나에 해당할 것 ① 동수, 층수 및 높이가 모두 종전 규모 이하일 것 ② 동수, 층수 또는 높이의 어느 하나가 종전 규모를 초과하는 경우에는 해당 동수, 층수 및 높이가 「건축법」(이하 “법”이라 한다), 이 영 또는 건축조례(이하 “법령등”이라 한다)에 모두 적합할 것
이 전	건축물의 주요구조부를 해체하지 아니하고 같은 대지의 다른 위치로 옮기는 것을 말한다.

건축면적
(建築面積)

☑ 제33회

건축물의 외벽(외벽이 없는 경우에는 외곽 부분의 기둥을 말한다)의 중심선으로 둘러싸인 부분의 수평투영면적으로 한다. 다만, 다음의 어느 하나에 해당하는 경우에는 다음에서 정하는 기준에 따라 산정한다.

1. 처마, 차양, 부연(附椽), 그 밖에 이와 비슷한 것으로서 그 외벽의 중심선으로부터 수평거리 1m 이상 돌출된 부분이 있는 건축물의 건축면적은 그 돌출된 끝부분으로부터 다음의 구분에 따른 수평거리를 후퇴한 선으로 둘러싸인 부분의 수평투영면적으로 한다.
   ① 전통사찰 : 4m 이하의 범위에서 외벽의 중심선까지의 거리
   ② 가축에게 사료 등을 투여하는 부위의 상부에 한쪽 끝은 고정되고 다른 쪽 끝은 지지되지 아니한 구조로 된 돌출차양이 설치된 축사 : 3m 이하의 범위에서 외벽의 중심선까지의 거리
   ③ 한옥 : 2m 이하의 범위에서 외벽의 중심선까지의 거리
   ④ 환경친화적자동차의 개발 및 보급 촉진에 관한 법률 시행령 제18조의5에 따른 충전시설(그에 딸린 충전 전용 주차구획을 포함한다)의 설치를 목적으로 처마, 차양, 부연, 그 밖에 이와 비슷한 것이 설치된 공동주택(주택법에 따른 사업계획 승인 대상으로 한정한다) : 2미터 이하의 범위에서 외벽의 중심선까지의 거리
   ⑤ 신에너지 및 재생에너지 개발·이용·보급 촉진법 제2조 제3호에 따른 신·재생에너지 설비(신·재생에너지를 생산하거나 이용하기 위한 것만 해당한다)를 설치하기 위하여 처마, 차양, 부연, 그 밖에 이와 비슷한 것이 설치된 건축물로서 녹색건축물 조성 지원법 제17조에 따른 제로에너지건축물 인증을 받은 건축물 : 2미터 이하의 범위에서 외벽의 중심선까지의 거리
   ⑥ 그 밖의 건축물 : 1m
2. 다음의 경우에는 건축면적에 산입하지 아니한다.
   ① 지표면으로부터 1m 이하에 있는 부분(창고 중 물품을 입출고하기 위하여 차량을 접안시키는 부분의 경우에는 지표면으로부터 1.5m 이하에 있는 부분)
   ② 건축물 지상층에 일반인이나 차량이 통행할 수 있도록 설치한 보행통로나 차량통로
   ③ 지하주차장의 경사로
   ④ 건축물 지하층의 출입구 상부(출입구 너비에 상당하는 규모의 부분을 말한다)
   ⑤ 생활폐기물 보관함(음식물쓰레기, 의류 등의 수거함을 말한다)
   ⑥ 「다중이용업소의 안전관리에 관한 특별법 시행령」 제9조에 따라 기존의 다중이용업소(2004년 5월 29일 이전의 것만 해당한다)의 비상구에 연결하여 설치하는 폭 2m 이하의 옥외 피난계단(기존 건축물에 옥외 피난계단을 설치함으로써 법 제55조에 따른 건폐율의 기준에 적합하지 아니하게 된 경우만 해당한다)
   ⑦ 「영유아보육법」 제15조에 따른 영유아어린이집(2005년 1월 29일 이전에 설치된 것만 해당한다)의 비상구에 연결하여 설치하는 폭 2m 이하의 영유아용 대피용 미끄럼대 또는 비상계단(기존 건축물에 영유아용 대피용 미끄럼대 또는 비상계단을 설치함으로써 법 제55조에 따른 건폐율 기준에 적합하지 아니하게 된 경우만 해당한다)
   ⑧ 「장애인·노인·임산부 등의 편의증진 보장에 관한 법률 시행령」 별표 2 제3호 가목(6)에 따른 장애인용 승강기, 장애인용 에스컬레이터, 휠체어리프트 또는 경사로
   ⑨ 「가축전염병 예방법」 제17조 제1항 제1호에 따른 소독설비를 갖추기 위하여 같은 호에 따른 가축사육시설(2015년 4월 27일 전에 건축되거나 설치된 가축사육시설로 한정한다)에서 설치하는 시설

⑩ 「매장유산 보호 및 조사에 관한 법률 시행령」 제14조 제1항 제1호 및 제2호에 따른 현지보존 및 이전보존을 위하여 매장문화재 보호 및 전시에 전용되는 부분
⑪ 「가축분뇨의 관리 및 이용에 관한 법률」 제12조 제1항에 따른 처리시설(법률 제12516호 가축분뇨의 관리 및 이용에 관한 법률 일부개정법률 부칙 제9조에 해당하는 배출시설의 처리시설로 한정한다)
⑫ 「영유아보육법」 제15조에 따른 설치기준에 따라 직통계단 1개소를 갈음하여 건축물의 외부에 설치하는 비상계단(같은 조에 따른 어린이집이 2011년 4월 6일 이전에 설치된 경우로서 기존 건축물에 비상계단을 설치함으로써 법 제55조에 따른 건폐율 기준에 적합하지 않게 된 경우만 해당한다)

건축물
(建築物)
☑ 제26회, 제33회

토지에 정착하는 공작물 중 지붕과 기둥 또는 벽이 있는 것과 이에 딸린 시설물, 지하나 고가의 공작물에 설치하는 사무소·공연장·점포·차고·창고, 그 밖에 대통령령으로 정하는 것을 말한다.

건축물의 용도변경
(建築物의 用途變更)
☑ 제29회, 제34회

용도변경이란 건축물을 최초의 용도가 아닌 다른 용도로 바꾸어 사용하는 것을 말한다. 건축물의 용도변경은 변경하려는 용도의 건축기준에 맞게 하여야 한다.

참고 | 용도변경의 허가·신고

시설군	용도군
1. 자동차관련 시설군	자동차관련시설
2. 산업 등의 시설군	가. 운수시설 나. 창고시설 다. 공장 라. 위험물저장 및 처리시설 마. 자원순환관련시설 바. 묘지관련시설 사. 장례시설
3. 전기통신시설군	가. 방송통신시설 나. 발전시설
4. 문화 및 집회시설군	가. 문화 및 집회시설 나. 종교시설 다. 위락시설 라. 관광휴게시설
5. 영업시설군	가. 판매시설 나. 운동시설 다. 제2종 근린생활시설 중 다중생활시설 라. 숙박시설
6. 교육 및 복지시설군	가. 의료시설 나. 교육연구시설 다. 노유자시설 라. 수련시설 마. 야영장시설
7. 근린생활시설군	가. 제1종 근린생활시설 나. 제2종 근린생활시설(다중생활시설은 제외)
8. 주거업무시설군	가. 단독주택 나. 공동주택 다. 업무시설 라. 교정시설 마. 국방·군사시설
9. 그 밖의 시설군	동물 및 식물관련시설

> 사용승인을 받은 건축물의 용도를 변경하려는 자는 다음의 구분에 따라 국토교통부령으로 정하는 바에 따라 특별자치시장·특별자치도지사 또는 시장·군수·구청장의 허가를 받거나 신고를 하여야 한다.
> - 허가대상: 각 시설군에 속하는 건축물의 용도를 상위군에 해당하는 용도로 변경하는 경우
> - 신고대상: 각 시설군에 속하는 건축물의 용도를 하위군에 해당하는 용도로 변경하는 경우

건축민원전문위원회
(建築民願專門委員會)

☑ 제30회

건축물의 건축 등과 관련된 다음의 민원[특별시장·광역시장·특별자치시장·특별자치도지사 또는 시장·군수·구청장(이하 "허가권자"라 한다)의 처분이 완료되기 전의 것으로 한정하며, 이하 "질의민원"이라 한다]을 심의하며, 시·도지사가 설치하는 건축민원전문위원회(이하 "광역지방건축민원전문위원회"라 한다)와 시장·군수·구청장이 설치하는 건축민원전문위원회(이하 "기초지방건축민원전문위원회"라 한다)로 구분한다.

> 1. 건축법령의 운영 및 집행에 관한 민원
> 2. 건축물의 건축 등과 복합된 사항으로서 제11조 제5항 각 호에 해당하는 법률 규정의 운영 및 집행에 관한 민원
> 3. 그 밖에 대통령령으로 정하는 민원

건축법
(建築法)

☑ 제26회, 제28회, 제30회, 제33회

건축물의 대지·구조·설비기준 및 용도 등을 정하여 건축물의 안전·기능·환경 미관을 향상시킴으로써 공공복리의 증진에 이바지함을 목적으로 제정된 법률이다.

> **:: 참고 | 건축법의 적용을 받지 않는 건축물**
> 1. 문화유산의 보존 및 활용에 관한 법률에 따른 지정문화유산이나 임시지정문화유산 또는 자연유산의 보존 및 활용에 관한 법률에 따라 지정된 천연기념물등이나 임시지정천연기념물, 임시지정명승, 임시지정시·도자연유산, 임시자연유산자료
> 2. 철도나 궤도의 선로 부지에 있는 다음의 시설
>   ① 운전보안시설　② 철도선로의 위나 아래를 가로지르는 보행시설
>   ③ 플랫폼　④ 해당 철도 또는 궤도사업용 급수·급탄 및 급유시설
> 3. 고속도로 통행료 징수시설
> 4. 컨테이너를 이용한 간이창고(산업집적활성화 및 공장설립에 관한 법률에 따른 공장의 용도로만 사용되는 건축물의 대지 안에 설치하는 것으로서 이동이 쉬운 것에 한함)
> 5. 「하천법」에 따른 하천구역 내의 수문조작실

건축분쟁전문위원회 (建築紛爭專門委員會)
☑ 제28회, 제32회

건축 등과 관련된 다음의 분쟁(「건설산업기본법」에 따른 조정의 대상이 되는 분쟁은 제외한다. 이하 같다)의 조정(調停) 및 재정(裁定)을 하기 위하여 국토교통부에 건축분쟁전문위원회(이하 "분쟁위원회"라 한다)를 둔다.

1. 건축관계자와 해당 건축물의 건축등으로 피해를 입은 인근주민(이하 "인근주민"이라 한다) 간의 분쟁
2. 관계전문기술자와 인근주민 간의 분쟁
3. 건축관계자와 관계전문기술자 간의 분쟁
4. 건축관계자 간의 분쟁
5. 인근주민 간의 분쟁
6. 관계전문기술자 간의 분쟁
7. 그 밖에 대통령령으로 정하는 사항

건축선 (建築線)
☑ 제34회

대지와 도로의 접한 부분에 있어서 건축물이나 공작물을 설치할 수 있는 한계선을 말하며, 건축물에 의한 도로의 침식을 방지하고 교통의 원활을 도모하는 기능을 한다.

원 칙	건축선은 대지와 도로의 경계선으로 한다.
예 외	1. 소요너비에 못 미치는 너비의 도로인 경우 그 중심선으로부터 그 소요너비의 2분의 1의 수평거리만큼 물러난 선을 건축선으로 하되, 그 도로의 반대쪽에 경사지, 하천, 철도, 선로부지, 그 밖에 이와 유사한 것이 있는 경우에는 그 경사지 등이 있는 쪽의 도로경계선에서 소요너비에 해당하는 수평거리의 선을 건축선으로 한다. 2. 지정건축선 ① 특별자치시장・특별자치도지사 또는 시장・군수・구청장은 시가지 안에서 건축물의 위치나 환경을 정비하기 위하여 필요하다고 인정하면 도시지역에는 4m 이하의 범위에서 건축선을 따로 지정할 수 있다. ② 특별자치시장・특별자치도지사 또는 시장・군수・구청장은 건축선을 지정하면 지체 없이 이를 고시하여야 한다. 3. 도로모퉁이에서의 건축선 너비 8m 미만인 도로의 모퉁이에 위치한 대지의 도로모퉁이 부분의 건축선은 그 대지에 접한 도로경계선의 교차점으로부터 도로경계선에 따라 다음의 표에 따른 거리를 각각 후퇴한 두 점을 연결한 선으로 한다.

도로의 교차각	해당 도로의 너비		교차되는 도로의 너비
	6m 이상 8m 미만	4m 이상 6m 미만	
90° 미만	4m	3m	6m 이상 8m 미만
	3m	2m	4m 이상 6m 미만
90° 이상 120° 미만	3m	2m	6m 이상 8m 미만
	2m	2m	4m 이상 6m 미만

:: 참고 | 건축선에 따른 건축제한

1. 건축물과 담장은 건축선의 수직면을 넘어서는 아니 된다. 다만, 지표 아래 부분은 그러하지 아니하다.
2. 도로면으로부터 높이 4.5m 이하에 있는 출입구, 창문, 그 밖에 이와 유사한 구조물은 열고 닫을 때 건축선의 수직면을 넘지 아니하는 구조로 하여야 한다.

건축신고 (建築申告)

☑ 제29회, 제32회

허가대상 건축물이라 하더라도 다음의 어느 하나에 해당하는 경우에는 미리 특별자치시장 · 특별자치도지사 또는 시장 · 군수 · 구청장에게 국토교통부령으로 정하는 바에 따라 신고를 하면 건축허가를 받은 것으로 본다. 건축신고를 한 자가 신고일부터 1년 이내에 공사에 착수하지 아니하면 그 신고의 효력은 없어진다.

1. 바닥면적의 합계가 $85m^2$ 이내의 증축 · 개축 또는 재축. 다만, 3층 이상 건축물인 경우에는 증축 · 개축 또는 재축하려는 부분의 바닥면적의 합계가 건축물 연면적의 10분의 1 이내인 경우로 한정한다.
2. 국토의 계획 및 이용에 관한 법률에 따른 관리지역, 농림지역 또는 자연환경보전지역에서 연면적이 $200m^2$ 미만이고 3층 미만인 건축물의 건축. 다만, 다음의 어느 하나에 해당하는 구역에서의 건축은 제외한다.
   ① 지구단위계획구역
   ② 방재지구 등 재해취약지역으로서 대통령령으로 정하는 구역
   ③ 연면적이 $200m^2$ 미만이고 3층 미만인 건축물의 대수선
   ④ 주요구조부의 해체가 없는 등 대통령령으로 정하는 대수선
   ⑤ 그 밖에 소규모 건축물로서 대통령령으로 정하는 건축물의 건축

건축허가 (建築許可)

☑ 제29회, 제30회, 제33회

건축물의 건축 · 대수선 또는 용도변경에 관한 일반적인 금지를 일정한 요건 아래 해제하여 종래의 자연적 권리를 회복시켜 주는 행정기관의 처분을 말한다.

:: 참고 | 건축허가의 법적 성격

1. 일반적 · 상대적 금지의 해제 ⇨ 권리회복행위
2. 명령적 행위 : 부작위 하명의 해제
3. 요식행위 : 디스켓, 디스크, 컴퓨터통신으로는 가능
4. 대물적 행정행위 : 허가의 이전성
5. 적법요건 : 불법 건축물도 유효한 사법적 거래의 대상이 됨
6. 법률행위적 행정행위
7. 기속(재량)행위
8. 쌍방적 행정행위
9. 수익적 행정행위

건축허가의 제한 (建築許可의 制限)

☑ 제29회, 제32회, 제35회

국토교통부장관은 국토관리상 특히 필요하다고 인정하거나 주무부장관이 국방, 국가유산의 보존, 환경보전 또는 국민경제상 특히 필요하다고 인정하여 요청하는 경우에는 허가권자의 건축허가나 허가를 받은 건축물의 착공을 제한할 수 있다. 또한 특별시장 · 광역시장 · 도지사는 지역계획이나 도시 · 군계획상 특히 필요하다고 인정하는 경우에는 시장 · 군수 · 구청장의 건축허가나 허가를 받은 건축물의 착공을 제한할 수 있고, 제한한 경우 즉시 국토교통부장관에게 보고하여야 하며, 보고를 받은 국토교통부장관은 제한의 내용이 지나치다고 인정하면 그 해제를 명할 수 있다.

참고 | 제한기간

건축허가나 건축물의 착공을 제한하는 경우 제한기간은 2년 이내로 한다. 다만, 1회에 한하여 1년 이내의 범위에서 제한기간을 연장할 수 있다.

건축협정 (建築協定)

☑ 제31회

토지 또는 건축물의 소유자, 지상권자 등 대통령령으로 정하는 자(이하 "소유자등"이라 한다)는 전원의 합의로 다음의 어느 하나에 해당하는 지역 또는 구역에서 건축물의 건축 · 대수선 또는 리모델링에 관한 협정(이하 "건축협정"이라 한다)을 체결할 수 있다.

1. 「국토의 계획 및 이용에 관한 법률」에 따라 지정된 지구단위계획구역
2. 「도시 및 주거환경정비법」에 따른 주거환경개선사업 또는 주거환경관리사업을 시행하기 위하여 지정 · 고시된 정비구역
3. 「도시재정비 촉진을 위한 특별법」에 따른 존치지역
4. 도시재생 활성화 및 지원에 관한 특별법 제2조 제1항 제5호에 따른 도시재생활성화지역
5. 그 밖에 특별자치시장 · 특별자치도지사 또는 시장 · 군수 · 구청장(이하 "건축협정인가권자"라 한다)이 도시 및 주거환경개선이 필요하다고 인정하여 해당 지방자치단체의 조례로 정하는 구역

건폐율 (建蔽率)

☑ 제27회, 제29회

대지면적에 대한 건축면적(대지에 건축물이 둘 이상 있는 경우에는 이들 건축면적의 합계로 한다)의 비율을 말한다.

결합건축
(結合建築)

☑ 제30회, 제33회

용적률을 개별 대지마다 적용하지 아니하고, 2개 이상의 대지를 대상으로 통합 적용하여 건축물을 건축하는 것을 말한다.
다음의 어느 하나에 해당하는 지역에서 대지간의 최단거리가 100미터 이내의 범위에서 2개의 대지 모두가 아래의 지역 중 동일한 지역에 속하고, 너비 12미터 이상인 도로로 둘러싸인 하나의 구역 안에 있는 2개의 대지의 건축주가 서로 합의한 경우 용적률을 개별 대지마다 적용하지 아니하고, 2개의 대지를 대상으로 통합적용하여 건축물을 건축(결합건축)할 수 있다. 다만, 도시경관의 형성, 기반시설 부족 등의 사유로 해당 지방자치단체의 조례로 정하는 지역 안에서는 결합건축을 할 수 없다. 이 경우, 둘 이상의 토지를 소유한 자가 1명인 경우에도 그 토지 소유자는 결합건축을 할 수 있다.

1. 「국토의 계획 및 이용에 관한 법률」 제36조에 따라 지정된 상업지역
2. 「역세권의 개발 및 이용에 관한 법률」 제4조에 따라 지정된 역세권개발구역
3. 「도시 및 주거환경정비법」 제2조에 따른 정비구역 중 주거환경관리사업의 시행을 위한 구역
4. 건축협정구역, 특별건축구역, 리모델링 활성화구역
5. 「도시재생 활성화 및 지원에 관한 특별법」 제2조 제1항 제5호에 따른 도시재생활성화지역
6. 「한옥 등 건축자산의 진흥에 관한 법률」 제17조 제1항에 따른 건축자산 진흥구역

경관지구
(景觀地區)

☑ 제30회

국토의 계획 및 이용에 관한 법률상 용도지구의 하나로서, 경관을 보호·형성하기 위하여 필요한 지구를 말한다.

구분	내용
자연경관지구	산지, 구릉지 등 자연경관을 보호하거나 유지하기 위하여 필요한 지구
특화경관지구	지역 내 주요 수계의 수변, 문화적 보존가치가 큰 건축물 주변의 경관 등 특별한 경관을 보호 또는 유지하거나 형성하기 위하여 필요한 지구
시가지경관지구	지역 내 주거지, 중심지 등 시가지의 경관을 보호 또는 유지하거나 형성하기 위하여 필요한 지구

고도지구
(高度地區)

국토의 계획 및 이용에 관한 법률상 용도지구의 하나로서, 쾌적한 환경 조성 및 토지의 효율적 이용을 위하여 건축물 높이의 최고한도를 규제할 필요가 있는 지구

참고 | 고도지구 안에서의 건축제한

고도지구 안에서는 도시·군관리계획으로 정하는 높이를 초과하는 건축물을 건축할 수 없다(영 제74조).

공간재구조화계획
(空間再構造化計劃)
☑ 제35회

토지의 이용 및 건축물이나 그 밖의 시설의 용도 · 건폐율 · 용적률 · 높이 등을 완화하는 용도구역의 효율적이고 계획적인 관리를 위하여 수립하는 계획을 말한다.

공개공지 등의 확보
(公開空地 등의 確保)
☑ 제26회, 제27회, 제35회

일반주거지역, 준주거지역, 상업지역, 준공업지역, 특별자치시장 · 특별자치도지사 또는 시장 · 군수 · 구청장이 도시화의 가능성이 크다고 인정하여 지정 · 공고하는 지역의 환경을 쾌적하게 조성하기 위하여 대통령령으로 정하는 용도와 규모의 건축물은 일반이 사용할 수 있도록 대통령령으로 정하는 기준에 따라 소규모 휴식시설 등의 공개공지(공지: 공터) 또는 공개공간을 설치하여야 한다.

참고 | 설치면적

공개공지 등의 면적은 대지면적의 100분의 10 이하의 범위에서 건축조례로 정한다. 이 경우 조경면적과 「매장유산 보호 및 조사에 관한 법률」 시행령에 따른 매장유산의 원형 보존 조치 면적을 공개공지 등의 면적으로 할 수 있다.

공공시설
(公共施設)
☑ 제32회, 제33회

도로 · 공원 · 철도 · 수도 그 밖에 대통령령으로 정하는 공공용 시설을 말한다.

참고 | 공공시설의 귀속

1. 새로운 공공시설: 그 시설을 관리할 관리청에 무상으로 귀속
2. 종래의 공공시설
   - 개발행위자가 행정청인 경우: 개발행위허가를 받은 자에게 무상으로 귀속
   - 개발행위자가 비행정청인 경우: 용도폐지되는 공공시설은 새로 설치한 공공시설의 설치비용에 상당하는 범위 안에서 개발행위허가를 받은 자에게 무상양도 가능

공동구
(共同溝)
☑ 제28회, 제33회, 제34회

전기 · 가스 · 수도 등의 공급설비, 통신시설, 하수도시설 등 지하매설물을 공동 수용함으로써 미관의 개선, 도로구조의 보전 및 교통의 원활한 소통을 위하여 지하에 설치하는 시설물을 말한다.

참고 | 공동구 설치의무자

다음에 해당하는 지역 · 지구 · 구역 등(이하 '지역 등'이라 함)이 200만m^2를 초과하는 경우에는 해당 지역 등에서 개발사업을 시행하는 자(이하 '사업시행자'라 함)는 공동구를 설치하여야 한다.

1. 도시개발법에 따른 도시개발구역
2. 택지개발촉진법에 따른 택지개발지구
3. 경제자유구역의 지정 및 운영에 관한 특별법에 따른 경제자유구역
4. 도시 및 주거환경정비법에 따른 정비구역
5. 공공주택 특별법에 따른 공공주택지구
6. 도청이전을 위한 도시건설 및 지원에 관한 특별법에 따른 도청이전신도시

공동이용시설
(共同利用施設)

☑ 제29회

주민이 공동으로 사용하는 놀이터 · 마을회관 · 공동작업장 그 밖에 대통령령이 정하는 시설을 말한다.

:: 참고 | "대통령령으로 정하는 시설"이란 공동이용시설

1. 공동으로 사용하는 구판장 · 세탁장 · 화장실 및 수도
2. 탁아소 · 어린이집 · 경로당 등 노유자시설
3. 그 밖에 1. 및 2.의 시설과 유사한 용도의 시설로서 시 · 도조례로 정하는 시설

공동주택
(共同住宅)

☑ 제28회, 제30회, 제33회

건축물의 벽 · 복도 · 계단 그 밖의 설비 등의 전부 또는 일부를 공동으로 사용하는 각 세대가 하나의 건축물 안에서 각각 독립된 주거생활을 영위할 수 있는 구조로 된 주택을 말하며, 그 종류와 범위는 다음과 같다.

아파트	주택으로 쓰는 층수가 5개 층 이상인 주택
연립주택	주택으로 쓰는 1개 동의 바닥면적의 합계(지하주차장 면적을 제외)가 660m^2를 초과하고, 층수가 4개 층 이하인 주택
다세대주택	주택으로 쓰는 1개 동의 바닥면적의 합계(지하주차장 면적을 제외)가 660m^2 이하이고, 층수가 4개 층 이하인 주택(2개 이상의 동을 지하주차장으로 연결하는 경우에는 각각의 동으로 보며, 지하주차장 면적은 바닥면적에서 제외)

공사감리자
(工事監理者)

자기의 책임(보조자의 도움을 받는 경우를 포함한다)으로 건축법으로 정하는 바에 따라 건축물, 건축설비 또는 공작물이 설계도서의 내용대로 시공되는지를 확인하고, 품질관리 · 공사관리 · 안전관리 등에 대하여 지도 · 감독하는 자를 말한다.

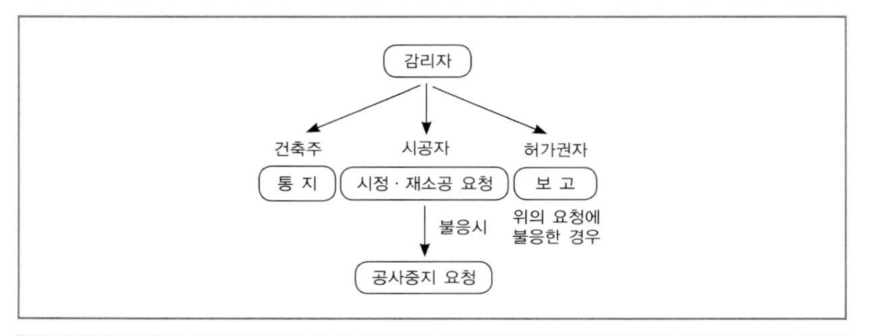

공업지역
(工業地域)

국토의 계획 및 이용에 관한 법률상 도시지역 중의 하나로서, 공업의 편익증진을 위하여 필요한 지역을 말한다.

전용공업지역	주로 중화학공업 · 공해성 공업 등을 수용하기 위하여 필요한 지역
일반공업지역	환경을 저해하지 아니하는 공업의 배치를 위하여 필요한 지역
준공업지역	경공업 기타 공업을 수용하되, 주거기능 · 상업기능 및 업무기능의 보완이 필요한 지역

공유수면매립
(公有水面埋立)

일반적으로 해(海) · 하(河) · 호(湖) · 소(沼) 기타 공공용으로 공유되는 공유수면을 국가의 허가를 받아 매립 또는 간척하는 것을 말한다. 공유수면매립을 하고자 하는 자는 국토교통부장관의 허가를 받아야 한다.

참고 | 공유수면매립지에 관한 용도지역의 지정

1. 공유수면(바다만 해당한다)의 매립목적이 그 매립구역과 이웃하고 있는 용도지역의 내용과 같으면 도시 · 군관리계획의 입안 및 결정 절차의 규정에 불구하고 도시 · 군관리계획의 입안 및 결정 절차 없이 그 매립준공구역은 그 매립의 준공인가일부터 이와 이웃하고 있는 용도지역으로 지정된 것으로 본다. 이 경우 관계 특별시장 · 광역시장 · 특별자치시장 · 특별자치도지사 · 시장 또는 군수는 그 사실을 지체 없이 고시하여야 한다.
2. 공유수면의 매립목적이 그 매립구역과 이웃하고 있는 용도지역의 내용과 다른 경우 및 그 매립구역이 둘 이상의 용도지역에 걸쳐 있거나 이웃하고 있는 경우 그 매립구역이 속할 용도지역은 도시 · 군관리계획결정으로 지정하여야 한다.
3. 관계 행정기관의 장은 공유수면 관리 및 매립에 관한 법률에 따른 공유수면 매립의 준공검사를 하면 국토교통부령으로 정하는 바에 따라 지체 없이 관계 특별시장 · 광역시장 · 특별자치시장 · 특별자치도지사 · 시장 또는 군수에게 통보하여야 한다.

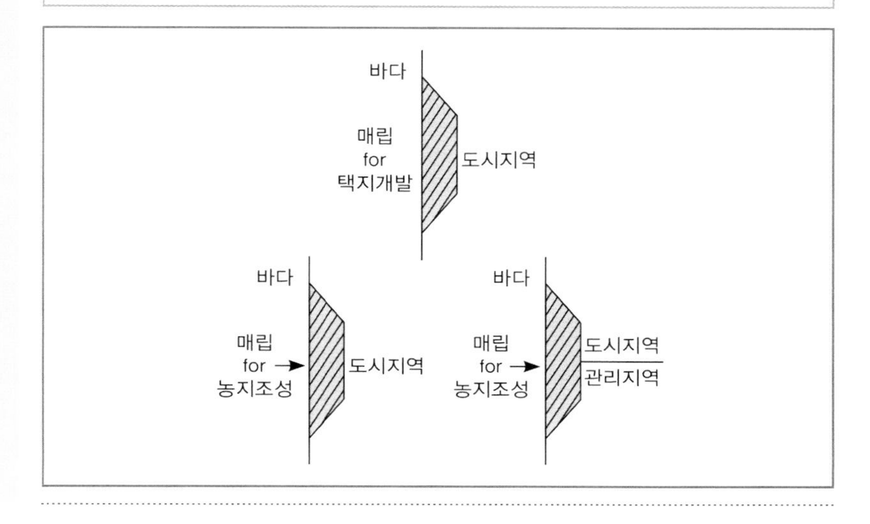

공작물
(工作物)
☑ 제27회, 제30회

건축물과 분리되어 축조되는 옹벽 · 굴뚝 · 광고탑 · 고가수조 · 지하대피호 등을 말한다.

:: 참고 | 신고대상 공작물
1. 2m를 넘는 것: 옹벽 또는 담장
2. 4m를 넘는 것: 장식탑, 기념탑, 첨탑, 광고탑, 광고판
3. 6m를 넘는 것: 굴뚝, 철탑
4. 8m를 넘는 것: 고가수조나 그 밖에 이와 비슷한 것
5. 8m 이하: 기계식 주차장 및 철골 조립식 주차장
6. 5미터를 넘는 것: 태양에너지를 이용하는 발전설비
7. $30m^2$를 넘는 것: 지하대피호

공장
(工場)

물품의 제조 · 가공(염색 · 도장 · 표백 · 재봉 · 건조 · 인쇄 등을 포함) 또는 수리에 계속적으로 이용되는 건축물로서 제2종 근린생활시설 · 위험물 저장 및 처리시설 · 자동차관련시설 · 자원순환관련시설 등으로 따로 분류되지 않는 것을 말한다.

관리지역
(管理地域)
☑ 제33회

국토의 계획 및 이용에 관한 법률상 용도지역 중의 하나로서, 도시지역의 인구와 산업을 수용하기 위하여 도시지역에 준하여 체계적으로 관리하거나 농림업의 진흥, 자연환경 또는 산림의 보전을 위하여 농림지역 또는 자연환경보전지역에 준하여 관리가 필요한 지역을 말한다.

구분	내용
보전관리 지역	자연환경보호, 산림보호, 수질오염방지, 녹지공간 확보 및 생태계보전 등을 위하여 보전이 필요하나, 주변 용도지역과의 관계 등을 고려할 때 자연환경 보전지역으로 지정하여 관리하기가 곤란한 지역
생산관리 지역	농업 · 임업 · 어업생산 등을 위하여 관리가 필요하나, 주변 용도지역과의 관계 등을 고려할 때 농림지역으로 지정하여 관리하기가 곤란한 지역
계획관리 지역	도시지역으로의 편입이 예상되는 지역 또는 자연환경을 고려하여 제한적인 이용 · 개발을 하려는 지역으로서 계획적 · 체계적인 관리가 필요한 지역

관리처분계획
(管理處分計劃)
☑ 제27회, 제29회, 제31회~제33회

관리처분이란 도시 및 주거환경정비법상 정비사업의 시행 후 건축된 건축물의 일부와 그 대지의 지분권(持分權)을 종전 토지 또는 건축물의 가액에 상응하여 분양처분하는 것을 말하며, 관리처분계획이란 사업시행자가 분양신청기간이 종료된 때 기존 건축물을 철거하기 전에 분양신청의 현황을 기초로 다음의 사항이 포함된 내용을 수립한 분양계획을 말한다. 이는 일종의 환권계획이라고 할 수 있으며 이 계획은 시장 · 군수 등의 인가를 받아야 하나, 대통령령이 정하는 경미한 사항을 변경하고자 하는 때에는 시장 · 군수 등에게 신고하기만 하면 된다.

광역도시계획
(廣域都市計劃)

☑ 제26회,
제27회~제29회, 제32회

국토의 계획 및 이용에 관한 법률에 따라 지정된 광역계획권의 장기발전방향을 제시하는 계획을 말한다. 국토교통부장관, 시・도지사, 시장 또는 군수는 다음의 구분에 따라 광역도시계획을 수립하여야 한다.

1. 광역계획권의 공간구조와 기능분담에 관한 사항
2. 광역계획권의 녹지관리체계와 환경보전에 관한 사항
3. 광역시설의 배치・규모・설치에 관한 사항
4. 경관계획에 관한 사항
5. 그 밖에 광역계획권에 속하는 특별시・광역시・시 또는 군 상호 간의 기능연계에 관한 사항으로서 대통령령이 정하는 사항

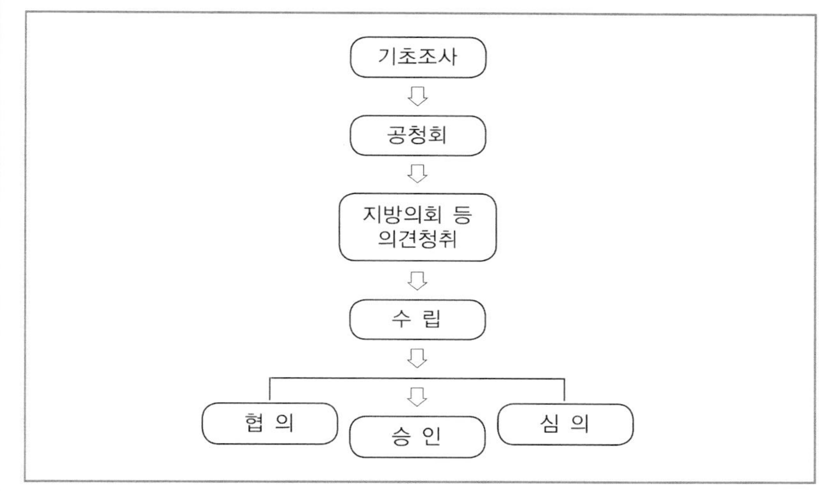

03
부동산공법

광역시설
(廣域施設)
☑ 제28회

기반시설 중 광역적인 정비체계가 필요한 다음의 시설로서 대통령령이 정하는 시설을 말한다.

1. 둘 이상의 특별시 · 광역시 · 특별자치시 · 특별자치도 · 시 또는 군의 관할 구역에 걸치는 시설
2. 둘 이상의 특별시 · 광역시 · 특별자치시 · 특별자치도 · 시 또는 군이 공동으로 이용하는 시설

국가계획
(國家計劃)

중앙행정기관이 법률에 따라 수립하거나 국가의 정책적인 목적달성을 위하여 수립하는 계획 중 도시 · 군기본계획 또는 도시 · 군관리계획으로 결정하여야 할 사항이 포함된 계획을 말한다.

국민주택
(國民住宅)
☑ 제29회, 제33회

다음의 어느 하나에 해당하는 주택으로서 국민주택규모 이하인 주택을 말한다.

1. 국가 · 지방자치단체, 한국토지주택공사 또는 지방공사가 건설하는 주택
2. 국가 · 지방자치단체의 재정 또는 주택도시기금으로부터 자금을 지원받아 건설되거나 개량되는 주택

:: 참고 | 임대주택

임대를 목적으로 하는 주택으로서, 「공공주택 특별법」에 따른 공공임대주택과 「민간임대주택에 관한 특별법」에 따른 민간임대주택으로 구분한다.

국토의 계획 및 이용에 관한 법률
(國土의 計劃 및 利用에 관한 法律)

국토의 이용 · 개발 및 보전을 위한 계획의 수립 및 집행 등에 관하여 필요한 사항을 정함으로써 공공복리의 증진과 국민의 삶의 질을 향상하게 함을 목적으로 하는 법률이다. 이 법률은 종전의 국토이용관리법과 도시계획법을 통합하여 새로 제정한 법률로서 2003년 1월 1일부터 시행하고 있다.

근린생활시설 (近隣生活施設)

☑ 제33회

생활하는 곳 가까이에서 필요한 수요를 공급할 수 있는 시설을 말하며, 제1종 · 제2종 근린생활시설로 나뉜다.

:: 참고 | 용도지역별 건축제한

1. 제1종 근린생활시설은 모든 용도지역에서 건축이 허용되고 있다.
2. 제2종 근린생활시설은 전용주거지역 및 보전녹지지역, 자연환경보전지역에서 건축할 수 없다.

기간시설 (基幹施設)

☑ 제35회

도로 · 상하수도 · 전기시설 · 가스시설 · 통신시설 · 지역난방시설 등을 말한다.

기반시설 (基盤施設)

☑ 제26회~제28회, 제32회, 제33회

다음의 시설을 말한다.

교통시설	도로 · 철도 · 항만 · 공항 · 주차장 · 자동차정류장 · 궤도 차량 검사 및 면허시설
공간시설	광장 · 공원 · 녹지 · 유원지 · 공공공지
유통 · 공급시설	유통업무설비, 수도 · 전기 · 가스 · 열공급설비, 방송 · 통신시설, 공동구 · 시장, 유류저장 및 송유설비
공공 · 문화체육시설	학교 · 공공청사 · 문화시설 · 공공필요성이 인정되는 체육시설 · 연구시설 · 사회복지시설 · 공공직업훈련시설 · 청소년수련시설
방재시설	하천 · 유수지 · 저수지 · 방화설비 · 방풍설비 · 방수설비 · 사방설비 · 방조설비
보건위생시설	장사시설 · 도축장 · 종합의료시설
환경기초시설	하수도, 폐기물처리시설 및 재활용시설, 빗물저장 및 이용시설 · 수질오염방지시설 · 폐차장

:: 참고 | 기반시설의 설치

1. 원칙 : 도시 · 군관리계획으로 결정
2. 예외 : 도시 · 군관리계획으로 결정하지 않고 설치가능

기반시설부담구역 (基盤施設負擔區域)

☑ 제26회~제28회, 제30회, 제35회

개발밀도관리구역 외의 지역으로서 개발로 인하여 도로, 공원, 녹지 등 대통령령으로 정하는 기반시설의 설치가 필요한 지역을 대상으로 기반시설을 설치하거나 그에 필요한 용지를 확보하게 하기 위하여 기반시설부담구역의 지정에 관한 규정에 따라 지정·고시하는 구역을 말한다.

참고 | 기반시설부담구역의 지정

특별시장·광역시장·특별자치시장·특별자치도지사·시장 또는 군수는 다음의 어느 하나에 해당하는 지역에 대하여는 기반시설부담구역으로 지정하여야 한다. 다만, 개발행위가 집중되어 특별시장·광역시장·특별자치시장·특별자치도지사·시장 또는 군수가 해당 지역의 계획적 관리를 위하여 필요하다고 인정하면 다음에 해당하지 아니하는 경우라도 기반시설부담구역으로 지정할 수 있다.

1. 이 법 또는 다른 법령의 제정·개정으로 인하여 행위 제한이 완화되거나 해제되는 지역
2. 이 법 또는 다른 법령에 따라 지정된 용도지역 등이 변경되거나 해제되어 행위 제한이 완화되는 지역
3. 개발행위허가 현황 및 인구증가율 등을 고려하여 대통령령으로 정하는 지역
   ① 해당 지역의 전년도 개발행위허가 건수가 전전년도 개발행위허가 건수보다 20% 이상 증가한 지역
   ② 해당 지역의 전년도 인구증가율이 그 지역이 속하는 특별시·광역시·특별자치시·특별자치도·시 또는 군(광역시의 관할 구역에 있는 군은 제외한다)의 전년도 인구증가율보다 20% 이상 높은 지역

기반시설설치비용 (基盤施設設置費用)

☑ 제28회, 제30회, 제31회

단독주택 및 숙박시설 등 대통령령으로 정하는 시설의 신·증축 행위로 인하여 유발되는 기반시설을 설치하거나 그에 필요한 용지를 확보하기 위하여 기반시설설치비용의 납부 및 체납처분에 관한 규정에 따라 부과·징수하는 금액을 말한다.

참고 | 기반시설설치비용 납부의무

1. 부과대상: 연면적 200m^2를 초과하는 단독주택 및 숙박시설 등의 신축·증축
2. 부과권자: 특별시장·광역시장·특별자치시장·특별자치도지사·시장 또는 군수
3. 부과시기: 건축허가를 받은 날부터 2개월 이내
4. 납부시기: 사용승인 신청시까지
5. 강제징수: 미납시 지방행정제재·부과금의 징수 등에 관한 법률에 따라 징수

참고 | 기반시설유발계수

1. 단독주택, 공동주택: 0.7
2. 제1종 근린생활시설: 1.3
3. 제2종 근린생활시설: 1.6
4. 문화 및 집회시설: 1.4
5. 종교시설: 1.4
6. 판매시설: 1.3

7. 운수시설: 1.4
8. 의료시설: 0.9
9. 교육연구시설, 노유자시설, 수련시설, 운동시설, 업무시설: 0.7
10. 숙박시설: 1.0
11. 위락시설: 2.1

노후·불량건축물
(老朽·不良建築物)

다음의 어느 하나에 해당하는 건축물을 말한다.

1. 건축물이 훼손되거나 일부가 멸실되어 붕괴 그 밖의 안전사고의 우려가 있는 건축물
2. 내진성능이 확보되지 아니한 건축물 중 중대한 기능적 결함 또는 부실 설계·시공으로 인한 구조적 결함 등이 있는 건축물로서 대통령령으로 정하는 건축물
3. 다음의 요건에 해당하는 건축물로서 대통령령으로 정하는 바에 따라 특별시·광역시·특별자치시·도·특별자치도 또는 지방자치법 제175조에 따른 서울특별시·광역시 및 특별자치시를 제외한 인구 50만 이상 대도시(이하 "대도시"라 한다)의 조례(이하 "시·도조례"라 한다)로 정하는 건축물
   ① 주변 토지의 이용상황 등에 비추어 주거환경이 불량한 곳에 소재할 것
   ② 건축물을 철거하고 새로운 건축물을 건설하는 경우 그에 소요되는 비용에 비하여 효용의 현저한 증가가 예상될 것
4. 도시미관을 저해하거나 노후화로 인하여 구조적 결함 등이 있는 건축물로서 대통령령으로 정하는 바에 따라 다음으로 정하는 건축물
   ① 준공된 후 20년 이상 30년 이하의 범위에서 조례로 정하는 기간이 지난 건축물
   ② 국토의 계획 및 이용에 관한 법률의 규정에 따른 도시·군기본계획의 경관에 관한 사항에 어긋나는 건축물

녹지지역
(綠地地域)

국토의 계획 및 이용에 관한 법률상 도시지역 중의 하나로서, 자연환경·농지 및 산림의 보호, 보건위생, 보안과 도시의 무질서한 확산방지를 위한 녹지의 보전이 필요한 지역을 말한다.

구분	내용
보전녹지지역	도시의 자연환경·경관·산림 및 녹지공간을 보전할 필요가 있는 지역
생산녹지지역	주로 농업적 생산을 위하여 개발을 유보할 필요가 있는 지역
자연녹지지역	도시의 녹지공간의 확보, 도시확산의 방지, 장래 도시용지의 공급 등을 위하여 보전할 필요가 있는 지역으로 불가피한 경우에 한하여 제한적인 개발이 허용되는 지역

농업법인
(農業法人)

농어업경영체 육성 및 지원에 관한 법률에 따라 설립된 영농조합법인과 같은 법에 따라 설립되고 업무집행권을 가진 자 중 3분의 1 이상이 농업인인 농업회사법인을 말한다.

농업인
(農業人)
☑ 제28회

농업에 종사하는 개인으로서 다음에 해당하는 자를 말한다.

1. 1천m^2 이상의 농지에서 농작물 또는 다년생식물을 경작 또는 재배하거나 1년 중 90일 이상 농업에 종사하는 자
2. 농지에 330m^2 이상의 고정식온실·버섯재배사·비닐하우스, 그 밖의 농림축산식품부령으로 정하는 농업생산에 필요한 시설을 설치하여 농작물 또는 다년생식물을 경작 또는 재배하는 자
3. 대가축 2두, 중가축 10두, 소가축 100두, 가금 1천수 또는 꿀벌 10군 이상을 사육하거나 1년 중 120일 이상 축산업에 종사하는 자
4. 농업경영을 통한 농산물의 연간 판매액이 120만원 이상인 자

농업진흥지역
(農業振興地域)
☑ 제31회

농지법에 따라 시·도지사가 농지를 효율적으로 이용하고 보전하기 위하여 시·도 농업·농촌 및 식품산업정책심의회의 심의를 거쳐 농림축산식품부장관의 승인을 받아 지정된 지역이다. 농업진흥지역 지정은 국토의 계획 및 이용에 관한 법률에 따른 녹지지역·관리지역·농림지역 및 자연환경보전지역을 대상으로 한다. 다만, 특별시의 녹지지역은 제외한다.

참고 | 농업진흥지역의 구분

1. 농업진흥구역: 농업의 진흥을 도모하여야 하는 다음의 어느 하나에 해당하는 지역으로서 농림축산식품부장관이 정하는 규모로 농지가 집단화되어 농업 목적으로 이용할 필요가 있는 지역
   ① 농지조성사업 또는 농업기반정비사업이 시행되었거나 시행 중인 지역으로서 농업용으로 이용하고 있거나 이용할 토지가 집단화되어 있는 지역
   ② 위 ①에 해당하는 지역 외의 지역으로서 농업용으로 이용하고 있는 토지가 집단화되어 있는 지역
2. 농업보호구역: 농업진흥구역의 용수원 확보, 수질 보전 등 농업 환경을 보호하기 위하여 필요한 지역

농지
(農地)

☑ 제27회, 제30회, 제33회

다음의 어느 하나에 해당하는 토지를 말한다.

1. 전・답, 과수원, 그 밖에 법적 지목(地目)을 불문하고 실제로 농작물 경작지 또는 다년생식물 재배지로 이용되는 토지. 다만, 초지법에 따라 조성된 초지 등 대통령령으로 정하는 토지는 제외한다.
   ① 목초・종묘・인삼・약초・잔디 및 조림용 묘목
   ② 과수・뽕나무・유실수 그 밖의 생육기간이 2년 이상인 식물
   ③ 조경 또는 관상용 수목과 그 묘목(조경목적으로 식재한 것을 제외한다)
2. 농작물의 경작지 또는 다년생식물 재배지로 이용하고 있는 토지의 개량시설로서 다음의 어느 하나에 해당하는 시설의 부지
   ① 유지(溜池), 양・배수시설, 수로, 농로, 제방
   ② 그 밖에 농지의 보전이나 이용에 필요한 시설로서 농림축산식품부령으로 정하는 시설
3. 농작물의 경작지 또는 다년생식물 재배지에 설치한 다음의 농축산물 생산시설 부지로서 다음의 어느 하나에 해당하는 시설의 부지
   ① 고정식온실・버섯재배사 및 비닐하우스와 그 부속시설
   ② 축사・곤충사육사와 농림축산식품부령으로 정하는 그 부속시설
   ③ 간이퇴비장
   ④ 농막・간이저온저장고 및 간이액비저장조 중 농림축산식품부령으로 정하는 시설

참고 | 농지의 제외

다음의 각 토지는 농지에서 제외된다.
1. 공간정보의 구축 및 관리 등에 관한 법률에 따른 지목이 전・답, 과수원이 아닌 토지로서 농작물 경작지 또는 제1항 각 호에 따른 다년생식물 재배지로 계속하여 이용되는 기간이 3년 미만인 토지
2. 공간정보의 구축 및 관리 등에 관한 법률에 따른 지목이 임야인 토지(제1호에 해당하는 토지를 제외한다)로서 그 형질을 변경하지 아니하고 제1항 제2호 또는 제3호에 따른 다년생식물의 재배에 이용되는 토지
3. 초지법에 따라 조성된 초지

농지개량
(農地改良)

농지의 생산성을 높이기 위하여 농지의 형질을 변경하는 다음의 어느 하나에 해당하는 행위를 말한다.

1. 농지의 이용가치를 높이기 위하여 농지의 구획을 정리하거나 개량시설을 설치하는 행위
2. 농지의 토양개량이나 관개, 배수, 농업기계 이용의 개선을 위하여 해당 농지에서 객토・성토 또는 절토하거나 암석을 채굴하는 행위

농지 대리경작제도
(農地 代理耕作制度)
☑ 제32회

시장·군수 또는 구청장은 유휴농지에 대하여 대통령으로 정하는 바에 따라 그 농지의 소유권자나 임차권자를 대신하여 농작물을 경작할 자(대리경작자)를 직권으로 지정하거나 농림축산식품부령으로 정하는 바에 따라 유휴농지를 경작하려는 자의 신청을 받아 대리경작자를 지정할 수 있다. 이를 농지대리경작제도라 한다. 유휴농지에 대한 대리경작제도는 토지공개념의 이념을 실현하기 위한 제도이다.

농지의 소유제한
(農地의 所有制限)
☑ 제26회

농지는 자기의 농업경영에 이용하거나 이용할 자가 아니면 소유하지 못한다(경자유전의 원칙).

참고 | 경자유전의 원칙 예외

1. 국가나 지방자치단체가 농지를 소유하는 경우
2. 초·중등교육법 및 고등교육법에 따른 학교, 농림축산식품부령으로 정하는 공공단체·농업연구기관·농업생산자단체 또는 종묘나 그 밖의 농업 기자재 생산자가 그 목적사업을 수행하기 위하여 필요한 시험지·연구지·실습지·종묘생산지 또는 과수 인공수분용 꽃가루 생산지로 쓰기 위하여 농림축산식품부령으로 정하는 바에 따라 농지를 취득하여 소유하는 경우
3. 주말·체험영농을 하려고 농업진흥지역 외의 농지를 소유하는 경우
4. 상속[상속인에게 한 유증(遺贈)을 포함한다]으로 농지를 취득하여 소유하는 경우
5. 8년 이상 농업경영을 하던 사람이 이농(離農)한 후에도 이농 당시 소유하고 있던 농지를 계속 소유하는 경우
6. 담보농지를 취득하여 소유하는 경우(자산유동화에 관한 법률 제3조에 따른 유동화전문회사 등이 제13조 제1항 제1호부터 제4호까지에 규정된 저당권자로부터 농지를 취득하는 경우를 포함한다)
7. 농지전용허가[다른 법률에 따라 농지전용허가가 의제(擬制)되는 인가·허가·승인 등을 포함한다]를 받거나 농지전용신고를 한 자가 그 농지를 소유하는 경우
8. 농지전용협의를 마친 농지를 소유하는 경우
9. 한국농어촌공사 및 농지관리기금법에 따른 농지의 개발사업지구에 있는 농지로서 대통령령으로 정하는 1천500m^2미만의 농지나 농어촌정비법에 따른 농지를 취득하여 소유하는 경우
10. 농업진흥지역 밖의 농지 중 최상단부부터 최하단부까지의 평균경사율이 15% 이상인 농지로서 대통령령으로 정하는 요건을 모두 갖춘 농지로서 시장·군수가 조사하여 고시한 농지
11. 다음의 어느 하나에 해당하는 경우
   ① 한국농어촌공사 및 농지관리기금법에 따라 한국농어촌공사가 농지를 취득하여 소유하는 경우
   ② 농어촌정비법 제16조·제25조·제43조·제82조 또는 제100조에 따라 농지를 취득하여 소유하는 경우
   ③ 공유수면 관리 및 매립에 관한 법률에 따라 매립농지를 취득하여 소유하는 경우
   ④ 토지수용으로 농지를 취득하여 소유하는 경우
   ⑤ 농림축산식품부장관과 협의를 마치고 공익사업을 위한 토지 등의 취득 및 보상에 관한 법률에 따라 농지를 취득하여 소유하는 경우

⑥ 공공토지의 비축에 관한 법률 제2조 제1호 가목에 해당하는 토지 중 같은법 제7조 제1항에 따른 공공토지비축심의위원회가 비축이 필요하다고 인정하는 토지로서 국토의 계획 및 이용에 관한 법률 제36조에 따른 계획관리지역과 자연녹지지역 안의 농지를 한국토지공사가 취득하여 소유하는 경우. 이 경우 그 취득한 농지를 전용하기 전까지는 한국농어촌공사에 지체 없이 위탁하여 임대하거나 무상사용하게 하여야 한다.

농지의 임대차 (農地의 賃貸借)

☑ 제27회, 제31회

다음의 어느 하나에 해당하는 경우 외에는 농지를 임대하거나 무상사용할 수 없다.

1. 경자유전의 예외
2. 한국농어촌공사가 농지를 취득하여 소유하는 경우 등
3. 부득이한 사유
4. 고령의 장기 영농자의 임대
5. 주말·체험영농 목적의 임대
6. 한국농어촌공사 등에 위탁 임대
7. 소유상한 초과 농지의 위탁 임대
8. 이모작을 위해 임대하는 경우

참고 | 임대차 계약기간

임대차 기간을 정하지 아니하거나 3년(다년생식물 재배지 등의 경우에는 5년) 미만으로 정한 경우에는 3년(다년생식물 재배지 등의 경우에는 5년)으로 약정된 것으로 본다. 다만, 임차인은 3년(다년생식물 재배지 등의 경우에는 5년) 미만으로 정한 임대차 기간이 유효함을 주장할 수 있다.

농지의 전용 (農地의 轉用)

☑ 제29회, 제35회

농지법령상 농지의 전용이란 농지를 농작물의 경작이나 다년생식물의 재배 등 농업생산 또는 농지개량 외의 용도로 사용하는 것을 말한다. 다만 농지개량시설의 부지와 농축산물 생산시설의 부지의 용도로 사용하는 경우에는 전용으로 보지 않는다.

참고 | 농지의 전용허가

농지를 전용하려는 자는 다음의 어느 하나에 해당하는 경우 외에는 대통령령으로 정하는 바에 따라 농림축산식품부장관의 허가를 받아야 한다. 허가받은 농지의 면적 또는 경계 등 대통령령으로 정하는 중요 사항을 변경하려는 경우에도 또한 같다.

1. 다른 법률에 따라 농지전용허가가 의제되는 협의를 거쳐 농지를 전용하는 경우
2. 국토의 계획 및 이용에 관한 법률에 따른 도시지역 또는 계획관리지역에 있는 농지로서 협의를 거친 농지나 협의 대상에서 제외되는 농지를 전용하는 경우
3. 농지전용신고를 하고 농지를 전용하는 경우
4. 산지관리법에 따른 산지전용허가를 받지 아니하거나 산지전용신고를 하지 아니하고 불법으로 개간한 농지를 산림으로 복구하는 경우
5. 하천법에 따라 하천관리청의 허가를 받고 농지의 형질을 변경하거나 공작물을 설치하기 위하여 농지를 전용하는 경우

농지취득자격증명 (農地取得資格證明)

☑ 제26회, 제32회

농지를 취득하려는 자는 농지 소재지를 관할하는 시장(구를 두지 아니한 시의 시장을 말하며, 도농 복합 형태의 시는 농지 소재지가 동지역인 경우만을 말한다), 구청장(도농 복합 형태의 시의 구에서는 농지 소재지가 동지역인 경우만을 말한다), 읍장 또는 면장(이하 "시 · 구 · 읍 · 면의 장"이라 한다)에게서 농지취득자격증명을 발급받아야 한다.

참고 | 농지취득자격증명 발급대상의 예외

1. 국가나 지방자치단체가 농지를 소유하는 경우
2. 상속[상속인에게 한 유증(遺贈)을 포함]으로 농지를 취득하여 소유하는 경우
3. 담보농지를 취득하여 소유하는 경우
4. 농지전용협의를 마친 농지를 소유하는 경우
5. 다음의 어느 하나에 해당하는 경우
   ① 한국농어촌공사가 농지를 취득하여 소유하는 경우
   ② 농어촌정비법에 따라 농지를 취득하여 소유하는 경우
   ③ 공유수면 관리 및 매립에 관한 법률에 따라 매립농지를 취득하여 소유하는 경우
   ④ 토지수용으로 농지를 취득하여 소유하는 경우
   ⑤ 농림축산식품부장관과 협의를 마치고 공익사업을 위한 토지 등의 취득 및 보상에 관한 법률에 따라 농지를 취득하여 소유하는 경우
6. 농업법인의 합병으로 농지를 취득하는 경우
7. 공유농지의 분할에 따라 농지를 취득하는 경우
8. 시효의 완성으로 농지를 취득하는 경우
9. 일정한 법률에 따라 환매권자 등이 환매권 등에 따라 농지 취득하는 경우
10. 농지이용증진사업 시행계획에 따라 농지를 취득하는 경우

다중이용 건축물

☑ 제29회

불특정한 다수의 사람들이 이용하는 건축물로서 다음의 어느 하나에 해당하는 건축물을 말한다.

1. 다음의 어느 하나에 해당하는 용도로 쓰는 바닥면적의 합계가 5천제곱미터 이상인 건축물
   ① 문화 및 집회시설(동물원 · 식물원은 제외한다)
   ② 종교시설
   ③ 판매시설
   ④ 운수시설 중 여객용 시설
   ⑤ 의료시설 중 종합병원
   ⑥ 숙박시설 중 관광숙박시설
2. 16층 이상인 건축물

단독주택
(單獨住宅)
☑ 제30회

주택의 종류 중에 하나로 다음에 해당한다[단독주택의 형태를 갖춘 가정어린이집 · 공동생활가정 · 지역아동센터 및 노인복지시설(노인복지주택은 제외)을 포함한다].

① 단독주택
② 다중주택: 다음의 요건을 모두 갖춘 주택을 말한다.
　㉠ 학생 또는 직장인 등 여러 사람이 장기간 거주할 수 있는 구조로 되어 있는 것
　㉡ 독립된 주거의 형태를 갖추지 아니한 것(각 실별로 욕실은 설치할 수 있으나, 취사시설은 설치하지 아니한 것을 말한다. 이하 같다)
　㉢ 1개 동의 주택으로 쓰이는 바닥면적(부설 주차장 면적은 제외한다. 이하 같다)의 합계가 660제곱미터 이하이고 주택으로 쓰는 층수(지하층은 제외한다)가 3개 층 이하일 것. 다만, 1층의 전부 또는 일부를 필로티 구조로 하여 주차장으로 사용하고 나머지 부분을 주택 외의 용도로 쓰는 경우에는 해당 층을 주택의 층수에서 제외한다.
　㉣ 적정한 주거환경을 조성하기 위하여 건축조례로 정하는 실별 최소 면적, 창문의 설치 및 크기 등의 기준에 적합할 것
③ 다가구주택: 다음의 요건을 모두 갖춘 주택으로서 공동주택에 해당하지 아니하는 것을 말한다.
　㉠ 주택으로 쓰는 층수(지하층은 제외한다)가 3개 층 이하일 것. 다만, 1층의 전부 또는 일부를 필로티 구조로 하여 주차장으로 사용하고 나머지 부분을 주택 외의 용도로 쓰는 경우에는 해당 층을 주택의 층수에서 제외한다.
　㉡ 1개 동의 주택으로 쓰이는 바닥면적(부설 주차장 면적은 제외한다. 이하 같다)의 합계가 $660m^2$ 이하일 것
　㉢ 19세대(대지 내 동별 세대수를 합한 세대를 말한다) 이하가 거주할 수 있을 것
④ 공관: 건축법상 단독주택에는 해당되나, 주택법상 단독주택에는 해당하지 않는다.

참고 | 단독주택의 경우 용도지역 내 건축제한

유통상업지역, 전용공업지역에서만 금지(단, 농림지역, 자연환경보전지역에서는 농어가주택에 한함)

대수선
(大修繕)

☑ 제28회, 제35회

건축물의 기둥, 보, 내력벽, 주계단 등의 구조나 외부 형태를 수선·변경하거나 증설하는 다음에 해당하는 것으로 증축·개축 또는 재축에 해당하지 아니하는 것을 말한다.

1. 내력벽을 증설 또는 해체하거나 그 벽면적을 30m² 이상 수선 또는 변경하는 것
2. 기둥을 증설 또는 해체하거나 세 개 이상 수선 또는 변경하는 것
3. 보를 증설 또는 해체하거나 세 개 이상 수선 또는 변경하는 것
4. 지붕틀(한옥의 경우에는 지붕틀의 범위에서 서까래는 제외한다)을 증설 또는 해체하거나 세 개 이상 수선 또는 변경하는 것
5. 방화벽 또는 방화구획을 위한 바닥 또는 벽을 증설 또는 해체하거나 수선 또는 변경하는 것
6. 주계단·피난계단 또는 특별피난계단을 증설 또는 해체하거나 수선 또는 변경하는 것
7. 다가구주택의 가구 간 경계벽 또는 다세대주택의 세대 간 경계벽을 증설 또는 해체하거나 수선 또는 변경하는 것
8. 건축물의 외벽에 사용하는 마감재료(법 제52조 제2항에 따른 마감재료를 말한다)를 증설 또는 해체하거나 벽면적 30제곱미터 이상 수선 또는 변경하는 것

대지
(垈地)

공간정보의 구축 및 관리 등에 관한 법률에 따라 각 필지로 나눈 토지를 말한다. 다만, 대통령령으로 정하는 토지는 둘 이상의 필지를 하나의 대지로 하거나 하나 이상의 필지의 일부를 하나의 대지로 할 수 있다.

:: 참고 | 대지의 높이

대지는 인접한 도로면보다 낮아서는 아니 된다. 다만, 대지의 배수에 지장이 없거나 건축물의 용도상 방습(防濕)의 필요가 없는 경우에는 인접한 도로면보다 낮아도 된다.

대지면적
(垈地面積)

건축법상 건축할 수 있는 대지의 넓이를 말하는 것으로 대지면적은 그 대지의 수평투영면적으로 한다. 다만, 다음의 어느 하나에 해당하는 면적은 제외한다.

1. 대지에 건축선이 정하여진 경우: 그 건축선과 도로 사이의 대지면적
2. 대지의 도시·군계획시설인 도로·공원 등이 있는 경우: 그 도시·군계획시설에 포함되는 대지(국토의 계획 및 이용에 관한 법률에 따라 건축물 또는 공작물을 설치하는 도시·군계획시설의 부지는 제외)면적

도로
(道路)
☑ 제28회

보행과 자동차 통행이 가능한 너비 4m 이상의 도로(지형적으로 자동차 통행이 불가능한 경우와 막다른 도로의 경우에는 대통령령으로 정하는 구조와 너비의 도로)로서 다음의 어느 하나에 해당하는 도로나 그 예정도로를 말한다.

1. 국토의 계획 및 이용에 관한 법률, 도로법, 사도법, 그 밖의 관계 법령에 따라 신설 또는 변경에 관한 고시가 된 도로
2. 건축허가 또는 신고시에 특별시장·광역시장·특별자치시장·도지사·특별자치도지사(이하 "시·도지사"라 한다) 또는 시장·군수·구청장(자치구의 구청장을 말한다. 이하 같다)이 위치를 지정하여 공고한 도로

참고 | 대지와 도로의 관계

1. 원칙: 건축물의 대지는 2m 이상이 도로(자동차만의 통행에 사용되는 도로는 제외)에 접하여야 한다.
2. 예외: 다음의 어느 하나에 해당하면 그러하지 아니하다.
   ① 해당 건축물의 출입에 지장이 없다고 인정되는 경우
   ② 건축물의 주변에 광장, 공원, 유원지, 그 밖에 관계 법령에 따라 건축이 금지되고 공중의 통행에 지장이 없는 공지로서 허가권자가 인정한 공지가 있는 경우
   ③ 농지법에 따른 농막을 건축하는 경우

도시 및 주거환경정비법
(都市 및 住居環境整備法)

도시기능의 회복이 필요하거나 주거환경이 불량한 지역을 계획적으로 정비하고 노후·불량건축물을 효율적으로 개량하기 위하여 필요한 사항을 규정함으로써 도시환경을 개선하고 주거생활의 질을 높이는 데 이바지함을 목적으로 하는 법률이다. 이 법률은 종전 도시재개발법에 의한 재개발사업과 도시저소득민의 주거환경개선을 위한 임시조치법에 의한 주거환경정비사업, 주택건설촉진법(주택법)에 의한 재건축사업이 각각 다른 법률에 의해 규제되고 있었던 문제점을 시정하기 위하여 새로 통합 제정된 법률이다.

도시개발구역 (都市開發區域)

☑ 제26회, 제32회, 제33회

도시개발사업을 시행하기 위하여 도시개발구역의 지정 등, 도시개발구역지정의 고시 등에 관한 규정에 따라 지정 · 고시된 구역을 말한다. 개발계획에는 다음의 사항이 포함되어야 한다. 다만, 제13호부터 제16호까지의 규정에 해당하는 사항은 도시개발구역을 지정한 후에 개발계획에 포함시킬 수 있다.

1. 도시개발구역의 명칭 · 위치 및 면적
2. 도시개발구역의 지정 목적과 도시개발사업의 시행기간
3. 도시개발구역을 둘 이상의 사업시행지구로 분할하거나 서로 떨어진 둘 이상의 지역을 하나의 구역으로 결합하여 도시개발사업을 시행하는 경우에는 그 분할이나 결합에 관한 사항
4. 도시개발사업의 시행자에 관한 사항
5. 도시개발사업의 시행방식
6. 인구수용계획
7. 토지이용계획

7의2. 원형지로 공급될 대상 토지 및 개발 방향

8. 교통처리계획
9. 환경보전계획
10. 보건의료시설 및 복지시설의 설치계획
11. 도로, 상하수도 등 주요 기반시설의 설치계획
12. 재원조달계획
13. 도시개발구역 밖의 지역에 기반시설을 설치하여야 하는 경우에는 그 시설의 설치에 필요한 비용의 부담 계획
14. 수용(收用) 또는 사용의 대상이 되는 토지 · 건축물 또는 토지에 정착한 물건과 이에 관한 소유권 외의 권리, 광업권, 어업권, 양식업권, 물의 사용에 관한 권리(이하 '토지 등'이라 한다) 가 있는 경우에는 그 세부목록
15. 임대주택건설계획 등 세입자 등의 주거 및 생활 안정 대책
16. 제21조의2에 따른 순환개발 등 단계적 사업추진이 필요한 경우 사업추진 계획 등에 관한 사항
17. 그 밖에 대통령령으로 정하는 사항

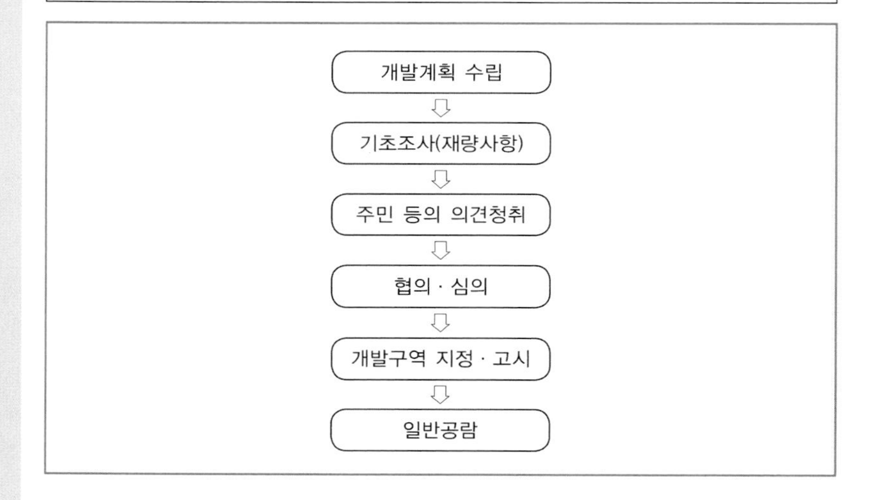

도시개발법
(都市開發法)

도시개발에 관하여 필요한 사항을 규정함으로써 계획적이고 체계적인 도시개발을 도모하고 쾌적한 도시환경의 조성과 공공복리의 증진에 기여함을 목적으로 제정한 법률이다.

도시개발사업
(都市開發事業)

☑ 제26회~제31회, 제33회~제35회

도시개발구역에서 주거, 상업, 산업, 유통, 정보통신, 생태, 문화, 보건 및 복지 등의 기능이 있는 단지 또는 시가지를 조성하기 위하여 시행하는 사업을 말한다.

:: 참고 | 도시개발사업의 시행방식

시행자는 도시개발구역으로 지정하고자 하는 지역에 대하여 다음에서 정하는 바에 따라 도시개발사업의 시행방식을 정함을 원칙으로 하되, 사업의 용이성·규모 등을 고려하여 필요한 경우에는 국토교통부장관이 정하는 기준에 따라 도시개발사업의 시행방식을 정할 수 있다.

환지방식	대지로서의 효용증진과 공공시설의 정비를 위하여 토지의 교환·분합 기타의 구획변경, 지목 또는 형질의 변경이나 공공시설의 설치·변경이 필요한 경우 또는 도시개발사업을 시행하는 지역의 지가가 인근의 다른 지역에 비하여 현저히 높아 수용 또는 사용방식으로 시행하는 것이 어려운 경우
수용 또는 사용방식	해당 도시의 주택건설에 필요한 택지 등의 집단적인 조성 또는 공급이 필요한 경우
혼용방식	도시개발구역으로 지정하고자 하는 지역이 부분적으로 환지방식 및 수용 또는 사용방식의 요건에 해당하는 경우

도시개발조합
(都市開發組合)

☑ 제27회, 제29회, 제31회, 제34회, 제35회

도시개발구역 안의 토지소유자 7인 이상이 정관을 작성하여 지정권자에게 조합설립의 인가를 받아 설립되는 조합을 말한다. 조합설립의 인가를 신청하고자 하는 때에는 해당 도시개발구역 안의 토지면적의 3분의 2 이상에 해당하는 토지소유자와 그 구역 안의 토지소유자 총수의 2분의 1 이상의 동의를 받아야 한다.

조합의 설립인가가 있는 때에는 당해 조합을 대표하는 자는 설립인가를 받은 날부터 30일 이내에 주된 사무소 소재지에서 설립등기를 하여야 한다.

:: 참고 | 도시개발조합과 민법상 조합의 차이점

도시개발조합은 명칭만 조합일 뿐이지 공법상의 비영리사단법인에 해당한다. 따라서 민법상 조합은 권리능력이나 행위능력, 당사자능력 등을 일체 갖지 못하지만 도시개발조합은 이를 모두 갖는 것으로 보아야 한다.

도시개발채권
(都市開發債券)
☑ 제29회, 제32회

지방자치단체의 장(시 · 도지사)은 도시개발사업 또는 도시 · 군계획시설사업에 필요한 자금을 조달하기 위하여 도시개발채권을 발행할 수 있다.

참고 | 발행방법 등

1. 도시개발채권은 「주식 · 사채 등의 전자등록에 관한 법률」에 따라 전자등록하여 발행하거나 무기명으로 발행할 수 있으며, 발행방법에 필요한 세부적인 사항은 시 · 도의 조례로 정한다.
2. 이율은 채권의 발행 당시의 국채 · 공채 등의 금리와 특별회계의 상황 등을 고려하여 해당 시 · 도의 조례로 정한다.
3. 도시개발채권의 상환은 5년부터 10년까지의 범위에서 지방자치단체의 조례로 정한다.
4. 소멸시효는 상환일부터 기산(起算)하여 원금은 5년, 이자는 2년으로 한다.

도시 · 군계획
(都市 · 郡計劃)

특별시 · 광역시 · 특별자치시 · 특별자치도 · 시 또는 군(광역시의 관할 구역 안에 있는 군을 제외한다)의 관할 구역에 대하여 수립하는 공간구조와 발전방향에 대한 계획으로서 도시 · 군기본계획과 도시 · 군관리계획으로 구분한다.

도시 · 군계획사업
(都市 · 郡計劃事業)
☑ 제29회, 제34회

도시 · 군관리계획을 시행하기 위한 사업으로서 도시 · 군계획시설사업, 도시개발법에 따른 도시개발사업 및 도시 및 주거환경정비법에 따른 정비사업을 말한다.

도시 · 군계획시설사업
(都市 · 郡計劃施設事業)
☑ 제27회~제29회, 제32회, 제34회

도시 · 군계획시설을 설치 · 정비 또는 개량하는 사업을 말한다.

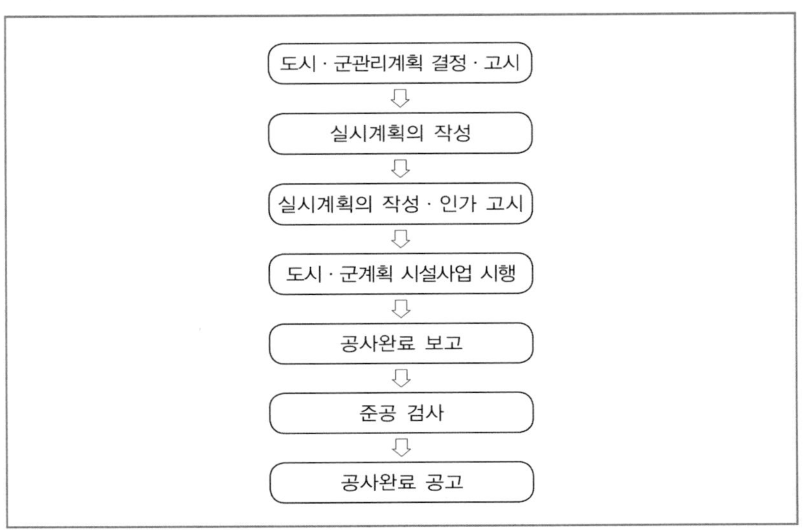

도시·군계획시설 입체복합구역
(都市·郡計劃施設立體複合區域)

도시·군관리계획 결정권자(국토교통부장관, 시·도지사 또는 대도시 시장)는 도시·군계획시설의 입체복합적 활용을 위하여 도시·군계획시설 준공 후 10년이 경과한 경우로서 해당 시설의 개량 또는 정비가 필요한 경우, 주변지역 정비 또는 지역경제 활성화를 위하여 기반시설의 복합적 이용이 필요한 경우, 첨단기술을 적용한 새로운 형태의 기반시설 구축 등이 필요한 경우에 도시·군계획시설이 결정된 토지의 전부 또는 일부를 입체복합구역으로 지정할 수 있다.

도시·군관리계획
(都市·郡管理計劃)
☑ 제26회, 제28회~제35회

특별시·광역시·특별자치시·특별자치도·시 또는 군의 개발·정비 및 보전을 위하여 수립하는 토지 이용, 교통, 환경, 경관, 안전, 산업, 정보통신, 보건, 복지, 안보, 문화 등에 관한 다음의 계획을 말한다.

1. 용도지역·용도지구의 지정 또는 변경에 관한 계획
2. 개발제한구역·도시자연공원구역·시가화조정구역·수산자원보호구역의 지정 또는 변경에 관한 계획
3. 기반시설의 설치·정비 또는 개량에 관한 계획
4. 도시개발사업 또는 정비사업에 관한 계획
5. 지구단위계획구역의 지정 또는 변경에 관한 계획과 지구단위계획
6. 도시혁신구역의 지정 또는 변경에 관한 계획과 도시혁신계획
7. 복합용도구역의 지정 또는 변경에 관한 계획과 복합용도계획
8. 도시·군계획시설입체복합구역의 지정 또는 변경에 관한 계획

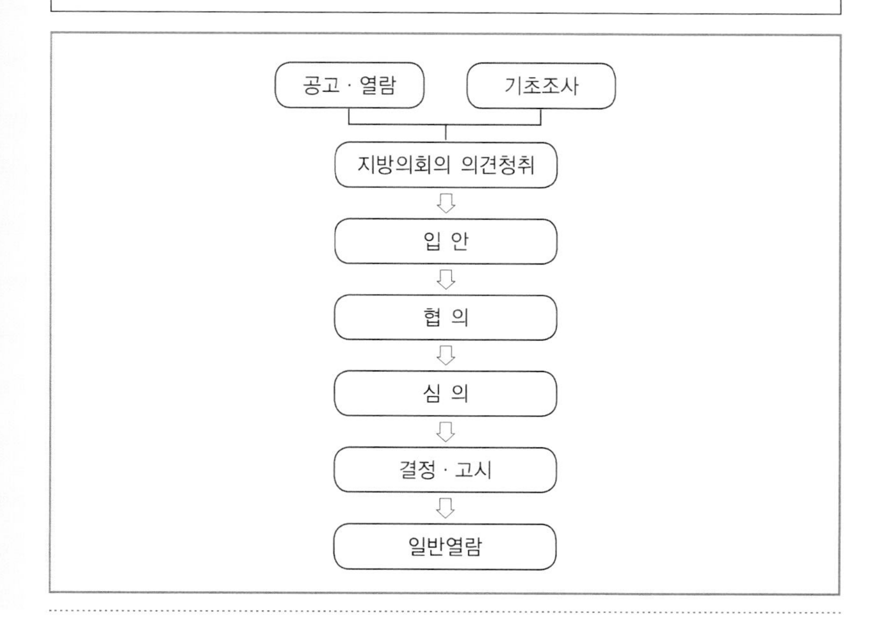

도시 · 군기본계획 (都市 · 郡基本計劃)

☑ 제27회, 제29회, 제31회~제33회

특별시 · 광역시 · 특별자치시 · 특별자치도 · 시 또는 군의 관할 구역에 및 생활권에 대하여 기본적인 공간구조와 장기발전방향을 제시하는 종합계획으로서 도시 · 군관리계획 수립의 지침이 되는 계획을 말한다. 도시 · 군기본계획에는 다음의 사항에 대한 정책방향이 포함되어야 한다.

1. 지역적 특성 및 계획의 방향 · 목표에 관한 사항
2. 공간구조, 생활권의 설정 및 인구의 배분에 관한 사항
3. 토지의 이용 및 개발에 관한 사항
4. 토지의 용도별 수요 및 공급에 관한 사항
5. 환경의 보전 및 관리에 관한 사항
6. 기반시설에 관한 사항
7. 공원 · 녹지에 관한 사항
8. 경관에 관한 사항

8의2. 기후변화 대응 및 에너지절약에 관한 사항

8의3. 방재 및 안전에 관한 사항

9. 제2호부터 제8호까지, 제8호의2 및 제8호의3에 규정된 사항의 단계별 추진에 관한 사항
10. 그 밖에 대통령령으로 정하는 사항

도시혁신계획
(都市革新計劃)

창의적이고 혁신적인 도시공간의 개발을 목적으로 도시혁신구역에서의 토지의 이용 및 건축물의 용도 · 건폐율 · 용적률 · 높이 등의 제한에 관한 사항을 따로 정하기 위하여 공간재구조화계획으로 결정하는 도시 · 군관리계획을 말한다.

도시형 생활주택
(都市型 生活住宅)
☑ 제32회, 제33회

도시형 생활주택이란 300세대 미만의 국민주택규모에 해당하는 주택으로서 도시지역에 건설하는 다음의 주택을 말한다.

1. 소형 주택: 다음의 요건을 모두 갖춘 공동주택
   ① 세대별 주거전용면적은 60제곱미터 이하일 것
   ② 세대별로 독립된 주거가 가능하도록 욕실 및 부엌을 설치할 것
   ③ 지하층에는 세대를 설치하지 아니할 것
2. 단지형 연립주택: 소형 주택이 아닌 연립주택. 다만, 건축위원회의 심의를 받은 경우에는 주택으로 쓰는 층수를 5개층까지 건축할 수 있다.
3. 단지형 다세대주택: 소형 주택이 아닌 다세대주택. 다만, 건축위원회의 심의를 받은 경우에는 주택으로 쓰는 층수를 5개층까지 건축할 수 있다.

등록사업자
(登錄事業者)
☑ 제26회

연간 단독주택의 경우에는 20호, 공동주택의 경우에는 20세대. 다만, 도시형 생활주택(소형 주택과 주거전용면적이 85제곱미터를 초과하는 주택 1세대를 함께 건축하는 경우를 포함한다)은 30세대 이상의 주택건설사업을 시행하려는 자 또는 연간 1만 제곱미터 이상의 대지조성사업을 시행하려는 자는 국토교통부장관에게 등록하여야 한다. 다만, 다음의 사업주체의 경우에는 그러하지 아니하다.

1. 국가 · 지방자치단체
2. 한국토지주택공사
3. 지방공사
4. 「공익법인의 설립 · 운영에 관한 법률」에 따라 주택건설사업을 목적으로 설립된 공익법인(이하 "공익법인"이라 한다)
5. 주택조합(제10조 제2항에 따라 등록사업자와 공동으로 주택건설사업을 하는 주택조합만 해당한다)
6. 근로자를 고용하는 자(등록사업자와 공동으로 주택건설사업을 시행하는 고용자만 해당하며, 이하 "고용자"라 한다)

리모델링
(Remodeling)

☑ 제28회, 제31회, 제33회~제35회

건축물의 노후화 억제 또는 기능 향상 등을 위한 다음의 어느 하나에 해당하는 행위를 말한다.

1. 대수선(사용검사일부터 10년)
2. 사용검사일(주택단지 안의 공동주택 전부에 대하여 임시사용승인을 받은 경우에는 그 임시사용승인일을 말한다) 또는 사용승인일부터 15년[15년 이상 20년 미만의 연수 중 특별시・광역시・특별자치시・도 또는 특별자치도(이하 "시・도"라 한다)의 조례로 정하는 경우에는 그 연수로 한다]이 지난 공동주택을 각 세대의 주거전용면적(건축법 제38조에 따른 건축물대장 중 집합건축물대장의 전유부분의 면적을 말한다)의 30% 이내(세대의 주거전용면적이 85제곱미터 미만인 경우에는 40% 이내)에서 증축하는 행위. 이 경우 공동주택의 기능 향상 등을 위하여 공용부분에 대하여도 별도로 증축할 수 있다.
3. 2.에 따른 각 세대의 증축 가능 면적을 합산한 면적의 범위에서 기존 세대수의 15% 이내에서 세대수를 증가하는 증축 행위(이하 "세대수 증가형 리모델링"이라 한다). 다만, 수직으로 증축하는 행위(이하 "수직증축형 리모델링"이라 한다)는 다음 요건을 모두 충족하는 경우로 한정한다.
   ① 수직으로 증축하는 행위(이하 "수직증축형 리모델링"이라 한다)의 대상이 되는 기존 건축물의 층수가 15층 이상인 경우 : 3개층
   ② 수직증축형 리모델링의 대상이 되는 기존 건축물의 층수가 14층 이하인 경우 : 2개층
   ③ 수직증축형 리모델링의 대상이 되는 기존 건축물의 신축 당시 구조도를 보유하고 있을 것

문화 및 집회시설
(文化 및 集會施設)

건축법상 용도별 건축물 종류 중 하나로서, 종교집회장, 공연장, 집회장, 관람장, 전시장, 동・식물원 등이 있다.

1. 공연장으로서 제2종 근린생활시설에 해당하지 아니하는 것
2. 집회장(예식장・공회당・회의장・마권 장외 발매소・마권 전화투표소, 그 밖에 이와 비슷한 것을 말함)으로서 제2종 근린생활시설에 해당하지 아니하는 것
3. 관람장(경마장, 경륜장, 경정장, 자동차 경기장, 그 밖에 이와 비슷한 것과 체육관 및 운동장으로서 관람석의 바닥면적의 합계가 1,000m^2 이상인 것을 말함)
4. 전시장(박물관, 미술관, 과학관, 문화관, 체험관, 기념관, 산업전시장, 박람회장, 그 밖에 이와 비슷한 것을 말함)
5. 동・식물원(동물원, 식물원, 수족관, 그 밖에 이와 비슷한 것을 말함)

바닥면적
(바닥面積)

☑ 제29회

바닥면적은 건축물의 각 층 또는 그 일부로서 벽, 기둥, 그 밖에 이와 비슷한 구획의 중심선으로 둘러싸인 부분의 수평투영면적으로 한다. 다만, 다음의 어느 하나에 해당하는 경우에는 다음에서 정하는 바에 따른다.

1. 벽・기둥의 구획이 없는 건축물은 그 지붕 끝부분으로부터 수평거리 1m를 후퇴한 선으로 둘러싸인 수평투영면적으로 한다.

2. 건축물의 노대 등의 바닥은 난간 등의 설치 여부에 관계없이 노대 등의 면적(외벽의 중심선으로부터 노대 등의 끝부분까지의 면적을 말한다)에서 노대 등이 접한 가장 긴 외벽에 접한 길이에 1.5미터를 곱한 값을 뺀 면적을 바닥면적에 산입한다.
3. 필로티 등: 필로티나 그 밖에 이와 비슷한 구조(벽면적의 2분의 1 이상이 그 층의 바닥면에서 위층 바닥 아랫면까지 공간으로 된 것만 해당한다)의 부분은 그 부분이 공중의 통행이나 차량의 통행 또는 주차에 전용되는 경우와 공동주택의 경우에는 바닥면적에 산입하지 아니한다.
4. 승강기탑, 계단탑, 다락 등: 승강기탑(옥상 출입용 승강장을 포함한다), 계단탑, 장식탑, 다락[층고가 1.5m(경사진 형태의 지붕인 경우에는 1.8m) 이하인 것만 해당한다], 건축물의 외부 또는 내부에 설치하는 굴뚝, 더스트슈트, 설비덕트, 그 밖에 이와 비슷한 것과 옥상・옥외 또는 지하에 설치하는 물탱크, 기름탱크, 냉각탑, 정화조, 도시가스 정압기, 그 밖에 이와 비슷한 것을 설치하기 위한 구조물과 건축물 간에 화물의 이동에 이용되는 컨베이어벨트만을 설치하기 위한 구조물은 바닥면적에 삽입하지 아니한다.
5. 공동주택 지상층에 설치한 시설 등: 공동주택으로서 지상층에 설치한 기계실, 전기실, 어린이놀이터, 조경시설 및 생활폐기물 보관시설의 면적은 바닥면적에 산입하지 않는다.
6. 단열재를 구조체의 외기측에 설치하는 단열공법으로 건축된 건축물의 경우에는 단열재가 설치된 외벽 중 내측 내력벽의 중심선을 기준으로 산정한 면적을 바닥면적으로 한다.
7. 기존 다중이용업소의 옥외피난계단: 다중이용업소의 안전관리에 관한 특별법 시행령 제9조에 따라 기존의 다중이용업소(2004년 5월 29일 이전의 것만 해당한다)의 비상구에 연결하여 설치하는 폭 1.5m 이하의 옥외 피난계단(기존 건축물에 옥외 피난계단을 설치함으로써 법 제56조에 따른 용적률에 적합하지 아니하게 된 경우만 해당한다)은 바닥면적에 산입하지 아니한다.
8. 건축물을 리모델링하는 경우로서 미관 향상, 열의 손실 방지 등을 위하여 외벽에 부가하여 마감재 등을 설치하는 부분은 바닥면적에 산입하지 아니한다.
9. 영유아보육법에 따른 영유아어린이집(2005년 1월 29일 이전에 설치된 것만 해당한다)의 비상구에 연결하여 설치하는 폭 2m 이하의 영유아용 대피용 미끄럼대 또는 비상계단의 면적은 바닥면적(기존 건축물에 영유아용 대피용 미끄럼대 또는 비상계단을 설치함으로써 법 제56조에 따른 용적률 기준에 적합하지 아니하게 된 경우만 해당한다)에 산입하지 아니한다.
10. 장애인・노인・임산부 등의 편의증진 보장에 관한 법률 시행령에 따른 장애인용 승강기, 장애인용 에스컬레이터, 휠체어리프트 또는 경사로는 바닥면적에 산입하지 아니한다.
11. 가축전염병 예방법에 따른 소독설비를 갖추기 위하여 같은 호에 따른 가축사육시설(2015년 4월 27일 전에 건축되거나 설치된 가축사육시설로 한정한다)에서 설치하는 시설은 바닥면적에 산입하지 아니한다.
12. 매장유산 보호 및 조사에 관한 법률에 따른 현지보존 및 이전보존을 위하여 매장유산 보호 및 전시에 전용되는 부분은 바닥면적에 산입하지 아니한다.
13. 영유아보육법 제15조에 따른 설치기준에 따라 직통계단 1개소를 갈음하여 건축물의 외부에 설치하는 비상계단의 면적은 바닥면적(같은 조에 따른 어린이집이 2011년 4월 6일 이전에 설치된 경우로서 기존 건축물에 비상계단을 설치함으로써 법 제56조에 따른 용적률 기준에 적합하지 않게 된 경우만 해당한다)에 산입하지 않는다.
14. 지하주차장의 경사로는 바닥면적에 산입하지 않는다.

발코니
(balcony)

건축물의 내부와 외부를 연결하는 완충공간으로서 전망·휴식 등의 목적으로 건축물 외벽에 접하여 부가적으로 설치되는 공간을 말한다. 이 경우 주택에 설치되는 발코니로서 국토교통부장관이 정하는 기준에 적합한 발코니는 필요에 따라 거실·침실·창고 등 다양한 용도로 사용할 수 있다.

> **참고** | 주택의 발코니 등 건축물의 노대나 그 밖에 이와 비슷한 것(이하 "노대 등"이라한다)의 바닥은 난간 등의 설치 여부에 관계없이 노대 등의 면적(외벽의 중심선으로부터 노대 등의 끝부분까지의 면적을 말한다)에서 노대 등이 접한 가장 긴 외벽에 접한 길이에 1.5m를 곱한 값을 뺀 면적을 바닥면적에 산입한다.

방화지구
(防火地區)

국토의 계획 및 이용에 관한 법률상 용도지구 중의 하나로서, 화재의 위험을 예방하기 위하여 필요한 지구를 말한다.

보류지
(保留地)

도시개발사업 시행자가 사업의 시행에 필요한 경비에 충당하거나 또는 규약·정관·시행규정 또는 사업계획 등에 정하는 목적을 위하여 환지계획에서 일정한 위치·단위의 토지를 집단적으로 환지로 정하지 아니하고 보류해 두는 토지를 말한다.

보전녹지지역
(保全綠地地域)

국토의 계획 및 이용에 관한 법률상 녹지지역 중의 하나로서, 도시의 자연환경·경관·산림 및 녹지공간을 보전할 필요가 있는 지역을 말한다.

보호지구
(保護地區)

국토의 계획 및 이용에 관한 법률상 용도지구 중의 하나로서, 국가유산·중요시설물 및 문화적·생태적으로 보존가치가 큰 지역의 보호와 보존을 위하여 필요한 지구를 말한다.

구분	내용
역사문화환경 보호지구	국가유산기본법에 따른 국가유산·전통사찰 등 역사·문화적으로 보존가치가 큰 시설 및 지역의 보호와 보존을 위하여 필요한 지구
중요시설물 보호지구	중요시설물의 보호와 기능 유지 및 증진 등을 위하여 필요한 지구
생태계 보호지구	야생 동식물 서식처 등 생태적으로 보존가치가 큰 지역의 보호와 보존을 위하여 필요한 지구

복리시설
(福利施設)
☑ 제32회, 제34회

주택단지 안의 입주자 등의 생활복리를 위한 다음의 공동시설을 말한다.

1. 어린이놀이터 · 근린생활시설 · 유치원 · 주민운동시설 및 경로당
2. 그 밖에 입주자 등의 생활복리를 위하여 대통령령이 정하는 공동시설

:: 참고 | 부대시설 · 복리시설 · 간선시설

1. 부대시설: 주택에 '딸린'시설
2. 복리시설: 주민의 '생활복리'시설
3. 간선시설: 연결시키는 시설

복합용도계획
(複合用途計劃)

주거 · 상업 · 산업 · 교육 · 문화 · 의료 등 다양한 도시기능이 융복합된 공간의 조성을 목적으로 복합용도구역에서의 건축물의 용도별 구성비율 및 건폐율 · 용적률 · 높이 등의 제한에 관한 사항을 따로 정하기 위하여 공간재구조화계획으로 결정하는 도시 · 군관리계획을 말한다.

부대시설
(附帶施設)
☑ 제30회

주택에 딸린 다음의 시설 또는 설비를 말한다.

1. 주차장 · 관리사무소 · 담장 및 주택단지 안의 도로
2. 건축법에 따른 건축설비
3. 1. 및 2.의 시설 · 설비에 준하는 것으로서 대통령령이 정하는 시설 또는 설비

분양가상한제
(分讓價上限制)
☑ 제27회, 제32회, 제33회

분양가 규제를 통하여 주택 가격을 안정시키기 위한 목적으로 정부가 공공택지 내 아파트, 재개발, 재건축, 주상복합 등을 포함한 민간주택의 원가에 적정수익률을 더해 분양가를 결정하는 것을 말한다. 분양가상한제는 1989년 처음 시행된 이후 1999년 분양가가 전면 자율화됨에 따라 사라졌다가 2007년 주택 가격 안정화 조치의 일환으로 전면 시행되었다. 분양가상한제 적용주택의 분양가격은 택지비와 건축비로 구성된다.

사업주체
(事業主體)
☑ 제26회

주택건설사업계획 또는 대지조성사업계획의 승인을 받아 그 사업을 시행하는 다음의 자를 말한다.

1. 국가 · 지방자치단체
2. 한국토지주택공사
3. 등록한 주택건설사업자 또는 대지조성사업자
4. 그 밖에 주택법에 따라 주택건설사업 또는 대지조성사업을 시행하는 자

사용검사
(使用檢査)

☑ 제30회, 제34회

사업주체가 주택법에 의한 사업계획승인을 받아 시행하는 주택건설사업 또는 대지조성사업을 완료한 경우에 주택(부대시설과 복리시설을 포함한다) 또는 대지에 대하여 시장·군수·구청장(국가 또는 한국토지주택공사가 사업주체인 경우와 국토교통부장관으로부터 사업계획의 승인을 받은 경우에는 국토교통부장관)의 검사를 받아야 하는 것을 일컫는다. 다만, 사업계획승인조건의 미이행 등 특별한 사유가 있어 사업을 완료하지 못하고 있는 경우에는 완공된 주택에 대하여 동별로 사용검사를 받을 수 있다.

:: 참고 | 사용검사의 기간

사용검사권자는 사용검사의 대상인 주택 또는 대지가 사업계획의 내용에 적합한지 여부를 확인하여야 하며, 사용검사는 그 신청일부터 15일 이내에 하여야 한다.

상업지역
(商業地域)

국토의 계획 및 이용에 관한 법률상 도시지역 중의 하나로서, 상업 그 밖에 업무의 편익증진을 위하여 필요한 지역을 말한다. 이에는 중심상업지역·일반상업지역·근린상업지역·유통상업지역으로 세분된다.

구분	내용
중심상업지역	도심·부도심의 업무 및 상업기능의 확충을 위하여 필요한 지역
일반상업지역	일반적인 상업 및 업무기능을 담당하게 하기 위하여 필요한 지역
근린상업지역	근린지역에서의 일용품 및 서비스의 공급을 위하여 필요한 지역
유통상업지역	도시 내 및 지역 간 유통기능의 증진을 위하여 필요한 지역

설계도서
(設計圖書)

건축물의 건축 등에 관한 공사용 도면, 구조 계산서, 시방서, 그 밖에 국토교통부령으로 정하는 공사에 필요한 서류를 말한다.

:: 참고 | 설계도서의 작성

설계자는 건축물이 이 법과 이 법에 따른 명령이나 처분, 그 밖의 관계 법령에 맞고 안전·기능 및 미관에 지장이 없도록 설계하여야 하며, 국토교통부장관이 정하여 고시하는 설계도서 작성기준에 따라 설계도서를 작성하여야 한다. 다만, 해당 건축물의 공법(工法) 등이 특수한 경우로서 국토교통부령으로 정하는 바에 따라 건축위원회의 심의를 거친 때에는 그러하지 아니하다.

설계자
(設計者)

자기의 책임(보조자의 도움을 받는 경우를 포함한다)으로 설계도서를 작성하고 그 설계도서에서 의도하는 바를 해설하며, 지도하고 자문에 응하는 자를 말한다.

> **참고 | 건축관계자**
> 건축관계자란 건축주, 설계자, 공사시공자, 공사감리자를 말한다.

시가화조정구역
(市街化調整區域)
☑ 제32회, 제33회

시·도지사는 직접 또는 관계 행정기관의 장의 요청을 받아 도시지역과 그 주변지역의 무질서한 시가화를 방지하고 계획적·단계적인 개발을 도모하기 위하여 5년 이상 20년 이내의 기간 동안 시가화를 유보할 필요가 있다고 인정되는 경우에는 시가화조정구역의 지정 또는 변경을 도시·군관리계획으로 결정할 수 있다.
다만, 국가계획과 연계하여 시가화조정구역의 지정 또는 변경이 필요한 경우에는 국토교통부장관이 직접 시가화조정구역의 지정 또는 변경을 도시·군관리계획으로 결정할 수 있다.

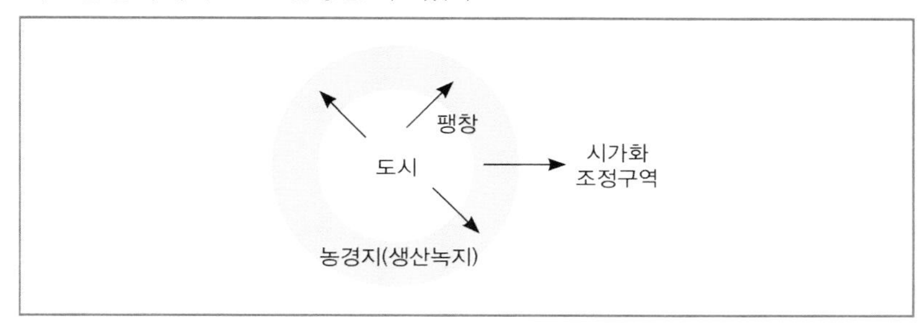

신축
(新築)

건축물이 없는 대지(기존건축물이 해체 또는 멸실된 대지를 포함한다)에 새로이 건축물을 축조하는 것(부속건축물만 있는 대지에 새로이 주된 건축물을 축조하는 것을 포함하되, 개축 또는 재축에 해당하는 경우를 제외한다)을 말한다.

실시계획
(實施計劃)
☑ 제31회

시행자는 도시개발사업에 관한 실시계획을 작성하여야 한다. 이 경우 실시계획에는 지구단위계획이 포함되어야 한다. 실시계획은 개발계획에 맞게 작성하여야 하며, 작성에 필요한 세부적인 사항은 국토교통부장관이 정한다.

:: 참고 | 실시계획고시의 효과

1. 도시·군관리계획 결정·고시의 의제
2. 지형도면의 고시
3. 관련 인·허가 등의 의제

아파트
(Apart)
☑ 제29회

건축법상 공동주택의 일종으로 주택으로 쓰이는 층수가 5개층 이상인 주택을 말한다.

:: 참고 | 건축법상 공동주택과 주택법상 공동주택

1. 건축법: 아파트, 연립주택, 다세대주택, 기숙사
2. 주택법: 아파트, 연립주택, 다세대주택 ⇨ 기숙사는 주택법상 공동주택이 될 수 없다.

안전진단
(安全診斷)
☑ 제28회

정비계획의 입안권자는 재건축사업 정비계획의 입안을 위하여 정비예정구역별 정비계획의 수립시기가 도래한 때에 안전진단을 실시하여야 한다.

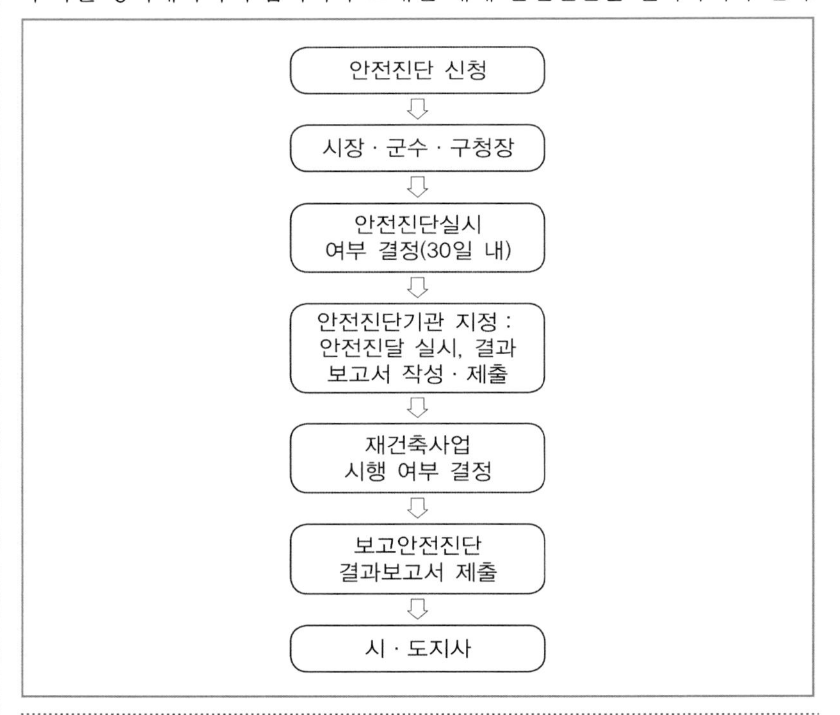

연면적
(延面積)

연면적은 하나의 건축물 각 층의 바닥면적의 합계로 하되, 용적률을 산정할 때에는 다음에 해당하는 면적은 제외한다.

1. 지하층의 면적
2. 지상층의 주차용(해당 건축물의 부속용도인 경우만 해당)으로 사용되는 면적
3. 초고층 건축물과 준초고층 건축물에 설치하는 피난안전구역의 면적
4. 건축물의 경사지붕 아래에 설치하는 대피공간의 면적

참고 | 연면적 계산방법

연면적 = 대지면적 × 용적률

용도구역
(用途區域)

☑ 제28회, 제30회, 제33회

토지의 이용 및 건축물의 용도 · 건폐율 · 용적률 · 높이 등에 대한 용도지역 및 용도지구의 제한을 강화 또는 완화하여 따로 정함으로써 시가지의 무질서한 확산방지, 계획적이고 단계적인 토지이용의 도모, 토지이용의 종합적 조정 · 관리 등을 위하여 도시 · 군관리계획으로 결정하는 지역을 말한다.

용도지구
(用途地區)

☑ 제28회, 제30회, 제31회, 제34회

토지의 이용 및 건축물의 용도 · 건폐율 · 용적률 · 높이 등에 대한 용도지역의 제한을 강화 또는 완화하여 적용함으로써 용도지역의 기능을 증진시키고 경관 · 안전 등을 도모하기 위하여 도시 · 군관리계획으로 결정하는 지역을 말한다.

용도지역
(用途地域)

☑ 제26회, 제28회, 제29회, 제30회, 제34회, 제35회

토지의 이용 및 건축물의 용도 · 건폐율(건축법의 건폐율을 말한다) · 용적률(건축법의 용적률을 말한다) · 높이 등을 제한함으로써 토지를 경제적 · 효율적으로 이용하고 공공복리의 증진을 도모하기 위하여 서로 중복되지 아니하게 도시 · 군관리계획으로 결정하는 지역을 말한다.

참고 | 용도지역의 종류

1. 도시지역 : 주거지역, 상업지역, 공업지역, 녹지지역
2. 관리지역 : 보전관리지역, 생산관리지역, 계획관리지역
3. 농림지역
4. 자연환경보전지역

용적률
(容積率)

☑ 제28회, 제30회, 제32회, 제33회

대지면적에 대한 연면적(대지에 건축물이 둘 이상 있는 경우에는 이들 연면적의 합계로 한다)의 비율을 말한다.

$$용적률 = \frac{건축물의\ 지상층\ 연면적}{대지면적} \times 100$$

원형지의 공급과 개발
(原形地의 供給과 開發)

☑ 제27회, 제34회

시행자는 도시를 자연친화적으로 개발하거나 복합적·입체적으로 개발하기 위하여 필요한 경우에는 대통령령으로 정하는 절차에 따라 미리 지정권자의 승인을 받아 다음의 어느 하나에 해당하는 자에게 원형지를 공급하여 개발하게 할 수 있다. 이 경우 공급될 수 있는 원형지의 면적은 도시개발구역 전체 토지면적의 3분의 1 이내로 한정한다.

1. 국가 또는 지방자치단체
2. 「공공기관의 운영에 관한 법률」에 따른 공공기관
3. 「지방공기업법」에 따라 설립된 지방공사
4. 국가, 지방자치단체 또는 대통령령으로 정하는 공공기관인 시행자가 복합개발 등을 위하여 실시한 공모에서 선정된 자
5. 원형지를 학교나 공장 등의 부지로 직접 사용하는 자

참고 | 원형지의 매각금지

원형지개발자(국가 및 지방자치단체는 제외한다)는 10년의 범위에서 대통령령으로 정하는 기간(원형지에 대한 공사완료 공고일부터 5년 또는 원형지 공급계약일부터 10년 중 먼저 끝나는 기간) 안에는 원형지를 매각할 수 없다. 다만, 이주용 주택이나 공공·문화 시설 등 대통령령으로 정하는 경우로서 미리 지정권자의 승인을 받은경우에는 예외로 한다.

위탁경영
(委託經營)
☑ 제29회, 제30회, 제34회

농지 소유자가 타인에게 일정한 보수를 지급하기로 약정하고 농작업의 전부 또는 일부를 위탁하여 행하는 농업경영을 말한다.

참고 | 농지의 위탁경영 사유

농지 소유자는 다음의 어느 하나에 해당하는 경우 외에는 소유 농지를 위탁경영할 수 없다.

1. 병역법에 따라 징집 또는 소집된 경우
2. 3개월 이상 국외 여행 중인 경우
3. 농업법인이 청산 중인 경우
4. 질병, 취학, 선거에 따른 공직 취임, 그 밖에 대통령령으로 정하는 사유로 자경할 수 없는 경우
5. 농지이용증진사업 시행계획에 따라 위탁경영하는 경우
6. 농업인이 자기 노동력이 부족하여 농작업의 일부를 위탁하는 경우

이행강제금
(履行强制金)
☑ 제29회

벌금이나 과태료가 갖는 1회성(이중처벌금지의 원칙)의 제한 때문에 벌금이나 과태료처분의 그 실효성을 거두지 못하고 있다는 점을 감안하여 위반행위의 시정이 이루어질 때까지 위반자에 대하여 일정금액을 계속적으로 반복부과·징수함으로써 위반자의 심리적 압박을 통한 행정처분의 실효성을 높이기 위해 마련된 제도로서 건축법 등에서 두고 있는 제도이다.

인가
(認可)

일반적으로 행정기관의 동의에 의하여 사법상 법률행위의 효력이 완성되는 경우 그 동의를 말한다. 이에는 토지거래허가, 비영리법인설립허가 등이 있다. 인가는 법률적 행위의 효력발생요건으로서 무인가행위는 원칙적으로 무효가 된다.

일반상업지역
(一般商業地域)

국토의 계획 및 이용에 관한 법률상 상업지역 중의 하나로서, 일반적인 상업기능 및 업무기능을 담당하게 하기 위하여 필요한 지역을 말한다.

입체환지처분
(立體換地處分)
☑ 제27회

도시개발사업의 원활한 시행을 위하여 특히 필요한 때에는 시행자가 토지소유자의 동의를 얻어 환지의 목적인 토지에 갈음하여 시행자에게 처분할 권한이 있는 건축물의 일부와 당해 건축물이 있는 대지의 공유지분을 부여할 수 있도록 하는 제도이다.

> **참고 | 입체환지의 요건**
> 1. 도시개발사업의 원활한 시행을 위해 필요한 경우
> 2. 입체환지에 대한 토지소유자의 동의가 존재할 것
> 3. 시행자의 처분권한 있는 건축물이 존재할 것

자연녹지지역
(自然綠地地域)

국토의 계획 및 이용에 관한 법률상 녹지지역 중의 하나로서, 도시의 녹지공간의 확보, 도시확산의 방지, 장래 도시용지의 공급 등을 위하여 보전할 필요가 있는 지역으로 불가피한 경우에 한하여 제한적인 개발이 허용되는 지역을 말한다.

자연취락지구
(自然聚落地區)
☑ 제30회, 제31회

「국토의 계획 및 이용에 관한 법률」상 취락지구 중의 하나로서, 녹지지역・관리지역・농림지역 또는 자연환경보전지역 안의 취락를 정비하기 위하여 필요한 지구를 말한다.

> **참고 | 자연취락지구에서의 건축제한**
> 자연취락지구 안에서 건축할 수 있는 건축물은 4층 이하의 건축물에 한한다. 다만, 4층 이하의 범위 안에서 도시・군계획조례로 따로 층수를 정하는 경우에는 그 층수 이하의 건축물에 한한다.

자연환경보전지역
(自然環境保全地域)

국토의 계획 및 이용에 관한 법률상 용도지역 중의 하나로서, 자연환경・수자원・해안・생태계 및 문화재의 보전과 수산자원의 보호 또는 육성 등을 위하여 필요한 지역을 말한다.

전용주거지역
(專用住居地域)

국토의 계획 및 이용에 관한 법률상 주거지역 중의 하나로서, 주거용 건축물 중심으로 양호한 주거환경을 보호하기 위하여 필요한 지역을 말한다.

구분	내용
제1종 전용주거지역	단독주택 중심의 양호한 주거환경을 보호하기 위하여 필요한 지역
제2종 전용주거지역	공동주택 중심의 양호한 주거환경을 보호하기 위하여 필요한 지역

정비구역
(整備區域)
☑ 제30회, 제31회

정비사업을 계획적으로 시행하기 위하여 정비계획의 수립 및 정비구역의 지정에 관한 규정에 의하여 지정·고시된 구역을 말한다.

참고 | 정비구역의 지정권자

정비구역은 시장·군수 또는 구청장의 지정신청에 따라 특별시장·광역시장·도지사가 지정한다. 다만, 대도시의 시장은 도지사에게 정비구역지정을 신청하지 아니하고 직접 정비구역을 지정(변경지정을 포함)한다. 특별자치시장 및 특별자치도지사는 정비계획을 수립하고 정비구역을 지정한다.

정비기반시설
(整備基盤施設)
☑ 제28회, 제34회

도로·상하수도·공원·구거(도랑)·공용주차장·공동구(국토의 계획 및 이용에 관한 법률에 의한 공동구를 말한다) 그 밖에 주민의 생활에 필요한 가스 등의 공급시설로서 대통령령이 정하는 시설을 말한다.

정비사업
(整備事業)
☑ 제27회, 제28회, 제30회~제33회

도시 및 주거환경정비법에서 정한 절차에 따라 도시기능을 회복하기 위하여 정비구역에서 정비기반시설을 정비하거나 주택 등 건축물을 개량 또는 건설하는 다음의 사업을 말한다.

• 주거환경개선사업

도시저소득 주민이 집단거주하는 지역으로서 정비기반시설이 극히 열악하고 노후·불량건축물이 과도하게 밀집한 지역의 주거환경을 개선하거나 단독주택 및 다세대주택이 밀집한 지역에서 정비기반시설과 공동이용시설 확충을 통하여 주거환경을 보전·정비·개량하기 위한 사업

• 재개발사업

정비기반시설이 열악하고 노후·불량건축물이 밀집한 지역에서 주거환경을 개선하거나 상업지역·공업지역 등에서 도시기능의 회복 및 상권활성화 등을 위하여 도시환경을 개선하기 위한 사업. 이 경우 다음 요건을 모두 갖추어 시행하는 재개발사업을 "공공재개발사업"이라 한다.

① 특별자치시장, 특별자치도지사, 시장, 군수, 자치구의 구청장(이하 "시장·군수 등"이라 한다) 또는 토지주택공사등(조합과 공동으로 시행하는 경우를 포함한다)이 주거환경개선사업의 시행자, 재개발사업의 시행자나 재개발사업의 대행자(이하 "공공재개발사업 시행자"라 한다)일 것

② 건설·공급되는 주택의 전체 세대수 또는 전체 연면적 중 토지등소유자 대상 분양분(지분형주택은 제외한다)을 제외한 나머지 주택의 세대수 또는 연면적의 100분의 50 이상을 지분형주택, 공공주택 특별법에 따른 공공임대주택(이하 "공공임대주택"이라 한다) 또는 민간임대주택에 관한 특별법에 따른 공공지원민간임대주택(이하 "공공지원민간임대주택"이라 한다)으로 건설·공급할 것. 이 경우 주택 수산정방법 및 주택 유형별 건설비율은 대통령령으로 정한다.

• 재건축사업

정비기반시설은 양호하나 노후·불량건축물에 해당하는 공동주택이 밀집한 지역에서 주거환경을 개선하기 위한 사업. 이 경우 다음 요건을 모두 갖추어 시행하는 재건축사업을 "공공재건축사업"이라 한다.

① 시장·군수 등 또는 토지주택공사등(조합과 공동으로 시행하는 경우를 포함한다)이 재건축사업의 시행자나 재건축사업의 대행자(이하 "공공재건축사업 시행자"라 한다)일 것

② 종전의 용적률, 토지면적, 기반시설 현황 등을 고려하여 대통령령으로 정하는 세대수 이상을 건설·공급할 것. 다만, 정비구역의 지정권자가 국토의 계획 및 이용에 관한 법률에 따른 도시·군기본계획, 토지이용 현황 등 대통령령으로 정하는 불가피한 사유로 해당하는 세대수를 충족할 수 없다고 인정하는 경우에는 그러하지 아니하다.

조성토지 등의 공급
(造成土地 등의 供給)
☑ 제26회

시행자는 조성토지 등을 공급하려고 할 때에는 조성토지 등의 공급계획을 작성하여야 하며, 지정권자가 아닌 시행자는 작성한 조성토지 등의 공급 계획에 대하여 지정권자의 승인을 받아야 한다. 조성토지 등의 공급계획을 변경하려는 경우에도 또한 같다.

조성토지 등의 가격 평가는 감정가격으로 한다. 그러나 시행자는 학교, 폐기물처리시설, 임대주택, 그 밖에 대통령령으로 정하는 시설을 설치하기 위한 조성토지 등과 이주단지의 조성을 위한 토지를 공급하는 경우에는 해당 토지의 가격을 「감정평가 및 감정평가사에 관한 법률」에 따른 감정평가법인등이 감정평가한 가격 이하로 정할 수 있다. 다만, 공공시행자에게 임대주택 건설용지를 공급하는 경우에는 해당 토지의 가격을 감정평가한 가격 이하로 정하여야 한다.

참고 | 공급방법

1. 경쟁입찰의 방법: 조성토지 등의 공급은 경쟁입찰의 방법에 따른다.
2. 추첨의 방법: 다음의 해당하는 경우에는 추첨의 방법으로 분양할 수 있다.
   ① 「주택법」에 따른 국민주택규모 이하의 주택건설용지(임대주택건설용지를 포함)
   ② 「주택법」에 따른 공공택지
   ③ 330제곱미터 이하의 단독주택용지
   ④ 공장용지
3. 수의계약의 방법: 시행자는 다음에 해당하는 경우에는 수의계약의 방법으로 조성토지 등을 공급할 수 있다.
   ① 학교용지, 공공청사용지 등 일반에게 분양할 수 없는 공공용지를 국가, 지방자치단체, 그 밖의 법령에 따라 해당 시설을 설치할 수 있는 자에게 공급하는 경우
   ② 고시한 실시계획에 따라 존치하는 시설물의 유지관리에 필요한 최소한의 토지를 공급하는 경우
   ③ 「공익사업을 위한 토지 등의 취득 및 보상에 관한 법률」에 따른 협의를 하여 그가 소유하는 도시개발구역 안의 조성토지 등의 전부를 시행자에게 양도한 자에게 국토교통부령으로 정하는 기준에 따라 토지를 공급하는 경우
   ④ 토지상환채권에 의하여 토지를 상환하는 경우

조합설립추진위원회
(組合設立推進委員會)
☑ 제33회

조합을 설립하려는 경우에는 정비구역 지정·고시 후 다음의 사항에 대하여 토지등소유자 과반수의 동의를 받아 조합설립을 위한 추진위원회를 구성하여 국토교통부령으로 정하는 방법과 절차에 따라 시장·군수 등의 승인을 받아야 한다.

1. 추진위원회 위원장(이하 "추진위원장"이라 한다)을 포함한 5명 이상의 추진위원회 위원(이하 "추진위원"이라 한다)
2. 추진위원회의 운영규정

:: 참고 | 추진위원회의 업무

1. 정비사업전문관리업자의 선정 및 변경
2. 설계자의 선정 및 변경
3. 개략적인 정비사업 시행계획서의 작성
4. 조합설립인가를 받기 위한 준비업무
5. 그 밖에 조합설립을 추진하기 위하여 대통령령으로 정하는 업무

주거지역
(住居地域)

국토의 계획 및 이용에 관한 법률상 도시지역 중의 하나로서, 거주의 안녕과 건전한 생활환경의 보호를 위하여 필요한 지역을 말한다. 이는 전용주거지역(제1종 · 제2종) · 일반주거지역(제1종 · 제2종 · 제3종) · 준주거지역으로 세분된다.

주거환경개선사업
(住居環境改善事業)
☑ 제27회, 제28회, 제29회

도시 및 주거환경정비법령상 도시저소득주민이 집단으로 거주하는 지역으로서 정비기반시설이 극히 열악하고 노후 · 불량건축물이 과도하게 밀집한 지역의 주거환경을 개선하거나 단독주택 및 다세대주택이 밀집한 지역에서 정비기반시설과 공동이용시설 확충을 통하여 주거환경을 보전 · 정비 · 개량하기 위하여 시행하는 사업을 의미한다. 주거환경개선사업은 다음에 열거하는 방법 또는 이를 혼용하는 방법으로 한다.

1. 사업시행자가 정비구역에서 정비기반시설 및 공동이용시설을 새로 설치하거나 확대하고 토지등소유자가 스스로 주택을 보전 · 정비하거나 개량하는 방법
2. 사업시행자가 정비구역의 전부 또는 일부를 수용하여 주택을 건설한 후 토지등소유자에게 우선 공급하거나 대지를 토지등소유자 또는 토지등소유자 외의 자에게 공급하는 방법
3. 사업시행자가 환지로 공급하는 방법
4. 사업시행자가 정비구역에서 인가받은 관리처분계획에 따라 주택 및 부대시설 · 복리시설을 건설하여 공급하는 방법

주요구조부
(主要構造部)
☑ 제27회

내력벽, 기둥, 바닥, 보, 지붕틀 및 주계단을 말한다. 다만, 사이 기둥, 최하층 바닥, 작은 보, 차양, 옥외 계단, 그 밖에 이와 유사한 것으로 건축물의 구조상 중요하지 아니한 부분은 제외한다.

주차장
(駐車場)

자동차를 세워두기 위한 시설로서, 노상주차장 · 노외주차장 · 부설주차장으로 구분된다.

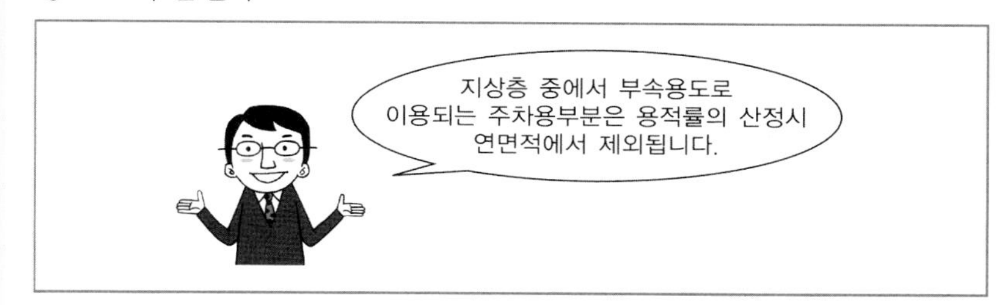

주택
(住宅)

☑ 제26회, 제28회, 제29회

세대의 구성원이 장기간 독립된 주거생활을 할 수 있는 구조로 된 건축물의 전부 또는 일부 및 그 부속토지를 말하며, 이를 단독주택과 공동주택으로 구분한다.

참고 | 주택의 종류

1. 단독주택
2. 공동주택
   ① 아파트 ② 연립주택 ③ 다세대주택
3. 세대구분형 공동주택 : 세대구분형 공동주택이란 공동주택의 주택 내부 공간의 일부를 세대별로 구분하여 생활이 가능한 구조로 하되, 그 구분된 공간 일부에 대하여 구분소유를 할 수 없는 주택
4. 국민주택

주택건설사업

☑ 제26회, 제29회, 제30회, 제31회

주택법이 정하는 절차에 따라 주택건설사업자들이 건설하는 사업을 말한다.

참고 | 주택건설사업의 등록

연간 단독주택의 경우에는 20호, 공동주택의 경우에는 20세대(도시형 생활주택의 경우와 소형 주택과 그 밖의 주택 1세대를 함께 건축하는 경우에는 30세대) 이상의 주택건설사업을 시행하려는 자 또는 연간 1만m^2 이상의 대지조성사업을 시행하려는 자는 국토교통부장관에게 등록하여야 한다. 다만, 다음의 사업주체의경우에는 그러하지 아니하다.

1. 국가 · 지방자치단체
2. 한국토지주택공사
3. 지방공사
4. 「공익법인의 설립 · 운영에 관한 법률」에 따라 주택건설사업을 목적으로 설립된 공익법인(이하 "공익법인"이라 한다)
5. 주택조합(등록사업자와 공동으로 주택건설사업을 하는 주택조합만 해당한다)
6. 근로자를 고용하는 자(등록사업자와 공동으로 주택건설사업을 시행하는 고용자만 해당하며, 이하 "고용자"라 한다)

주택단지
(住宅團地)

☑ 제27회, 제28회, 제30회, 제32회

주택건설사업계획 또는 대지조성사업계획의 승인을 얻어 주택과 그 부대시설 및 복리시설을 건설하거나 대지를 조성하는 데 사용되는 일단의 토지를 말한다. 다만, 다음의 시설로 분리된 토지는 이를 각각 별개의 주택단지로 본다.

1. 철도 · 고속도로 · 자동차전용도로
2. 폭 20m 이상인 일반도로
3. 폭 8m 이상인 도시계획예정도로
4. 1. 내지 3.의 시설에 준하는 것으로서 대통령령이 정하는 시설

주택상환사채
(住宅償還私債)

☑ 제27회, 제31회~제33회

한국토지주택공사와 등록사업자는 대통령령으로 정하는 바에 따라 주택으로 상환하는 사채(이하 "주택상환사채"라 한다)를 발행할 수 있다. 이 경우 등록사업자는 자본금 · 자산평가액 및 기술인력 등이 대통령령으로 정하는 기준에 맞고 금융기관 또는 주택도시보증공사의 보증을 받은 경우에만 주택상환사채를 발행할 수 있다.

:: 참고 | 주택상환사채의 발행방법 등

1. 주택상환사채는 기명증권(記名證券)으로 하고, 사채권자의 명의변경은 취득자의 성명과 주소를 사채원부에 기록하는 방법으로 하며, 취득자의 성명을 채권에 기록하지 아니하면 사채발행자 및 제3자에게 대항할 수 없다.
2. 주택상환사채는 액면 또는 할인의 방법으로 발행한다.
3. 주택상환사채의 상환기간은 3년을 초과할 수 없다.
4. 주택상환사채는 이를 양도하거나 중도에 해약할 수 없다. 다만, 해외이주 등 국토교통부령으로 정하는 부득이한 사유가 있는 경우에는 예외로 한다.

주택조합
(住宅組合)

☑ 제27회~제30회

다수의 구성원이 주택을 마련하거나 리모델링하기 위하여 결성하는 다음의 조합을 말한다.

지역주택조합	동일한 특별시 · 광역시 · 특별자치도 · 시 또는 군(광역시의 관할구역에 있는 군을 제외한다)에 거주하는 주민이 주택을 마련하기 위하여 설립한 조합
직장주택조합	동일한 직장의 근로자가 주택을 마련하기 위하여 설립한 조합
리모델링주택조합	공동주택의 소유자가 그 주택을 리모델링하기 위하여 설립한 조합

:: 참고 | 재건축조합

재건축조합은 주택법에 의한 주택조합이 아니라 도시 및 주거환경정비법 규정에 의한 정비사업조합에 해당한다.

준공업지역
(準工業地域)

국토의 계획 및 이용에 관한 법률상 공업지역 중의 하나로서, 경공업 기타 공업을 수용하되 주거기능의 보완이 필요한 지역을 말한다.

준주거지역
(準住居地域)

국토의 계획 및 이용에 관한 법률상 주거지역 중의 하나로서, 주거기능을 위주로 이를 지원하는 일부 상업·업무기능을 보완하기 위하여 필요한 지역을 말한다.

준주택

☑ 제31회

주택 외의 건축물과 그 부속토지로서 주거시설로 이용가능한 다음의 시설 등을 말한다.

1. 기숙사	2. 다중생활시설
3. 노인복지시설	4. 오피스텔

중심상업지역
(中心商業地域)

국토의 계획 및 이용에 관한 법률상 상업지역 중의 하나로서, 도심·부도심의 업무기능 및 상업기능의 확충을 위하여 필요한 지역을 말한다.

증축
(增築)

기존건축물이 있는 대지 안에서 건축물의 건축면적·연면적·층수 또는 높이를 늘리는 것을 말한다.

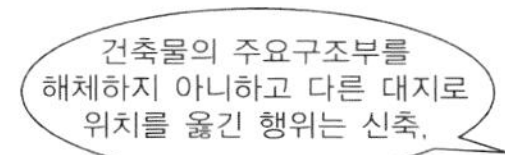

지가
(地價)

토지의 교환가치, 가격수준의 뜻으로 부동산의 가격이라고도 한다. 국토의 계획 및 이용에 관한 법률에 의하면 국토교통부장관 또는 시·도지사는 토지거래허가제도의 실시 그 밖에 기타 토지정책의 수행을 위한 자료를 수집하기 위하여 지가의 동향을 조사하여야 한다.

지구단위계획
(地區單位計劃)

☑ 제26회~제30회, 제32회, 제34회

도시·군계획 수립 대상지역의 일부에 대하여 토지이용을 합리화하고 그 기능을 증진시키며 미관을 개선하고 양호한 환경을 확보하며, 그 지역을 체계적·계획적으로 관리하기 위하여 수립하는 도시·군관리계획을 말한다.

지하층
(地下層)

건축물의 바닥이 지표면 아래에 있는 층으로서 바닥에서 지표면까지 평균높이가 해당 층 높이의 2분의 1 이상인 것을 말한다.

> **참고 | 층수의 산정**
> 지하층은 건축물의 층수에 산입하지 아니한다.

청산금
(清算金)
☑ 제26회, 제32회, 제34회

환지를 정하거나 그 대상에서 제외한 경우에 생기는 초과 또는 부족분에 대하여 종전의 토지와 환지의 위치 · 지목 등을 종합적으로 고려하여, 그 가치성의 차이를 청산하기 위하여 지급하는 금전을 말한다.

> **참고 | 청산금의 결정**
> 청산금은 환지처분을 하는 때에 결정하여야 한다. 다만, 환지대상에서 제외한 토지 등에 대하여는 청산금을 교부하는 때에 청산금을 결정할 수 있다(법 제41조 제2항).

체비지
(替費地)

도시개발사업을 환지방식으로 시행하는 경우, 시행자가 사업의 시행에 필요한 경비에 충당하거나 규약 · 정관 · 시행규정 등에 정하는 목적을 위하여 환지계획에서 일정한 토지를 환지로 정하지 않고 남겨둔 토지를 말한다. 체비지는 집단적 또는 대단위로 한 곳에 편중되어 정할 수 없고 감보율에 의하여 그 면적이 확보된다.

취락지구
(聚落地區)
☑ 제30회

국토의 계획 및 이용에 관한 법률상 용도지구 중의 하나로서, 녹지지역 · 관리지역 · 농림지역 · 자연환경보전지역 또는 개발제한구역 안의 취락을 정비하기 위한 지구를 말한다. 이는 자연취락지구와 집단취락지구로 세분된다.

자연취락지구	녹지지역 · 관리지역 · 농림지역 또는 자연환경 보전지역 안의 취락을 정비하기 위하여 필요한 지구
집단취락지구	개발제한구역 안의 취락을 정비하기 위하여 필요한 지구

층수
(層數)
☑ 제31회

① 승강기탑(옥상 출입용 승강장을 포함한다), 계단탑, 망루, 장식탑, 옥탑, 그 밖에 이와 비슷한 건축물의 옥상 부분으로서 그 수평투영면적의 합계가 해당 건축물 건축면적의 8분의 1(「주택법」에 따른 사업계획승인 대상인 공동주택 중 세대별 전용면적이 85제곱미터 이하인 경우에는 6분의 1) 이하인 것은 층수에 산입하지 아니한다.
② 지하층은 건축물의 층수에 산입하지 아니한다.
③ 층의 구분이 명확하지 아니한 건축물은 그 건축물의 높이를 4미터마다 하나의 층으로 산정한다.
④ 건축물이 부분에 따라 그 층수가 다른 경우에는 그중 가장 많은 층수를 그 건축물의 층수로 본다.

토지등소유자
(土地등所有者)
☑ 제33회, 제35회

도시 및 주거환경정비법상에서 ‘토지등소유자’는 다음의 자를 말한다. 다만, 「자본시장과 금융투자업에 관한 법률」에 따른 신탁업자(이하 “신탁업자”라 한다)가 사업시행자로 지정된 경우 토지등소유자가 정비사업을 목적으로 신탁업자에게 신탁한 토지 또는 건축물에 대하여는 위탁자를 토지등소유자로 본다.
① 주거환경개선사업 · 재개발사업의 경우에는 정비구역에 위치한 토지 또는 건축물의 소유자 또는 그 지상권자
② 재건축사업의 경우에는 정비구역에 위치한 건축물 및 그 부속토지의 소유자

토지부담률
(土地負擔率)

도시개발법령상 환지계획구역 안의 토지소유자가 도시개발사업을 위하여 부담하는 토지의 비율을 토지부담률이라 한다.

토지상환채권
(土地償還債券)
☑ 제33회, 제35회

도시개발사업의 시행자는 토지소유자가 원하는 경우에는 토지 등의 매수대금의 일부를 지급하기 위하여 대통령령이 정하는 바에 따라 사업시행으로 조성된 토지 · 건축물로 상환하는 채권을 발행할 수 있는데, 이 채권을 토지상환채권이라 한다. 토지상환채권은 기명으로 발행하여야 하며, 발행규모는 그 토지상환채권으로 상환할 토지 · 건축물이 당해 도시개발사업으로 조성되는 분양토지 또는 분양건축물의 2분의 1을 초과하지 아니하도록 하여야 한다.

토지에의 출입 등 (土地에의 出入 등)

☑ 제33회, 제34회

국토교통부장관, 시·도지사, 시장 또는 군수나 도시·군계획시설사업의 시행자는 도시·군계획·광역도시계획에 관한 기초조사, 개발밀도관리구역, 기반시설부담구역, 기반시설부담구역의 지정에 관한 규정에 따른 기반시설설치계획에 관한 기초조사, 지가의 동향 및 토지거래의 상황에 관한 조사 또는 도시·군계획시설사업에 관한 조사·측량 또는 시행을 위하여 필요한 때에는 타인의 토지에 출입하거나 타인의 토지를 재료적치장 또는 임시통로로 일시사용할 수 있으며, 특히 필요한 때에는 나무·흙·돌 그 밖의 장애물을 변경하거나 제거할 수 있다.

토지에의 출입 등에 관한 규정에 의한 행위로 인하여 손실을 받은 자가 있는 때에는 그 행위자가 속한 행정청 또는 도시·군계획시설사업의 시행자가 그 손실을 보상하여야 한다.

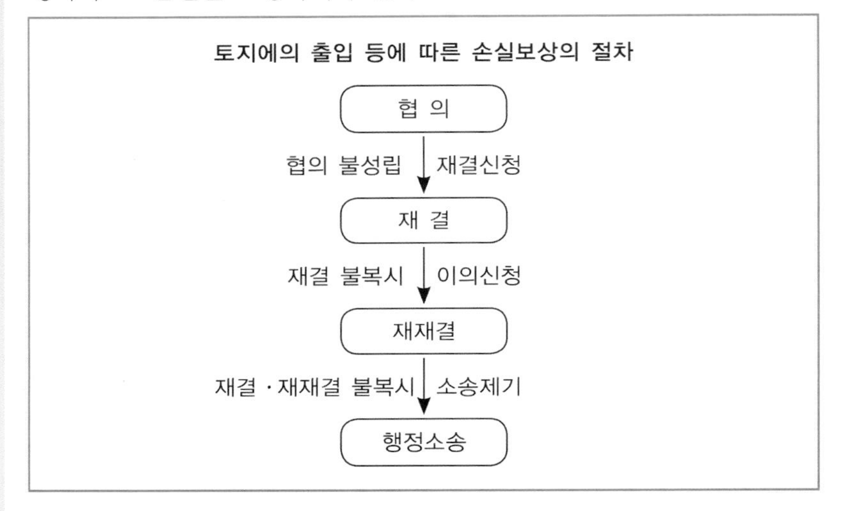

투기과열지구 (投機過熱地區)

☑ 제27회, 제28회, 제29회, 제32회

국토교통부장관 또는 시·도지사는 주택가격의 안정을 위하여 필요한 경우에는 주거정책심의위원회(시·도지사의 경우에는 시·도 주거정책심의위원회를 말한다)의 심의를 거쳐 일정한 지역을 투기과열지구로 지정하거나 이를 해제할 수 있다. 이 경우 투기과열지구의 지정은 그 지정 목적을 달성할 수 있는 최소한의 범위로 한다. 투기과열지구는 해당 지역의 주택가격상승률이 물가상승률보다 현저히 높은 지역으로서 그 지역의 청약경쟁률·주택가격·주택보급률 및 주택공급계획 등과 지역 주택시장 여건 등을 고려하였을 때 주택에 대한 투기가 성행하고 있거나 성행할 우려가 있는 지역 중 국토교통부령으로 정하는 기준을 충족하는 곳이어야 한다.

:: 참고 | 전매제한

사업주체가 건설·공급하는 주택 또는 주택의 입주자로 선정된 지위(입주자로 선정되어 그 주택에 입주할 수 있는 권리·자격·지위 등을 말한다)로서 다음의 어느 하나에 해당하는 경우에는 10년 이내의 범위에서 대통령령으로 정하는 기간이 지나기 전에는 그 주택 또는 지위를 전매(매매·증여나 그 밖에 권리의 변동을 수반하는 모든 행위를 포함하되, 상속의 경우는 제외한다)하거나 이의 전매를 알선할 수 없다. 이 경우 전매제한기간은 주택의 수급 상황 및 투기 우려 등을 고려하여 대통령령으로 지역별로 달리 정할 수 있다.

1. 투기과열지구에서 건설·공급되는 주택의 입주자로 선정된 지위
2. 분양가상한제 적용주택 및 그 주택의 입주자로 선정된 지위. 다만, 「수도권정비계획법」에 따른 수도권 외의 지역으로서 투기과열지구가 지정되지 아니하거나 지정 해제된 지역 중 공공택지 외의 택지에서 건설·공급되는 분양가상한제 적용주택 및 그 주택의 입주자로 선정된 지위에 대하여는 그러하지 아니하다.
3. 수도권의 지역으로서 공공택지 외의 택지에서 건설·공급되는 주택 또는 그 주택의 입주자로 선정된 지위

특별건축구역
(特別建築區域)

☑ 제32회, 제33회

조화롭고 창의적인 건축물로 도시경관을 창출하고 건설기술 수준 향상 및 건축관련 제도개선을 도모하기 위하여 건축법 또는 관계법령에 따라 일부 규정을 적용하지 않거나 완화 또는 통합하여 적용할 수 있도록 특별히 지정하는 구역을 말한다.

행정심판
(行政審判)

위법 또는 부당한 행정행위로 인하여 자신의 권익을 침해당한 자가 행정기관에 대하여 그 시정을 구하는 행정쟁송절차를 말한다. 이를 규율하는 법률이 행정심판법이다.

허가
(許可)

법규에 의하여 일반적으로 금지되어 있으나 특정한 경우에만 특정인에게 이를 해제하여 줌으로써 이를 적법하게 할 수 있도록 하는 법률행위적 행정행위를 말한다. 예를 들어 식품위생법상 금지된 영업을 허가하는 경우, 공중위생법상 금지된 행위를 허가하는 경우 등이다.

허가구역
(許可區域)

국토교통부장관은 국토의 이용 및 관리에 관한 계획의 원활한 수립 및 집행, 합리적 토지이용 등을 위하여 토지의 투기적인 거래가 성행하거나 지가가 급격히 상승하는 지역과 그러한 우려가 있는 지역으로서 대통령령이 정하는 지역에 대하여는 5년 이내의 기간을 정하여 토지거래계약에 관한 허가의 규정에 의한 토지거래계약에 관한 허가구역(이하 '허가구역'이라 한다)으로 지정할 수 있다.

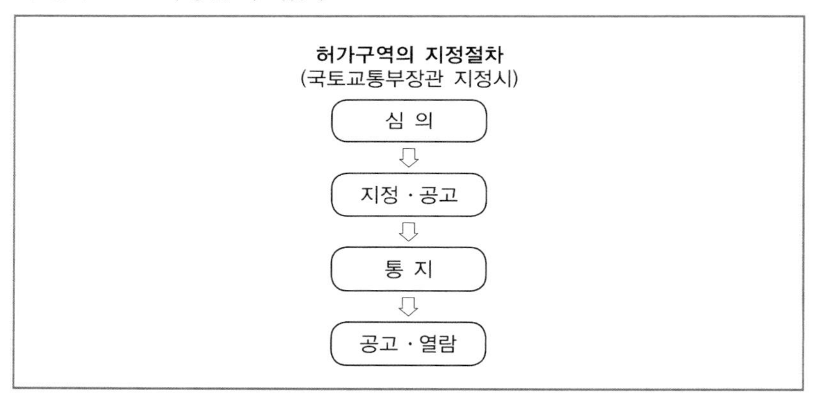

환지
(換地)

☑ 제28회, 제31회~제33회, 제35회

본래의 의미는 토지를 맞바꾸는 것 또는 그 맞바꾼 토지로서, 도시개발사업 시행 전의 토지의 위치 · 지목 · 면적 · 토질 · 수리 · 이용상황 · 환경 기타의 사항을 고려하여 사업시행 후 소유자에게 재분배하는 토지 또는 그 행위를 지칭한다.

환지계획
(換地計劃)
☑ 제27회, 제29회, 제30회, 제34회

도시개발사업의 전부 또는 일부를 환지방식에 의하여 시행하고자 하는 경우에 그 사업시행자가 정하는 환지의 기본계획을 말한다. 이러한 환지계획은 종전의 토지 및 환지의 위치 · 지목 · 면적 · 토질 · 수리 · 이용상황 · 환경 기타의 사항을 종합적으로 고려하여 합리적으로 정하여야 한다. 우리나라에서는 면적주의(위치 · 지목 · 면적)와 평가주의(토질 · 수리 · 이용상황 · 환경)를 절충하고 있으나 면적주의가 기본이라고 할 수 있다.

환지처분
(換地處分)
☑ 제26회, 제33회

사업이 종료된 후 종전토지에 갈음하여 새로운 토지를 교부하고 그 과부족분에 대하여는 금전으로 청산하는 행정처분을 말한다. 이와 같은 환지처분은 사업의 궁극적인 목적이며 최종적 절차로서 이미 인가받은 환지계획에 의하여 기속당하는 기속적 행정처분이다.

참고 | 환지처분의 종류

1. 협의의 환지처분 : 협의의 환지처분이란 종전토지에 갈음하여 새로운 토지가 지정되는 처분을 말한다. 이에는 다음과 같은 것이 있다.
   ① 적응환지처분
   ② 증환지처분
   ③ 감환지처분
   ④ 특별한 토지(공공시설용지)에 대한 환지처분
2. 광의의 환지처분 : 광의의 환지처분은 협의의 환지처분 이외에 환지에 갈음하는 처분까지 포함하는 개념으로서 다음과 같은 것을 말한다.
   ① 동의에 의한 환지부지정처분
   ② 과소토지에 대한 직권환지부지정처분
   ③ 입체환지처분
   ④ 보류지 · 체비지처분

제36회 공인중개사 시험대비 **전면개정판**

2025 박문각 공인중개사

이해가 쉬운 핵심용어집

초판인쇄 | 2024. 10. 25. **초판발행** | 2024. 10. 30. **편저** | 박문각 부동산교육연구소
발행인 | 박 용 **발행처** | (주)박문각출판 **등록** | 2015년 4월 29일 제2019-000137호
주소 | 06654 서울시 서초구 효령로 283 서경 B/D 4층 **팩스** | (02)584-2927
전화 | 교재 주문 (02)6466-7202, 동영상문의 (02)6466-7201

비매품

ISBN 979-11-7262-304-3